Una Nación Muchos Pueblos

Volumen Uno

Estados Unidos Hasta 1900

Consultants

Juan García
University of Arizona

Sharon Harley
University of Maryland

John Howard
State University of New York, Purchase College

GLOBE FEARON
Educational Publisher
Upper Saddle River, New Jersey

Paramount Publishing

Juan García is Associate Professor of History and the Director of the University Teaching Center at the University of Arizona. He received his Ph.D. from the University of Notre Dame. The focus of his research is Mexican and Mexican American history, U.S. history, and ethnic studies.

Sharon Harley is Associate Professor of Afro-American Studies and History at the University of Maryland. She received her Ph.D. from Howard University. She has conducted extensive research in African American women's history, focusing on the history of women workers.

John Howard is a Distinguished Service Professor at the State University of New York, Purchase College. He received his Ph.D. at Stanford University and a J.D. at Pace Law School. He is a professor in the social science department with a particular focus on law-related topics.

Executive Editor: Barbara Levadi
Senior Editor: Francie Holder
Editorial Assistant: Kris Shepos-Salvatore
Production Manager: Penny Gibson
Spanish Translation: Curriculum Concepts
Senior Production Editor: Linda Greenberg
Production Editor: Walt Niedner

Product Manager: Sandy Hutchinson
Book Design: Carole Anson
Electronic Page Production: Margarita Giammanco
Photo Research: Jenifer Hixson
Maps: Mapping Specialists Limited
Cover Design: Richard Puder Design

Photo Credits: **Cover:** Detail of Painting by Paul Cane, *Indian Encampment of Lake Huron,* The Granger Collection; **Cover:** The Granger Collection; **Cover:** Florida Photographic Collection, Florida State Archives; **Cover:** The Granger Collection; **6:** The Bettmann Archive; **7:** © Don West, The Picture Cube; **10:** The Bettmann Archive; **15:** The Granger Collection; **17:** Trans World Airline Photo; **18:** Library of Congress; **21:** The Granger Collection; **24:** The Granger Collection; **26:** New York Public Library; **28:** Brown Brothers; **29:** The Pierpont Morgan Library; **32:** The Bettmann Archive; **36:** The Granger Collection; **37:** The Schomberg Center for Research in Black Culture; **38:** The Bettmann Archive; **41:** The Bettmann Archive; **42:** Giraudon, Art Resource; **47:** U.T. Institute of Texan Cultures; **50:** Colonial Williamsburg; **52:** Library of Congress; **54:** The Bettmann Archive; **58:** The Bettmann Archive; **60:** New-York Historical Society; **66:** The Bettmann Archive; **68:** The Bettmann Archive; **70:** The Schomberg Center; **71:** The Granger Collection; **75:** George Catlin, Courtesy of the National Gallery of Art, Wahington DC, The Paul Melon Collection; **76:** The Bettmann Archive; **80:** Culver Pictures Inc.; **83:** The Bettmann Archive; **84:** The Granger Collection; **87:** The Granger Collection; **88:** New York Public Library; **89:** The Bettmann Archive; **92:** The Bettmann Archive; **94:** The Granger Collection; **96:** The Bettmann Archive; **100:** Library of Congress; **103:** Library of Congress; **105:** Museum of the City of New York; **108:** Zephyr Pictures; **110:** Yale University Art Gallery; **112:** Bettmann Archive; **114:** Bettmann Archive; **117:** The Granger Collection; **121:** Bettmann Archive (lent for cover); **124:** The Bettmann Archive; **126:** Library of Congress; **129:** Bettmann Archive; **131:** The Granger Collection; **134:** © Beryl Goldberg; **136:** Courtesy of the Congressional Black Caucus; **138:** AP/Wide World Photos; **140:** © Jane Feldman; **143:** The J. Clarence Davies Collection Museum of the City of New York; **146:** The Bettmann Archive; **147:** Maryland Historical Society; **103:** Library of Congress; **151:** Montana Historical Society; **154:** The Granger Collection; **156:** Bettmann Archive; **159:** The Schomberg Collection, New York Public Library; **160:** Culver Pictures; **163:** The National Archives; **165:** New York Public Library; **168:** The Granger Collection; **176:** Courtesy of the Witte Museum and the San Antonio Museum Association, San Antonio, Texas; **181:** The Bancroft Library, University of California; **185:** The Granger Collection; **186:** The Granger Collection; **190:** The Bettmann Archive; **191:** The Granger Collection; **194:** The Granger Collection; **196:** The Bettmann Archive; **198:** Library of Congress; **199:** The Granger Collection; **202:** Sophia Smith Collection; **204:** Culver Pictures Inc.; **207:** The Granger Collection; **208:** The Granger Collection; **211:** The Granger Collection; **216:** The Bettmann Archive; **219:** The Bettmann Archive; **220:** The Bettmann Archive; **224:** Library of Congress; **228:** The Granger Collection; **230:** Library of Congress; **233:** The Bettmann Archive; **236:** The Bettmann Archive; **238:** The Bettmann Archive; **240:** The Bettmann Archive; **241:** New-York Historical Society; **242:** The Rutherford B. Hayes Presidential Center; **245:** The George Eastman House; **246:** In the Collection of the Corcoran Gallery of Art, Museum Purchase; **250 (l):** The Bettmann Archive; **250 (r):** UPI/Bettmann Archive; **251:** The Granger Collection; **254:** Kansas State Historical Society; **257:** Courtesy the Museum of New Mexico; **259:** The Granger Collection; **262:** Bettmann Archive; **264:** Culver Pictures; **266:** Library of Congress; **270:** Museum of the City of New York*; **274:** Bettmann Archive; **275:** Florida State Archives; **278:** Library of Congress; **282:** Culver Pictures; **283:** The George Eastman House; **286:** The Granger Collection; **288:** The Granger Collection; **290:** Courtesy of Cornell University; **291:** The Granger Collection; **294:** UPI/Bettmann; **296:** The Granger Collection; **302:** Culver Pictures, Inc.; **305:** The Granger Collection; **306:** The Granger Collection.

GLOBE FEARON
EDUCATIONAL PUBLISHER
UPPER SADDLE RIVER, NEW JERSEY

Printed in the United States of America
1 2 3 4 5 6 7 8 9 10   99 98 97 96 95

Paramount Publishing

ISBN 0-835-91332-5

CONTENIDO

Unidad 6 Retos, Oportunidades Y Logros (1876 - 1900)

Mapas

Graficas y Tablas

Unidad 1
Las Culturas Chocan en las Américas (Prehistoria-1519)

Capítulos

Estados Unidos es una Nación Diversa.

¿Qué hace que Estados Unidos sea tan diverso?

Los americanos tienen sus raíces en todos los países del mundo. Sus muchas lenguas y tradiciones son una fuente de gran fuerza.

Buscando los Términos Clave

- democracia • geografía • planicies del interior • planicies de la costa • región del Pacífico • región de las montañas Rocosas • región de los montes Apalaches • región intermontañosa

Buscando las Palabras Clave

- **diverso:** diferente
- **cultura:** creencias y modos de vida de un pueblo
- **inmigración:** mudarse de una tierra natal para vivir permanentemente en otro país
- **adaptación:** cambiar para ajustarse a nuevos ambientes

- **tradiciones:** costumbres y maneras de hacer las cosas transmitidas de una generación a otra
- **clima:** el promedio de características atmosféricas de un lugar a través de un periodo de años
- **multicultural:** muchas culturas

SUGERENCIA DE

Para ayudarte a recordar las regiones físicas de Norteamérica, haz una lista de sus nombres y de sus características físicas.

ESTUDIO

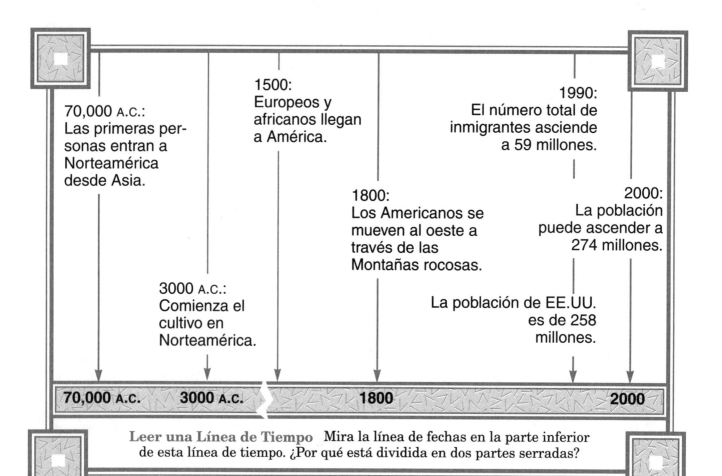

70,000 A.C.:
Las primeras personas entran a Norteamérica desde Asia.

3000 A.C.:
Comienza el cultivo en Norteamérica.

1500:
Europeos y africanos llegan a América.

1800:
Los Americanos se mueven al oeste a través de las Montañas rocosas.

1990:
El número total de inmigrantes asciende a 59 millones.

2000:
La población puede ascender a 274 millones.

La población de EE.UU. es de 258 millones.

| 70,000 A.C. | 3000 A.C. | | 1800 | | 2000 |

Leer una Línea de Tiempo Mira la línea de fechas en la parte inferior de esta línea de tiempo. ¿Por qué está dividida en dos partes serradas?

Estados Unidos es una nación **diversa**. Una nación diversa es aquella que tiene mucha variedad. Nuestra nación es diversa de muchas maneras. Estados Unidos tiene todo tipo de clima y de suelo dentro de sus fronteras. Otra forma de diversidad de Estados Unidos es su gente.

1 La Gente de EE. UU. es Diversa.

¿Por qué se le llama a Estados Unidos "una nación multicultural"?

Estados Unidos es una de las naciones más diversas del planeta. La gente de nuestra nación viene de todo el mundo. Ha traído consigo diferentes costumbres y tradiciones.

Una nación multicultural Estados Unidos alberga a muchas personas diferentes con **culturas** diferentes. La cultura son las creencias y maneras de vivir que un grupo desarrolla. Esto incluye las actividades diarias de la gente, y el arte, la música y la literatura. Existen tantas culturas diferentes en Estados Unidos, que somos conocidos como una nación **multicultural**, o una nación de muchas culturas. Esta gran diversidad a veces ha causado conflictos. Sin embargo, también ha hecho de ésta una gran nación.

Una población creciente La población de Estados Unidos ha crecido a través de los años. Una razón de este crecimiento es la **inmigración**. La inmigración es el movimiento de personas de sus tierras natales para vivir en un nuevo país. De 1820 a 1990 aproximadamente 59 millones de personas inmigraron a Estados Unidos. Estas personas vinieron de todo el mundo. La mezcla de estas personas es un tema importante en nuestra historia.

Hoy, la población de Estados Unidos es de más de 258 millones de personas. Esto lo hace el cuarto país del mundo. Solo China, India y Rusia tienen más población.

Vivir en Estados Unidos   Los científicos piensan que los primeros americanos llegaron aquí hace muchos miles de años. En tiempos recientes nuevos americanos han venido en barco o en avión. No importa cómo llegaron, aprendieron a **adaptarse** a la vida que encontraron en América. Adaptarse quiere decir cambiar para ajustarse a nuevos ambientes.

Los nuevos inmigrantes a veces aprendieron nuevas costumbres. Averigua cuándo vinieron a Estados Unidos tu familia o tus amigos. ¿Tuvieron que aprender una nueva lengua? ¿Aprendieron una nueva manera de ganarse la vida? ¿Cuán diferente era la vida en Estados Unidos de la vida en su tierra natal?

Sin embargo, los grupos que constituyen nuestra nación no abandonaron todas sus **tradiciones**. Las tradiciones

Leer un Mapa. Los 48 estados continentales tienen una gran variedad de climas. ¿En cuál de las zonas climáticas vives? ¿Cuál de estas zonas está más al sur? ¿Cuál de estas zonas está más al este?

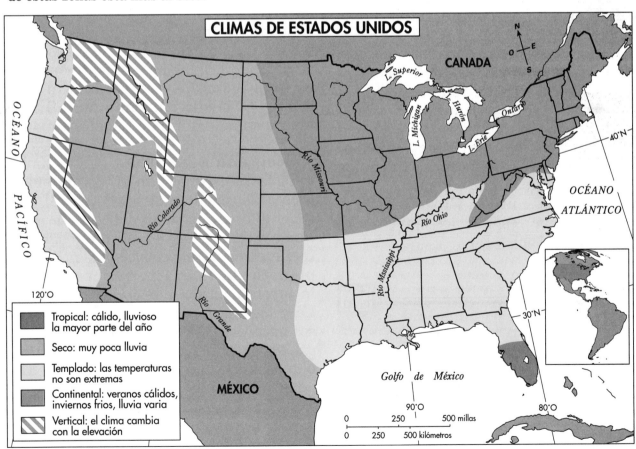

CLIMAS DE ESTADOS UNIDOS

Tropical: cálido, lluvioso la mayor parte del año

Seco: muy poca lluvia

Templado: las temperaturas no son extremas

Continental: veranos cálidos, inviernos fríos, lluvia varia

Vertical: el clima cambia con la elevación

Un grabado antiguo muestra cuánto dependían los primeros pobladores de lo que le podían sacar a su medio ambiente. Nombra algunas de las maneras en que estos pobladores dependían de la tierra a su alrededor.

son las costumbres y maneras de hacer cosas que se transmiten de una generación a otra.

Las creencias compartidas Los americanos son diferentes entre unos y otros en algunas características. Sin embargo, sí compartimos algunas creencias. Creemos en la **democracia**. La democracia es un tipo de gobierno en el cual los ciudadanos gobiernan, ya sea directamente, o a través de representantes electos. Creemos que todos los ciudadanos tienen el derecho de vivir vidas felices y útiles. Creemos que el gobierno debe respetar los derechos de todas las personas.

1. ¿Por qué se le llama a Estados Unidos un país "multicultural"?
2. ¿Qué es la inmigración?

2 La Geografía y la Historia están Conectadas.

¿Cómo nos ayuda la geografía a entender el pasado?

Conocer el medio ambiente es importante. Hace que la historia sea más fácil de entender. El medio ambiente natural incluye todas las partes de la naturaleza. El medio ambiente ha influido mucho en la historia de Estados Unidos.

Geografía e historia Estudiar la **geografía** es una manera de aprender acerca del medio ambiente natural. La geografía es el estudio del planeta y de cómo vive la gente en él. La geografía incluye las características físicas del planeta. Las características físicas incluyen montañas, desiertos y océanos. La geografía también abarca los recursos naturales, el clima e industrias.

La geografía ayuda a los historiadores a entender el presente y el pasado. La geografía puede explicar por qué la gente se asentó en cierta región. Puede mostrar cómo la gente utilizaba la tierra para ganarse la vida. La geografía de los primeros asentamientos era importante. Muchas veces determinaba si el asentamiento tendría éxito, o no. Como leerás más adelante, el clima y los recursos naturales jugaron un papel en el éxito de los primeros asentamientos.

El clima y el uso de la tierra El clima y la historia están estrechamente relacionados. El **clima** es el promedio de característias atmosféricas de un lugar a través de un periodo de años. Los climas de Estados Unidos están dibujadas en el mapa en la página 9. ¿Cual es el clima en tu parte del país?

El clima afecta cómo la gente utiliza la tierra. Si una región tiene suficiente lluvia, el clima adecuado y una buena temporada de cosecha, la gente puede cultivar allí. El clima también puede influir en los tipos de animales que viven en una región.

Los recursos naturales Los recursos naturales son todas aquellas cosas que se encuentran en la tierra y en el agua. Estas incluyen peces, animales, suelo, bosques y minerales. El aire y el agua también son recursos naturales. Los recursos naturales influyen en la gente y la historia.

Los ríos han influido durante mucho tiempo en la vida de Estados Unidos. El sistema de ríos más importante en Estados Unidos está compuesto por los ríos Mississippi y Missouri. (Ver el mapa en la página 12.) El río Mississippi provee agua a la gente de las planicies del interior. También es una vía de transporte, tanto para bienes como para personas.

Los grandes lagos forman parte de la frontera entre Estados Unidos y Canadá. Estos cinco lagos muy grandes son una vía de agua importante para el comercio.

Hay canales que conectan los lagos. El río San Lorenzo lleva grandes buques al océano Atlántico. Hoy, cosechas, minerales y bienes del centro de Estados Unidos pueden ser transportados directamente a cualquier puerto del mundo.

Otros recursos naturales que influyen donde vive y trabaja la gente son los bosques y minerales. Los bosques proveen madera y productos de la madera, y sirven de hogar a los animales. La gente usa los bosques para actividades recreativas. Los minerales tales como el hierro y el cobre son importantes para la industria de EE. UU.

Otros recursos naturales que provienen del suelo son el petróleo, el gas natural y el carbón. Estos se convierten en combustibles que son nuestras principales fuentes de energía. Estados Unidos tiene la suerte de poseer grandes cantidades de recursos naturales.

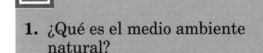

1. ¿Qué es el medio ambiente natural?
2. ¿Por qué son importantes los recursos naturales?

3 Estados Unidos Está Compuesto por Seis Regiones.

¿Cómo han afectado nuestra historia las regiones de Estados Unidos?

Los geógrafos dividen Estados Unidos en seis regiones. (Ver el mapa en esta página.)

Región del Pacífico Esta región está localizada en el oeste de Estados Unidos. Hace frontera con el océano Pacífico. La región del Pacífico es muy

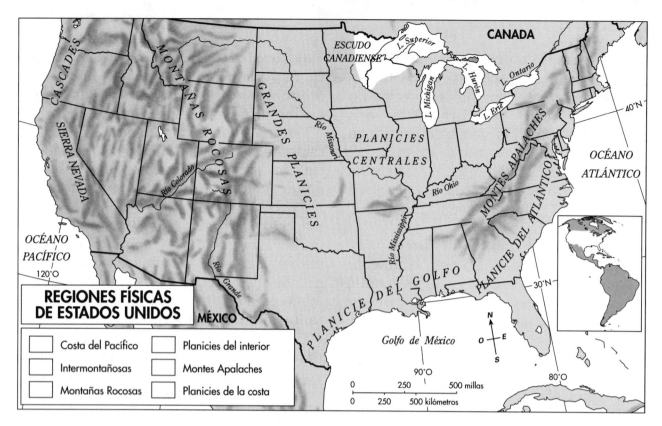

REGIONES FÍSICAS
DE ESTADOS UNIDOS

MÉXICO

Costa del Pacífico   Planicies del interior

Intermontañosas   Montes Apalaches

Montañas Rocosas   Planicies de la costa

Leer un Mapa ¿Qué región está al este de los montes Apalaches? Compara el mapa de arriba con el mapa de zonas climatológicas en la página 9. ¿Qué zonas climatológicas están incluidas en las Grandes Planicies?

escarpada. Altas cordilleras atraviesan esta región de Alaska a México.

Las ciudades más grandes de la región del Pacífico están localizadas cerca de la costa del Pacífico. Estas ciudades incluyen Seattle, Portland, San Francisco, Los Angeles y San Diego.

Región intermontañosa   Esta región yace al este de la costa del Pacífico. Al oeste están las montañas de la región del Pacífico. Al este están las montañas Rocosas. Esta es una región escarpada. Las montañas aíslan esta región por todos los costados. Los vientos húmedos de los océanos no llegan a ella. Por eso el clima es muy seco. Debido a que carece de agua, la región intermontañosa fue de las últimas en ser poblada.

Región de las montañas Rocosas Esta región comprende desde Alaska hacia el sur, a través de Canadá, entran-

do hasta México. Las montañas dificultaron el movimiento de los pobladores hacia el oeste en el siglo diecinueve. La región comenzó a crecer en población cuando los colonos encontraron oro y otros minerales en las montañas.

Planicies del interior   La región de las Planicies es una gran llanura baja en medio del país. Las Planicies se extienden desde el Canadá hasta el golfo de México. Tienen algunas de las mejores tierras de pastoreo y cultivo de Estados Unidos. Los granjeros también cultivan extensíones de trigo.

Región de los montes Apalaches Esta región se extíende a lo largo de la parte este de Estados Unidos. Estas montañas son más bajas que las Rocosas. En partes son suaves y verdes. Hay grandes lagos, extensos bosques, y altas cataratas. Los primeros colonos encontraron en esta región un buen lugar para vivir. Muchos americanos nativos también vivían en esta región. Como leerás, los colonizadores europeos y los americanos nativos libraron feroces batallas por estas tierras.

Planicies de la costa   En esta región los europeos construyeron los primeros asentamientos en lo que ahora es Estados Unidos. Esta región tiene dos partes. La planicie del Atlántico yace entre el océano Atlántico y los montes Apalaches. La segunda parte es la planicie del golfo que yace a lo largo del golfo de México. Su recurso natural más valioso es el petróleo.

Las Planicies siempre han sido un buen lugar para vivir. Más de 60 millones de americanos viven en la Planicie de la costa del Atlántico. La Planicie de la costa del Atlántico contiene algunas de las ciudades más grandes de la nación.

Una nación de regiones   La geografía de cada región en Estados Unidos ha influido en su historia. La geografía determinó cómo la gente utilizaba la tierra y cuántas personas vivían allí. Hoy, la geografía continúa influyendo dónde y cómo vive la gente. Mientras lees este libro, busca las distintas maneras en que la geografía desempeñó un papel en la historia de nuestra nación.

1. ¿Por qué es importante el océano para la gente de la región del Pacífico?
2. ¿Por qué es más importante la agricultura en las Planicies del interior que en las Planicies de la costa del Atlántico?

CAPÍTULO 1
IDEAS CLAVE

- Estados Unidos es una tierra de gran diversidad.
- Desde el comienzo de su historia, las Américas albergaron a personas de diferentes culturas.
- La geografía nos ayuda a entender el pasado.
- El medio ambiente a desempeñado un papel clave en nuestra historia.
- Norteamérica tiene seis regiones principales. La historia de cada una ha sido afectada por su geografía.

REPASO DEL CAPÍTULO 1

I. Repasar el Vocabulario

Une cada palabra de la izquierda con la definición correcta.

1. diversidad
2. geografía
3. cultura
4. democracia
5. tradiciones

   a. creencias y modos de vida de un pueblo

   b. costumbres y maneras de hacer las cosas que se transmiten a través de generaciones

   c. gran variedad o diferencias

   d. el estudio de cómo la gente vive en el planeta

   e. un tipo de gobierno en el cual los ciudadanos gobiernan

II. Entender el Capítulo

1. ¿Cómo ha hecho diverso a Estados Unidos la inmigración?
2. ¿Cómo afectan el clima y los recursos naturales la historia?
3. Compara dos regiones de Estados Unidos. ¿En qué se parecen? ¿En qué son diferentes?
4. ¿Por qué fue la región intermontañosa la última que se colonizó?
5. Da dos razones por las cuales los ríos son importantes.

III. Desarrollo de Habilidades: Leer un Mapa

Estudia el mapa en la página 12. Después contesta las siguientes preguntas:

1. ¿Cuáles son las dos regiones que cubren la costa este de Estados Unidos?
2. ¿Cuál región es más grande, las Planicies del interior, o las Planicies de la costa?

IV. Escribir Acerca de la Historia

1. **¿Qué hubieras hecho?** Imagínate que tu fueras un colonizador en el siglo diecinueve. ¿A qué barreras geográficas te enfrentarías?
2. Imagínate que pudieras vivir en dos climas distintos en Estados Unidos durante el año. ¿Cuáles escogerías y por qué?

V. Trabajar Juntos

1. En pequeños grupos, escoge una de las regiones físicas de Norteamérica que has aprendido. Tu grupo creará una presentación en una tablilla que muestra información acerca de esta región y cómo vive allí la gente. Puedes incluir dibujos, cuentos, mapas, gráficas, y fotos de revistas y periódicos.
2. **Del Pasado al Presente** La gente siempre ha sido afectada por la geografía. Con un grupo discute si tú piensas que el medio ambiente nos afecta tanto hoy como lo hizo en el pasado.

LOS PRIMEROS AMERICANOS DESARROLLAN GRANDES CULTURAS. (12,000 A.C.-1519 D.C.)

¿Quiénes fueron los primeros americanos y como vivían?

Esta pintura moderna muestra una vista del mercado en Tenochtitlán. Fue pintado por el gran pintor mexicano Diego Rivera.

Buscando los Términos Clave

- Edad de Hielo • Pueblo • *kiva* • Liga de las Cinco Naciones

Buscando las Palabras Clave

- **glaciares:** gigantescas sábanas de hielo
- **migración:** movimiento de personas de un lugar a otro
- **nómadas:** personas que se mueven de lugar en lugar en busca de comida
- **adobes:** ladrillos hechos de barro secado al sol

- **sequía:** una larga temporada de clima seco
- **medio ambiente:** condiciones que rodean a las personas
- **pirámide:** un edificio con una base cuadrada y lados que se unen en un punto
- **tributo:** pagos que hacen las personas conquistadas a una nación poderosa

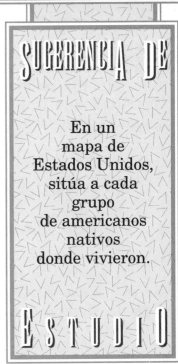

SUGERENCIA DE

En un mapa de Estados Unidos, sitúa a cada grupo de americanos nativos donde vivieron.

ESTUDIO

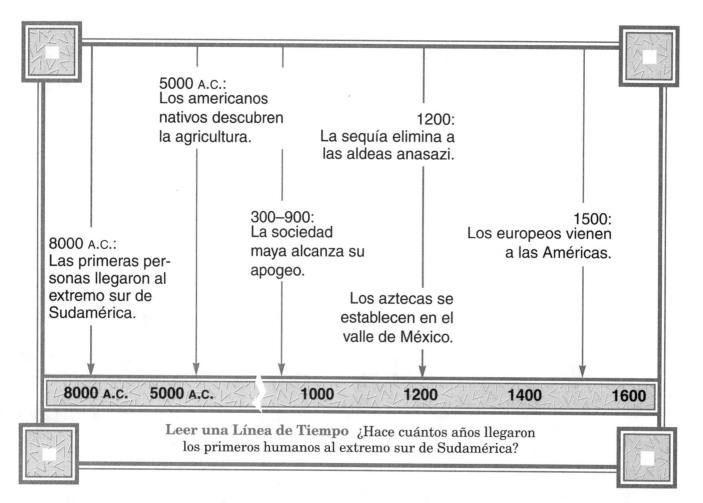

5000 A.C.:
Los americanos nativos descubren la agricultura.

1200:
La sequía elimina a las aldeas anasazi.

8000 A.C.:
Las primeras personas llegaron al extremo sur de Sudamérica.

300–900:
La sociedad maya alcanza su apogeo.

1500:
Los europeos vienen a las Américas.

Los aztecas se establecen en el valle de México.

| 8000 A.C. | 5000 A.C. | 1000 | 1200 | 1400 | 1600 |

Leer una Línea de Tiempo ¿Hace cuántos años llegaron los primeros humanos al extremo sur de Sudamérica?

Los cazadores se arrastraron cuidadosamente a través del suelo helado. Un viento frío soplaba ráfagas heladas del norte. La nieve golpeaba sus vestimentas de piel.

La gente estaba hambrienta. La caza había sido mala durante muchos días. Siguieron adelante, esperando encontrar una manada de mamuts. Necesitaban derribar sólo uno de estos animales gigantes para darle de comer al grupo.

1 Llegan los Primeros Americanos.

¿Cómo llegaron a Norteamérica los primeros americanos?

Esta escena se produjo hace tal vez 30,000 años. Era la **Edad de Hielo**. Era un tiempo cuando gran parte de Norteamérica estaba cubierta por gigantescas sábanas de hielo llamadas **glaciares**. Los cazadores iban siguiendo las manadas a través de un puente de tierra. Este era una angosta franja de tierra que conectaba los continentes de Norteamérica y Asia.

Estos cazadores fueron parte de la primera **migración** de gente a las Américas. Migrar quiere decir moverse de un lugar a otro. Esta migración tardó miles de años. Cuando terminó, las Américas estaban pobladas desde el norte hasta el extremo sur.

Por miles de años, grupos de cazadores cruzaron el puente de tierra desde Asia. Rastrearon animales hasta muy dentro de Norteamérica. Dondequiera que iban, buscaban nuevos lugares para cazar y recolectar plantas.

A lo largo de muchos miles de años, bandas de cazadores migraron a través de las Américas. Hace aproximadamente 10,000 años, las primeras personas llegaron al extremo sur de Sudamérica.

Todas las Américas ahora pertenecían a los primeros americanos. Llamamos a estas personas americanos nativos.

Viviendo como nómadas Los primeros americanos nativos eran **nómadas**. Nómadas son las personas que mudan su vivienda en busca de comida. Los primeros americanos nativos no cosechaban. Cazaban, pescaban y recolectaban plantas silvestres. Utilizaban herramientas simples de piedra y madera para cazar. Otras herramientas les permitían cortar carne o a desollar animales.

Con el paso de los siglos, los grupos comenzaron a cambiar. Hablaban lenguajes diferentes. Comían comidas diferentes. Desarrollaron creencias diferentes. Lentamente, comenzaron a formar diferentes culturas.

Hace aproximadamente 7,000 años, un grupo de americanos nativos hizo un descubrimiento fundamental. Aprendieron que las semillas de las plantas silvestres colocadas en el suelo crecían para formar nuevas plantas. Fue el descubrimiento de la agricultura. Cambió la manera en que vivían muchos americanos nativos.

Los anasazi vivieron en estas viviendas en un peñasco aproximadamente 300 años. Después tuvieron que abandonarlas por causa de una sequía. Hoy, la única entrada es una serie de escaleras muy altas.

Los americanos nativos del norte inventaron el juego de lacrosse. Aldeas enteras jugaban contra otras aldeas. Los juegos podían tardar una semana en terminar. Aquí, dos aldeas de iroqueses ponen a prueba sus habilidades.

Con la comida proveniente de las cosechas, muchos grupos pudieron dejar de ser nómadas. Podían asentarse en aldeas. A través de muchos siglos, se establecieron aldeas agricultoras de americanos nativos en todo Norte y Sud América.

1. ¿Por qué cruzaron el puente de tierra desde Asia los primeros americanos?
2. ¿Qué hizo que los grupos de americanos nativos desarrollaran diferentes culturas?

2 Los Primeros Americanos Crean Culturas.

¿Cómo diferían unas de otras las culturas de los americanos nativos?

En la gran planicie de Norteamérica, tres exploradores de los lakota (sioux) regresaron a su campamento. Llevaban consigo noticias importantes. Habían escalado un monte y mirado la planicie. En la distancia había inmensas manadas de búfalos.

Un líder escogió los mejores cazadores. Los jóvenes cazadores escogidos para la cacería se llenaron de orgullo. Era un gran honor ser escogido para ayudar a otros lakotas.

La gente de las Planicies El búfalo era clave para la vida de los americanos nativos en las Grandes Planicies. El búfalo satisfacía la mayoría de las necesidades de la gente de las planicies. Les proveía comida, pieles para refugio y ropa, huesos para herramientas y armas. De la primavera al otoño los grupos de las planicies eran nómadas que seguían las manadas de búfalo. En el invierno, la gente de las planicies se mudaba a los valles de los ríos.

La gente del Sudoeste En el cálido y seco sudoeste, había diferentes culturas. Mucha gente vivía en aldeas de agricultores. Muchas veces tenían que cavar canales para traer agua de los ríos a sus campos.

Algunos de estos grupos fueron grandes constructores. Los anasazi, por ejemplo, construyeron aldeas en las laderas de empinados peñascos. Vivían en edificios construidos de ladrillos de barro, llamados **adobes**, que se parecían a un moderno edificio de apartamentos.

La vida era difícil en las aldeas en los peñascos. A veces había **sequía**, un periodo de tiempo seco. Durante una sequía, muchas personas morían. Una terrible sequía ocurrió al final de los años 1200. Los anasazi se vieron obligados a abandonar sus aldeas. Nadie sabe a donde fueron, o qué les pasó.

Un grupo más reciente llamado los pueblo siguieron las costumbres de los anasazi. **Pueblo** es una palabra en español que significa "aldea". Se refiere a las aldeas en que vivían los pueblo.

Como los anasazi, los pueblo adaptaron su modo de vida a la tierra que les rodeaba. Los edificios de los pueblo estaban construidos de adobe. Los pueblo cosechaban maíz, frijoles y calabazas. Estos se cultivan bien en el calor y en suelo arenoso.

El **medio ambiente**, o alrededores, era parte importante de su religión. Los pueblo tenían ceremonias para pedir buenas cosechas. Las aldeas de los pueblo tenían un cuarto subterráneo especial llamado *kiva*. Allí, los hombres pueblo oraban a los espíritus de la lluvia, el viento y los relámpagos.

La gente de los bosques del este

Los bosques del este albergaron a muchos americanos nativos. Esta gente dependía de los bosques, los ríos y los lagos, y los campos. Los bosques les proveían comida y albergue. Los ríos y los lagos estaban llenos de peces. Los campos tenían buena tierra para cultivar.

Uno de los más poderosos de los grupos de los bosques eran los iroqueses. Los iroqueses eran poderosos porque estaban unidos. En los años 1600, cinco grupos se habían juntado para constituir la **Liga de las Cinco Naciones**. En los 1700s la liga fue utilizada por los colonos americanos como modelo para su nuevo gobierno.

Todos los grupos iroqueses juraron seguir las reglas de la liga. Por ejemplo, la liga no podía entrar en guerra a menos que todos los grupos estuvieran de acuerdo.

Las mujeres desempeñaban un papel especial en la vida de los iroqueses. Las mujeres eran dueñas de toda la propiedad. Estaban a cargo de plantar y cosechar los cultivos. Sólo los hombres podían ser líderes de las aldeas, pero sólo las mujeres podían elegirlos.

La gente del noroeste

La vida de los americanos nativos del Pacífico, en el noroeste, estaba íntimamente vinculada al medio ambiente. La gente de la costa del Pacífico vivía en una tierra donde crecían grandes bosques y los ríos desembocaban en el mar. Arboles gigantes crecían en los bosques. Los ríos estaban llenos de salmones y otros peces.

LAS PRIMERAS CIVILIZACIONES AMERICANAS NATIVAS

NORTEAMÉRICA

MIWOK
NAVAJO
CHUMASH
HOPI
ZUÑI
YUMA
APACHES
PIMAS
COMANCHE
CHEROKEE
CREEK
COAHUILTECAN

Golfo de México

ARAWAK
TAINO
CARIB

Tenochtitlán
Tikal
AZTEC
MAYA

Mar del Caribe

OCÉANO ATLÁNTICO

OCÉANO PACÍFICO

Equator 0°

20°N

SUDAMÉRICA

Cuzco

INCA

20° S

40° S

| 0 | 750 | 1500 millas |
| 0 | 750 | 1500 kilómetros |

120° O   100° O   80° O   60° O   40° O   20° O

Leer un Mapa ¿Cuáles fueron las tres grandes civilizaciones primitivas de americanos nativos? Nombra algunos grupos americanos nativos que vivieron en lo que hoy es Estados Unidos.

Los americanos nativos utilizaban los recursos locales para facilitarse la vida. Derribaban los árboles y los llevaban flotando por los ríos a sus aldeas. Tallaban gigantescas canoas. ¡Algunas de ellas medían casi 60 pies! Llevaban estas canoas a alta mar para cazar ballenas y focas. Los hombres pescaban con armas de madera, con puntas de piedra afiladas. Las mujeres tejían mantas con el pelo de los perros. Fabricaban ropa de verano con la corteza de los árboles.

1. Nombra tres grupos culturales de americanos nativos.
2. ¿Por qué fue importante la Liga de las Cinco Naciones?

3 Los Americanos Nativos Construyen Grandes Imperios.

¿Cómo fueron los grandes imperios de los americanos nativos?

En México y Centroamérica, los americanos nativos desarrollaron varias grandes civilizaciones. Entre ellas estaban la maya y la azteca.

Los mayas construyeron uno de los primeros imperios. En los densos bosques de la península de Yucatán, los mayas construyeron grandes ciudades. En el corazón de cada ciudad había una **pirámide** de piedra. Una pirámide es un edificio con una base cuadrada y paredes en declive. Encima de cada pirámide había un templo. Aquí los sacerdotes adoraban a dioses y diosas.

Los mayas fueron grandes científicos. Los mayas inventaron un calendario de 365 días que seguía el movimiento de las estrellas y el sol. Este calendario era más preciso que el utilizado por los pueblos de Europa.

La sociedad maya llegó a su apogeo entre 300 y 900 D.C. Después, por alguna razón desconocida, comenzó a decaer.

Hace más de 1,000 años, los mayas construyeron las altas pirámides de Paplanta. El punto más importante de estas activas ciudades eran los centros religiosos. Encima de las pirámides había templos.

Los aztecas   Al norte de los mayas había otra gran civilización, los aztecas. Alrededor de los años 1200 D.C., los aztecas se asentaron en el valle de México. Desde allí, mandaron poderosos ejércitos y conquistaron a sus vecinos. Pronto gobernaban un imperio que cubría casi todo México.

Los aztecas construyeron una extraordinaria ciudad, llamada Tenochtitlán, sobre islas en un lago. Casi 100,000 personas vivían allí. Esto la hacía una de las ciudades más grandes del mundo en esos tiempos.

El imperio azteca era rico. Los artesanos aztecas tejían telas decoradas con plumas. Hacían joyería de oro. Mucha de la riqueza del imperio provenía del **tributo**, o pagos que los aztecas forzaban a los pueblos subyugados hacerles.

El gobierno azteca estaba bien organizado. Sin embargo, los aztecas eran duros como gobernantes. Hasta hacían sacrificios humanos para complacer al dios Sol.

Por esta severidad, los aztecas eran odiados por la gente que conquistaron. Como leerás en el próximo capítulo, los europeos llegaron primero a México en los años 1500. Encontraron que la gente que los aztecas había conquistado estaba ansiosa por unirse a ellos para derrocar al poderoso imperio azteca.

1. ¿Qué civilización americana nativa creó un calendario preciso?
2. ¿Por qué estaban los europeos asombrados de Tenochtitlán?

CAPÍTULO 2
IDEAS CLAVE

- Los primeros americanos eran cazadores que emigraron a América, siguiendo a los animales que cazaban.

- A la medida en que los americanos nativos se esparcieron, comenzaron a desarrollar diferentes culturas. Estas culturas fueron formadas por el medio ambiente en el cual vivía la gente.

- Los grupos de americanos nativos eran expertos en utilizar los recursos sin desperdiciarlos.

- Grupos de americanos nativos, como los aztecas y los mayas, desarrollaron grandes civilizaciones.

REPASO DEL CAPÍTULO 2

I. Repasar el Vocabulario
Une cada palabra de la izquierda con la definición correcta a la derecha.

1. migrar
2. puente de tierra
3. adobes
4. sequía
5. glaciar

a. gigantesca sábana de hielo
b. edificios construidos de ladrillos secados
c. una larga temporada de clima seco
d. moverse de un lugar a otro
e. una angosta franja de tierra que une Norteamérica y Asia

II. Entender el Capítulo
1. ¿Cómo afectó la agricultura la vida del americano nativo?
2. Escoge dos grupos de americanos nativos, y describe cómo utilizaban su medio ambiente para sobrevivir.
3. ¿Por qué eran los iroqueses de los bosques del este tan poderosos?
4. ¿Qué era un *kiva* de los pueblo?
5. ¿Cuáles fueron dos inventos de la civilización maya?

III. Desarrollo de Habilidades: Ordenar los Acontecimientos
En una hoja separada de papel, pon los siguientes términos en orden de tiempo.
1. El puente de tierra a Norteamérica se inunda.
2. Los americanos nativos descubren la agricultura.
3. Los cazadores cruzan el puente de tierra entre Asia y Norteamérica.

IV. Escribir Acerca de la Historia
1. **¿Qué hubieras hecho?** Imagínate que tú eres uno de los primeros nómadas norteamericanos. Acabas de descubrir la agricultura. Escribe un discurso proponiendo que el grupo se asiente y forme una aldea permanente.
2. Imagínate que tú eres un visitante de la capital azteca de Tenochtitlán. Escribe una descripción de la ciudad.

V. Trabajar Juntos
1. En tus pequeños grupos, escoge una cultura americana nativa. Tu grupo creará una presentación mostrando los aspectos importantes de la cultura. El grupo puede presentar una pequeña obra mostrar diapositivas, un video u otra cosa.
2. **Del Pasado al Presente** Con un grupo, habla acerca de cómo los primeros americanos se adaptaron a las regiones donde vivían. ¿Cómo se adaptan los americanos hoy en día?

LOS ESPAÑOLES LLEGAN A LAS AMÉRICAS. (1492-1550)

¿Qué pasó cuando los primeros europeos llegaron a Norteamérica?

Colón regresó a España con americanos nativos que encontró. El viaje de Colón expuso a muchos americanos nativos a la crueldad, las enfermedades y la muerte.

Buscando los Términos Clave

- vikingos
- Cruzadas
- musulmanes
- Indias

Buscando las Palabras Clave

- **navegante:** una persona que puede conducir un barco a través del mar
- **brújula:** un instrumento utilizado para guiarse
- **colonia:** un asentamiento permanente controlado por un país más poderoso
- **conquistador:** un soldado-explorador español

SUGERENCIA DE

Después de que hayas leído el capítulo, escribe todo lo que te puedas acordar de él. Luego dale una ligera repasada y añade todo lo que te haya faltado.

ESTUDIO

Hasta el año 1000 D.C., la gente de Europa no sabía nada acerca de las Américas. Ese año, gente del norte de Europa llegó a las costas de lo que hoy es el Canadá. Estas personas eran feroces guerreros llamados **vikingos.**

El asentamiento vikingo no duró mucho tiempo. No sabemos por qué no duró. Tal vez los americanos nativos ahuyentaron a los vikingos. Sea lo que sea que haya ocurrido, el asentamiento desapareció.

Después de poco tiempo, los europeos se olvidaron del asentamiento. Mucha gente pensaba que el Atlántico llegaba hasta Asia. Algunas personas comenzaron a preguntarse por qué no podrían llegar hasta Asia navegando hacia el oeste a través del Atlántico.

1 Los Europeos Buscan Nuevas Rutas de Comercio.

¿Por qué trataron los europeos de encontrar nuevas rutas a Asia?

Hoy, cuando esparcemos un poco de pimienta a nuestra comida, lo hacemos para añadirle sabor. Hace quinientos años las especias como la pimienta eran mucho más importantes. No había refrigeradores para evitar que se pudriera la comida. Si un trozo de carne empezaba a pudrirse, las especias podían esconder el sabor.

La búsqueda de especias llevó a Europa a las Américas. En 1095, comenzaron las **Cruzadas.** Las Cruzadas eran guerras libradas por el control de la región del Medio Oriente llamada Tierra Santa.

En aquel entonces, los **musulmanes** controlaban la Tierra Santa. Los musulmanes siguen la religión del Islam. Los europeos querían quitarle la Tierra Santa a los musulmanes.

Los cruzados no pudieron apoderarse de la Tierra Santa. Sin embargo, aprendieron muchas cosas nuevas en la Tierra Santa. Por primera vez probaron las especias que la gente de Asia utilizaba para darle sabor a su comida. Vieron finas sedas utilizadas para costosas vestimentas. Los europeos querían traer las especias y sedas de Asia a sus hoga-res en Europa. Los comerciantes europeos comenzaron a comprar a los musulmanes especias y sedas.

Estas especias y sedas habían sido producidas a miles de millas al este. Los europeos llamaban a esta parte de Asia "las **Indias**".

La búsqueda de una ruta marítima Por años, los europeos pagaron altos precios por las sedas y las especias. Entonces se dieron cuenta de que podrían ahorrar muchísimo dinero si pudieran conseguir la mercancía directamente de las Indias. Empezaron a buscar una manera de navegar a las Indias. Al final de los años 1400, trataron de encontrar una ruta al Asia Oriental.

La persona que encabezó la búsqueda fue el príncipe Enrique de Portugal. A Enrique se le llamaba "el Navegante". Un **navegante** es alguien que puede guiar un barco con precisión a través del mar. El príncipe Enrique abrió una escuela para marineros de todo el mundo.

En esta escuela los marineros aprendieron la construcción de barcos y la navegación. Aprendieron a usar la **brújula.** La brújula tenía una aguja magnética que siempre apuntaba hacia el norte. Los marineros utilizaban la brújula para ver en que dirección iba navegando el barco.

En 1488, un barco portugués navegó alrededor del extremo sur de Africa. Quedó claro que Portugal había finalmente encontrado un ruta marítima a las Indias. Los europeos se preguntaban si podrían encontrar otro camino a las Indias.

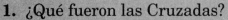

1. ¿Qué fueron las Cruzadas?
2. ¿Cómo ayudó el príncipe Enrique a encontrar una ruta marítima a Asia?

2 El Encuentro de Dos Culturas en el Caribe.
¿Cómo cambió a la historia del mundo la llegada de Colón?

En mayo de 1492, un marinero italiano con pelo canoso llegó al puerto de Palos, en España. Su nombre era Cristóbal Colón. Colón pensaba que conocía una ruta más corta a las Indias. En lugar de navegar hacia el este alrededor de Africa, ¿por qué no llegar a Asia navegando hacia el oeste a través del Atlántico? Como otros europeos, no sabía que Norte y Sud América estaban en el camino.

Durante seis años, Colón trató que algun soberano europeo escuchara su plan. Finalmente, el rey y la reina de

La invención de la brújula hizo posible que los marineros cruzaran mares desconocidos. Este dibujo de los años 1500 muestra a un capitán utilizando una gran brújula para calcular el rumbo de su viaje.

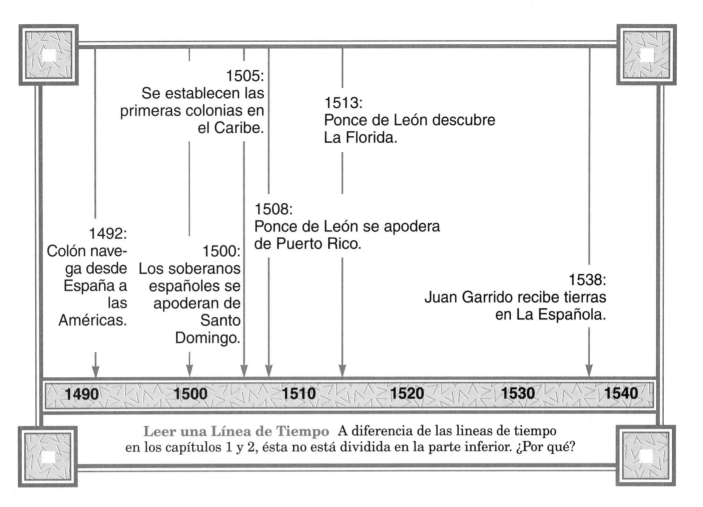

1505:
Se establecen las primeras colonias en el Caribe.

1513:
Ponce de León descubre La Florida.

1508:
Ponce de León se apodera de Puerto Rico.

1492:
Colón navega desde España a las Américas.

1500:
Los soberanos españoles se apoderan de Santo Domingo.

1538:
Juan Garrido recibe tierras en La Española.

1490   1500   1510   1520   1530   1540

Leer una Línea de Tiempo A diferencia de las lineas de tiempo en los capítulos 1 y 2, ésta no está dividida en la parte inferior. ¿Por qué?

España accedieron en ayudarlo. El 3 de agosto de 1492 partió de Palos con tres pequeños barcos. Tres meses después, llegó a una isla. Colón estaba seguro que había encontrado las riquezas de las Indias. Así que llamó a esta gente "indios". El choque entre las culturas americana nativa y europea había comenzado. Este choque estremecería las Américas durante los próximos 500 años.

Colón continuó su viaje. Llegó a una isla más grande que llamó La Española. Allí construyó un pequeño fuerte de madera. Colón escogió a 39 miembros de su tripulación para que se quedaran en el fuerte. El resto regresó a España con él.

El segundo viaje de Colón De regreso en España, Colón recibió una bienvenida digna de un héroe. Sus hallazgos asombraron a la gente de Europa. Muchos pensaron que verdaderamente había llegado a las Indias. Estaban seguros de que su riqueza estaba al alcance de la mano.

En 1493, España mandó a Colón en un segundo viaje. Colón debería establecer **colonias**. Las colonias son asentamientos permanentes controlados por un país más poderoso.

Esta vez, los americanos nativos no recibieron bien a Colón. Tenían miedo de que los extraños les quitaran sus tierras. Los americanos nativos atacaron a las fuerzas de Colón. Cuando Colón llegó a La Española, encontró su fuerte quemado. En las ruinas encontró los cadáveres de los hombres que había dejado allí.

Los hombres del fuerte habían tratado a los americanos nativos llamados taínos con crueldad. A cambio, los americanos nativos los habían atacado y matado.

Colón decidió contraatacar. Atacó y conquistó a los taínos. Encadenó a más de 500 taínos, y los mandó a España como esclavos.

En 1494, los taínos se rebelaron en contra de Colón. Sin embargo, sus armas simples no podían contra las armas de fuego españolas.

Nuevos viajes   Colón hizo dos viajes más a América. Conquistó más tierras para España. Esos lugares se convirtieron en colonias españolas. El comercio con las colonias haría de España la nación más rica de Europa.

Muchos españoles siguieron a Colón a América buscando oro y gloria. A estos soldados-exploradores españoles se les llamaba **conquistadores**. Uno de los más famosos conquistadores fue Juan Ponce de León.

En 1508, Ponce de León encabezó una fuerza que se apoderó de Puerto Rico. El había escuchado historias acerca de una "fuente de la juventud". Al tomar el agua de la fuente se suponía que la persona volvería a ser joven. En marzo de 1513, zarpó de Puerto Rico y llegó a un lugar que llamó La Florida. No encontró ninguna fuente de la juventud. Sin embargo, fue el primer europeo en explorar la tierra firme de lo que llegaría a ser Estados Unidos.

Junto a Ponce de León había otros conquistadores. Uno era Juan Garrido, un ex esclavo africano. Garrido había viajado de Africa a España en los años 1490. En 1494, se enroló en el ejército español. Después se unió a Ponce de

Esta pintura de Colón desembarcando en las Américas se pintó en los años 1800. Muestra a Colón como un héroe. Contrasta esta pintura con algunas visiones modernas de Colón. ¿Con cuál estás de acuerdo?

Los españoles obligaron a los americanos nativos a trabajar como esclavos. Aquí los americanos nativos traen oro que han escarbado de la tierra. Después el oro es pesado por el español sentado a la mesa.

León en Puerto Rico. Más tarde participó en la conquista de México. (Ver el próximo capítulo.) Garrido sirvió a España por más de 30 años. En 1538 recibió tierras en La Española como recompensa.

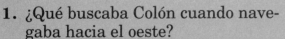

1. ¿Qué buscaba Colón cuando navegaba hacia el oeste?
2. ¿Quiénes fueron los conquistadores?

3 La Española se Convierte en el Centro del Imperio Americano de España.

¿Por qué fueron los asentamientos en La Española importantes para España?

Los primeros colonos encontraron la vida en La Española muy difícil. El clima cálido era insoportable. Muchos colonos murieron de calor y de hambre. En 1496 Colón fundó un nuevo asentamiento en la costa sur de la isla y lo llamó Santo Domingo. Este asentamiento tenía un buen abastecimiento de agua potable. También contaba con una tierra fértil para cultivos.

Colón era un buen marinero, pero era un mal gobernador. El rey y la reina estaban enojados porque Colón parecía estar siempre peleándose con los colonos españoles. En 1500, los soberanos españoles quitaron el control de Santo Domingo a Colón.

Los americanos nativos se rebelan

Con un nuevo gobernador, Santo Domingo tuvo un periodo de crecimiento. Pronto se convirtió en el centro del imperio español en el Caribe. Aquí, el gobierno construyó el primer hospital y la primera universidad en las Américas. Americanos nativos esclavizados trabajaban las fincas y excavaban oro y plata de las minas. El oro, la plata y las cosechas se mandaban a España.

Cuando los americanos nativos se rebelaban contra este trato tan severo, se les mataba o se les mandaba a España como esclavos. Un cacique taíno llamado Hatuey prefirió huir de La Española antes de convertirse en esclavo. Después luchó contra los españoles cuando éstos trataban de colonizar Cuba. Hatuey murió. Sin embargo, más tarde se convirtió en un héroe para los cubanos.

Para 1505 las primeras colonias habían sido fundadas en el Caribe. Los americanos nativos estaban firmemente bajo el control de los españoles. Ahora los conquistadores estaban listos para conquistar nuevas tierras en las Américas.

1. ¿Qué nuevo asentamiento fundó Colón en La Española?
2. ¿Qué trabajo desempeñaban los americanos nativos en La Española?

CAPÍTULO 3
IDEAS CLAVE

- El deseo de obtener especias y sedas de Asia provocó que Europa buscara una nueva ruta marítima. La búsqueda terminó con la llegada de Colón a las Américas.
- Soldados llamados conquistadores ganaron tierras para España en Norteamérica y el Caribe.
- Los americanos nativos del Caribe fueron conquistados por los españoles. Su modo de vida fue destruido.

REPASO DEL CAPÍTULO 3

I. Repaso del Vocabulario

Une cada palabra a la izquierda con la definición correcta.

1. colonia   **a.** un asentamiento permanente
2. brújula   **b.** un seguidor del Islam
3. conquistador   **c.** un soldado-explorador Español
4. musulmanes   **d.** un instrumento para guiarse
5. navegante   **e.** una persona que conduce un barco

II. Entender el Capítulo

1. ¿En qué se podría decir que las Cruzadas fueron un éxito?
2. ¿Por qué buscaron los europeos una ruta marítima a las Indias?
3. ¿Qué les pasó a los americanos nativos cuando Colón regresó a las Américas en 1493?
4. ¿Qué buscaba Ponce de León en tierra firme?
5. ¿Quién fue Juan Garrido?

III. Desarrollo de Habilidades: Hacer una Tabla

Haz una tabla que muestre los hallazgos de cada explorador nombrado en este capítulo. Copia los encabezados de abajo para comenzar.

EXPLORADOR	FECHA	HALLAZGO

IV. Escribir Acerca de la Historia

1. **¿Qué hubieras hecho?** Suponte que eres Hatuey, el cacique taíno. Acabas de oír que los españoles están invadiendo Cuba. ¿Qué harías?
2. Eres un miembro de la tripulación de Colón que llega a una isla. Escribe tus impresiones en un diario.
3. Eres un americano nativo en Santo Domingo. Escribe un discurso expresando tus sentimientos hacia Cristóbal Colón.

V. Trabajar Juntos

1. En pequeños grupos, piensen en un acontecimiento importante en uno de los cuatro viajes de Colón a América. Creen un libro de caricaturas acerca del incidente.
2. **Del Pasado al Presente** La gente siempre ha explorado lo desconocido. Con un grupo discute lo que piensas que la gente explorará en el futuro.

Se Encuentran Tres Grandes Culturas. (1505-1600)

¿Cómo chocaron las culturas europeas, americanas nativas y africanas en el Caribe?

Este antiguo grabado en madera muestra a Hernán Cortés saludado por nobles aztecas preocupados, cuando entra a una ciudad azteca. Los aztecas tenían buena razón para preocuparse.

Buscando los Términos Clave

- encomienda

Buscando las Palabras Clave

- **plantaciones:** grandes fincas donde hay cultivos
- **peregrinaje:** un viaje a un lugar venerado
- **esclavitud:** el sistema de mantener a otras personas como propiedad
- **vasallo:** una persona protegida por otra más fuerte a cambio de sus servicios

SUGERENCIA DE

Escribe las respuestas a cada una de las preguntas que abren las tres secciones de este capítulo. Si necesitas ayuda, repasa brevemente cada una de las secciones del capítulo.

ESTUDIO

Los viajes de Cristóbal Colón cambiaron totalmente la historia mundial. Los europeos se dieron cuenta de que Colón había llegado a una inmensa tierra de la cual no habían sabido nada. También quedó claro que había grandes riquezas en esas tierras. Un español lo dijo mejor: "Vinimos aquí para servir a Dios y el rey, y también para enriquecernos."

1 España Crea un Imperio en el Caribe.

¿Cómo conquistó España las islas del Caribe?

Para ganar esas riquezas, el gobierno de España tenía que convencer a la gente que se asentase en las islas del Caribe. Ofrecía a los colonos españoles una gran concesión de tierras, llamada **encomienda**. Cualquier persona con esta concesión tenía derecho a utilizar la mano de obra de los americanos nativos que vivían en esas tierras. El dueño de las tierras tenía responsabilidades. Debía enseñar el cristianismo a los americanos nativos y pagarles un salario justo.

Sin embargo, la mayoría de los terratenientes trataban mal a los trabajadores americanos nativos. Los americanos nativos eran forzados a trabajar del amanecer al anochecer. Eran azotados por casi nada. ¿No había alguien que hablara por los americanos nativos?

El sistema de la encomienda En 1511, un joven conquistador escuchó un sermón que denunciaba los abusos cometidos contra los americanos nativos, en Santo Domingo.

"Díganme, con qué derecho mantienen a estos indios en esta esclavitud tan cruel? ¿Quién les dio el derecho de librar guerras tan crueles contra esta gente? ¿Por qué los mantienen tan oprimidos? ¿No deberían amarlos como aman a sus hermanos españoles?"

Cuando Bartolomé de las Casas escuchó estas palabras, se sintió muy culpable. De joven, de las Casas había ayudado a establecer el sistema de la encomienda. Vio a soldados españoles atacar aldeas de americanos nativos con perros feroces. Después que escuchó el sermón, de las Casas se sintió culpable. Se convirtió en sacerdote católico. Comenzó a escribir a la gente en España, criticando la manera en que se trataba a los americanos nativos.

La conquista de Puerto Rico y Cuba De las Casas se mudó a Cuba en 1511. Se deshizo de sus tierras y se convirtió en cura. Observó cómo se mandaba a los americanos nativos en cadenas a España. De las Casas escribió a los soberanos en España: "Destruiremos a la gente en esta parte del mundo."

Entonces de las Casas dedicó su vida a poner fin al injusto sistema. Sin embargo, las conquistas españolas contribuyeron a que el sistema fuera aún más injusto.

Después de la conquista, los españoles comenzaron a cultivar caña de azúcar en grandes fincas llamadas **plantaciones**. Se necesitaban muchos trabajadores para plantar la caña y cortarla para el molino. El azúcar pronto se convirtió el cultivo principal en Puerto Rico y Cuba. Los americanos nativos eran explotados tan duramente por los terratenientes que muchos murieron. Enfermedades como la viruela mataron a muchos más americanos nativos. La viruela aniquiló aldeas enteras de americanos nativos.

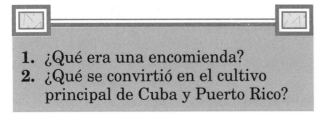

1. ¿Qué era una encomienda?
2. ¿Qué se convirtió en el cultivo principal de Cuba y Puerto Rico?

Leer un Mapa. Para España era un "Nuevo Mundo". Pero no por mucho tiempo. ¿Qué explorador recorriera en el estado que hoy es Florida?

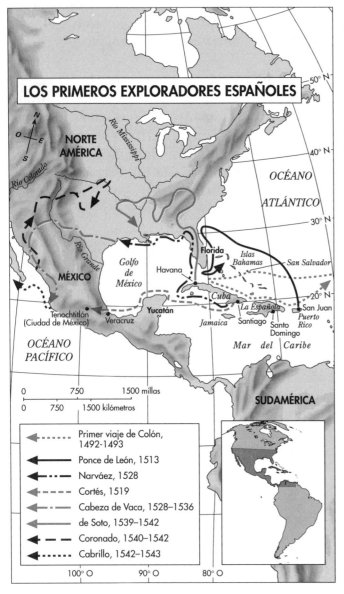

LOS PRIMEROS EXPLORADORES ESPAÑOLES

NORTE AMÉRICA

Río Mississippi

Río Colorado

OCÉANO ATLÁNTICO

50° N
40° N
30° N

Río Grande

Florida
Islas Bahamas
San Salvador

Golfo de México

Havana

MÉXICO

Cuba
La Española
San Juan
Puerto Rico

Tenochtitlán (Ciudad de México)
Veracruz
Yucatán
Jamaica
Santiago
Santo Domingo

20° N

OCÉANO PACÍFICO

Mar del Caribe

SUDAMÉRICA

0   750   1500 millas
0   750   1500 kilómetros

Primer viaje de Colón, 1492-1493
Ponce de León, 1513
Narváez, 1528
Cortés, 1519
Cabeza de Vaca, 1528–1536
de Soto, 1539–1542
Coronado, 1540–1542
Cabrillo, 1542–1543

100° O   90° O   80° O

2 Africa Contribuye a las Américas.

¿Cuál era la riqueza que los africanos trajeron a las Américas?

A medida que morían los americanos nativos, los españoles comenzaron a traer africanos esclavizados para reemplazarlos. Millones de africanos fueron esclavizados. Fueron arrancados de una tierra en que habían creado valiosas tradiciones.

Antiguo Egipto   Africa fue cuna de una de las civilizaciones más grandes del mundo. Los antiguos egipcios construyeron muchos edificios magníficos, pero ninguno más impresionante que las pirámides. Estas gigantescas pirámides de piedra fueron construidas para los soberanos de Egipto. Aún cuentan entre los edificios más grandes del mundo. Los egipcios también realizaron importantes avances en matemáticas y medicina.

Imperios de oro   Se desarrolló otro tipo de riqueza en Africa después de la decadencia de Egipto. Hacia el oeste, tres grandes reinos surgieron entre el año 500 D.C. y aproximadamente el 1600.

El primer reino era Ghana. El nombre Ghana quería decir oro. El rey de Ghana era tan rico que tenía el ejército más grande del mundo en aquellos tiempos.

Alrededor del principios de los años 1200, el imperio de Malí se hizo poderoso. Malí era tan grande como Europa occidental. Era aún más rico que Ghana. El soberano más grande de Malí fue Mansa Musa. Mansa Musa era musulmán. En 1324, comenzó un **peregrinaje** a la ciudad sagrada musulmana de La Meca, en Arabia. Un peregrinaje es un viaje a un lugar venerado.

De generación a generación, los narradores africanos han contado la histo-

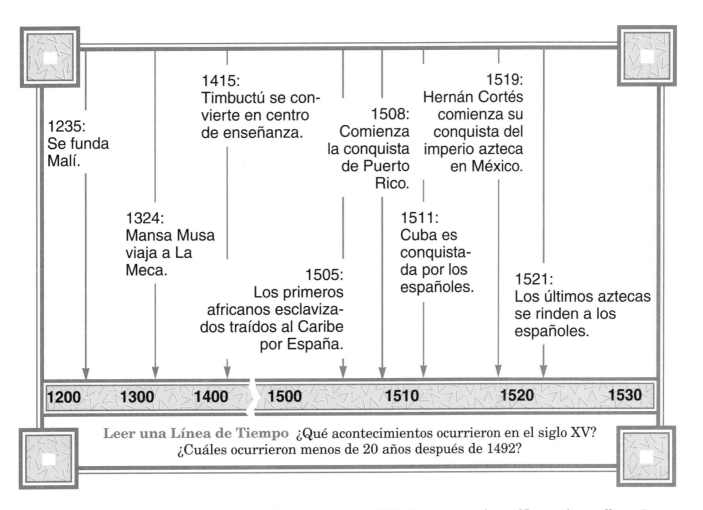

1235:
Se funda Malí.

1324:
Mansa Musa viaja a La Meca.

1415:
Timbuctú se convierte en centro de enseñanza.

1505:
Los primeros africanos esclavizados traídos al Caribe por España.

1508:
Comienza la conquista de Puerto Rico.

1511:
Cuba es conquistada por los españoles.

1519:
Hernán Cortés comienza su conquista del imperio azteca en México.

1521:
Los últimos aztecas se rinden a los españoles.

1200   1300   1400   1500   1510   1520   1530

Leer una Línea de Tiempo ¿Qué acontecimientos ocurrieron en el siglo XV? ¿Cuáles ocurrieron menos de 20 años después de 1492?

ria del viaje de Mansa Musa. Su caravana consistía de 60,000 personas. La gente de El Cairo jamás había visto a alguien tan rico.

Cuando Mansa Musa estuvo en La Meca, convenció a algunos de los mejores constructores y académicos del mundo árabe a regresar con él a Malí. Ayudaron a engrandecer a la ciudad de Timbuctú. Timbuctú se convirtió en uno de los mayores centros de enseñanza. La ciudad tenía grandes universidades y maravillosas bibliotecas. Los estudiantes venían de toda Africa para estudiar allí.

Como Ghana y Malí, el imperio de Songhai se enriqueció con el comercio. Songhai era aún más grande que Malí, y abarcaba la mayoría del Africa occidental. Su soberano más grande fue Askia Muhammad. Estableció un gobierno fuerte y justo. También creó un sistema justo de impuestos.

El "comercio silencioso" La riqueza de estos reinos africanos dependía del comercio. Ghana estaba localizada sobre una ruta de comercio importante. El sur era una región rica en oro. Las regiones de sal del norte de Africa yacían hacia el norte. La gente del Africa occidental dependía de la sal para reponer las sales del cuerpo perdidas a causa del calor de la región.

Dado que no había un lenguaje común, el canje de oro y sal se llevaba a cabo a través del comercio silencioso. Los comerciantes de sal dejaban sus bloques de sal en el piso cerca del oro. Después retrocedían. Los comerciantes de oro examinaban entonces la cantidad de sal. Dejaban lo que ellos pensaban era una cantidad justa de oro, y después retrocedían a su vez. Los comerciantes de sal examinaban la cantidad de oro. Si la aceptaban, se hacía el trato. Si no,

Un mapa español que fue dibujado en 1375 muestra el reino africano de Malí y el viaje de Mansa Musa a través de Africa a La Meca. Muestra a Mansa Musa con una corona.

el proceso se repetía hasta que ambas partes estuvieran de acuerdo.

El comercio de esclavos

En Africa, la **esclavitud**, el sistema de mantener a otras personas sometidas como propiedad, se remontaba a cientos de años en el pasado. La esclavitud existió en muchas otras partes del mundo, incluso en la antigua Grecia y Roma.

Las personas esclavizadas en Africa generalmente habían sido capturadas en guerras. Trabajaban como sirvientes y obreros. Los esclavos muchas veces lograban comprar su libertad después de un tiempo.

La esclavitud estaba a punto de cambiar. En 1502, un barco portugués proveniente de Europa llevó esclavos africanos a otras tierras. Estos africanos fueron los primeros de muchos millones que fueron alejados de sus hogares.

El comercio de esclavos se convirtió en un gran negocio. Los esclavizadores hicieron miles de cautivos para venderlos a los portugueses. Los esclavos fueron traídos en cadenas a los fuertes situados a lo largo de la costa del Africa occidental.

En 1517, el rey de España mandó que 4,000 africanos esclavizados fueran embarcados a La Española. Pronto, los africanos esclavizados estaban trabajando en las plantaciones del Caribe.

Los españoles dueños de esclavos trataban a los africanos esclavizados severamente. Los españoles tenían miedo de que los africanos se rebelaran. Muchas veces los españoles marcaban con hierro candente o azotaban a sus esclavos. Sin embargo, los africanos se las arreglaron para mantener sus tradiciones. Con el correr del tiempo, los modos de vida africanos y españoles se mezclaron con los de los americanos nativos. De esta mezcla salieron nuevas culturas, las culturas de Puerto Rico, Cuba y la República Dominicana.

1. ¿Cómo se enriqueció el imperio africano de Ghana?
2. ¿De qué manera se convirtió Timbuctú en una gran ciudad?

3 España y los Americanos Nativos Luchan por un Imperio.

¿Cómo conquistaron los españoles a los aztecas en lo que hoy es México?

Las islas del Caribe dieron una riqueza tremenda a España. Ahora muchos jóvenes nobles españoles comenzaron a mirar hacia la tierra firme. Querían encontrar aventuras y oro. Uno de estos jóvenes era Hernán Cortés.

Caña de azúcar cosechada por esclavos africanos. ¿Por qué fue el trabajo de africanos esclavizados tan importante para las colonias españolas?

En este dibujo azteca, Cortés aparece con mensajeros aztecas. A su lado está La Malinche. Cortés saludó a los aztecas fríamente. Cuando le dieron oro, dijo: "¿Esto es todo?"

La marcha a México   Cortés era un joven soldado en Cuba. Escuchó a los americanos nativos contar historias acerca de una nación rica situada al oeste. Cortés se ofreció a encabezar un ejército para conquistar esta tierra, y dijo que pagaría el viaje por sí mismo. Cortés zarpó de Cuba en febrero de 1519.

La tierra que Cortés encontró hoy se llama México. En los años 1500, era gobernada por los aztecas, un pueblo de poderosos guerreros. (Ver la página 22.) Los aztecas tenían muchos **vasallos**. Los vasallos son personas que han sido conquistadas por un pueblo más fuerte. Los vasallos odiaban a los aztecas, y se unieron a Cortés en su marcha a la capital azteca.

Cortés y La Malinche   Una mujer llamada La Malinche también se unió a los españoles. Malinche hablaba el lenguaje de los aztecas. Ella los odiaba. Ayudó a Cortés a aliarse con otros americanos nativos. Sin La Malinche, Cortés pudo haber fracasado. A La Malinche, Cortés oyó hablar de un dios que los aztecas pensaban un día vendría del este. El conocimiento de este dios le dio ventaja a Cortés sobre los aztecas.

El regreso de un dios   El emperador de los aztecas era Moctezuma. Cuando Moctezuma oyó hablar acerca de la llegada de Cortés, pensó que Cortés era el dios azteca que volvía. Moctezuma mandó a aztecas con suntuosos regalos a la costa para darle la bienvenida a Cortés.

Cortés saludó fríamente a los mensajeros. "¿Esto es todo?", preguntó. Dejó en claro por qué había venido. "Yo y mis soldados sufrimos de una enfermedad del corazón. Sólo puede ser curada con oro."

La conquista de los aztecas En noviembre de 1519, Cortés y su ejército entraron a la capital azteca. Estaban asombrados de sus grandes edificios de piedra y sus amplias calles.

Al principio, los aztecas fueron amigables y trataron a los españoles como dioses. Pero pronto vieron que los españoles eran hombres y no dioses. Los hombres de Cortés tomaron a Moctezuma como rehén. Después mataron a cientos de aztecas durante un festival. Moctezuma murió en la lucha que siguió.

Los aztecas pelearon ferozmente contra los españoles. Pero los españoles tenían armas de fuego y cañones. También tenían a muchos aliados americanos nativos. Su arma más mortal fue la viruela. Esta enfermedad mató a muchas más personas que las balas españolas.

En agosto de 1521 los aztecas se rindieron. Los españoles destruyeron la ciudad azteca y comenzaron a edificar una nueva ciudad sobre sus ruinas. Esta nueva ciudad se llamó la Ciudad de México. Otros aztecas trabajaban en las minas de oro y plata. Estos metales eran transportados a España. El imperio azteca había desaparecido. Un nuevo imperio español lo sustituyó.

1. ¿Por qué pudo Cortés conseguir que algunos americanos nativos lucharan contra los aztecas?
2. ¿Por qué le dió Moctezuma la bienvenida a Cortés a México al principio?

CAPÍTULO 4
IDEAS CLAVE

- España conquistó el Caribe y destruyó el modo de vida de los americanos nativos. Algunos españoles, tal como de las Casas, trataron de proteger a los americanos nativos.

- El comercio condujo hacia los grandes imperios del Africa occidental. Ghana se hizo poderosa al controlar el comercio en oro y sal.

- La muerte de los americanos nativos llevó a los españoles a traer africanos esclavizados al Caribe.

- Cortés encabezó la conquista española del imperio azteca.

I. Repasar el Vocabulario

Une cada palabra con la definición correcta a la derecha.

1. encomienda
2. Ghana
3. Mansa Musa
4. vasallo

a. un súbdito
b. una concesión de tierra en Nueva España
c. una ciudad africana; quiere decir oro
d. Rey africano que hizo un viaje religioso a La Meca

II. Entender el Capítulo

1. ¿Cómo perjudicaron las encomiendas a los americanos nativos?
2. ¿Por qué trajeron los españoles a africanos esclavizados al Caribe?
3. ¿Cómo contribuyó el viaje de Mansa Musa al crecimiento de Timbuctú?
4. ¿Por qué pudo el pequeño ejército de Cortés conquistar a los poderosos aztecas?
5. ¿Qué era el "comercio silencioso"?

III. Desarrollo de Habilidades: Hacer Comparaciones

Hacer tablas de comparaciones es una manera de organizar la información acerca de los grandes imperios africanos. Usa la información de este libro para completar la siguiente tabla.

COMPARANDO LOS IMPERIOS DEL AFRICA OCCIDENTAL

Imperio	Fechas	Gran Líder	Logro
		"rey de oro"	
Mali			
			establecer un gobierno fuerte y justo, y un sistema de impuestos justo

IV. Escribir Acerca de la Historia

1. **Qué hubieras hecho?** Imagínate que eres un terrateniente español en Cuba en los años 1500. ¿Hubieras seguido las enseñanzas de de las Casas? ¿Por qué, o por qué no?
2. Imagínate que estás con Cortés. Tus camaradas quieren matar a Moctezuma. Escribe un discurso convenciéndolos de que dejen vivir a Moctezuma.

V. Trabajar Juntos

1. En pequeños grupos, crean un gran mapa con imágenes y escritura mostrando Ghana, Malí y Songhai. Incluyan fechas y datos interesantes acerca de sus logros.
2. **Del Pasado al Presente** Las influencias españolas, americanas nativa y africanas son todas una parte de la cultura de los EE.UU. Con un grupo, detalla por lo menos cinco ejemplos de tradiciones que se puedan rastrear hasta estas tres culturas.

Unidad 2
Nuevas Culturas en las Américas (1550-1763)

Capítulos

CAPÍTULO
5

SE DESARROLLA LA CULTURA LATINA. (1520-1700)

*¿Cual fue la nueva cultura latina que comenzó
en las colonias españolas?*

Una pintura de 1683 muestra un día de fiesta en la Ciudad de México.
Algunas de las personas más ricas van en carroza a la iglesia.

Buscando los Términos Clave

- Nueva España • peninsular • criollo • mestizo
- mulatto • Latino

Buscando las Palabras Clave

- **exportación:** envío de un recurso o producto de un país a otro
- **misión:** una comunidad dirigida por la Iglesia Católica
- **convertir:** persuadir a una persona a cambiarse a otra religión
- **hambruna:** época en que no hay suficientes alimentos para comer

SUGERENCIA DE

Cuando estudias
un capítulo,
primero examina
rápidmente el
capítulo.
Después léelo a
fondo. Mira
cada encabezado.
Este te dirá de
qué se trata cada
sección.

ESTUDIO

En el año 1600, España regía un poderoso imperio en las Américas. La ciudad más grande, la Ciudad de México, tenía bellas iglesias, una universidad, y anchos caminos. Ya en 1600, una nueva cultura se había desarrollado en las colonias españolas de América. Esta tendría una gran influencia en la historia de Estados Unidos.

1 España Gobierna con Dureza en América.
¿Cómo era la vida en la Nueva España?

La plata se descubrió al noreste de la Ciudad de México en 1545. Pronto la plata reemplazó al oro como la principal **exportación** de las colonias españolas. Una exportación es el envío de un producto de un país a otro. La plata hizo de España una nación rica. Pero pocas personas en la Nueva España compartían la riqueza. La mayoría de los habitantes de la Nueva España eran muy pobres.

Se suponía que los habitantes de la Nueva España cada uno conocía su posición. Unas cuantas personas de alta posición tenían todo el poder y le indicaban a los demás qué hacer. Ordenaban a los granjeros qué plantar. Decidían donde construir poblaciones.

Escena callejera   Un hombre montado bien vestido baja por una calle concurrida. Es un **peninsular**. Los peninsulares eran colonos que habían nacido en España. Mantenían los puestos más altos en el gobierno y la iglesia.

Nuestro peninsular se para a hablar con una mujer que es dueña de unas tierras que él quiere comprar. Esta mujer es una **criolla**. Sus padres habían venido de España, pero ella había nacido en la Nueva España. Esto marcaba una diferencia. Los criollos eran dueños de muchas de las tierras y las minas en la Nueva España. Sin embargo, no podían ocupar los puestos más altos en el gobierno.

Una mujer de piel más oscura está observando al peninsular y a la criolla desde la puerta de una tienda. Ella fabrica artículos de barro para ganarse la vida. Es una **mestiza**, parte española y parte americana nativa. Los mestizos no podían ser dueños de tierras, y no podían participar en el gobierno.

Trabajando en la tienda de la mestiza hay un hombre aún más oscuro. Es un **mulato**, parte español y parte africano. En la Nueva España a muchos mulatos no se les permitía trabajar con mestizos. Pero este mulato era aceptado por sus vecinos mestizos.

Cerca, se está construyendo una iglesia. Todos los trabajadores son americanos nativos. Junto con los africanos esclavizados, los americanos nativos eran la clase más pobre de la Nueva España. Los africanos esclavizados y los americanos nativos hacían la mayoría del trabajo pesado. Sin ellos, la Ciudad de México no podía ser rica. Pero nada de la riqueza de la ciudad llegaba a sus bolsillos.

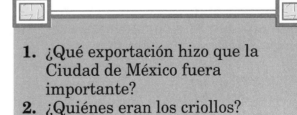

1. ¿Qué exportación hizo que la Ciudad de México fuera importante?
2. ¿Quiénes eran los criollos?

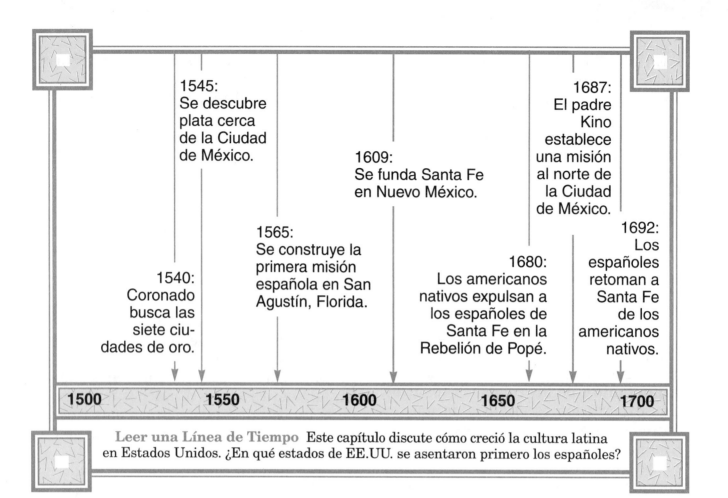

1545:
Se descubre plata cerca de la Ciudad de México.

1609:
Se funda Santa Fe en Nuevo México.

1687:
El padre Kino establece una misión al norte de la Ciudad de México.

1565:
Se construye la primera misión española en San Agustín, Florida.

1692:
Los españoles retoman a Santa Fe de los americanos nativos.

1540:
Coronado busca las siete ciudades de oro.

1680:
Los americanos nativos expulsan a los españoles de Santa Fe en la Rebelión de Popé.

| 1500 | 1550 | 1600 | 1650 | 1700 |

Leer una Línea de Tiempo Este capítulo discute cómo creció la cultura latina en Estados Unidos. ¿En qué estados de EE.UU. se asentaron primero los españoles?

2 Los Españoles Exploran el Norte.

¿Qué encontró España en el norte de México?

En septiembre de 1539, un cura español llamado Marcos llegó a la Ciudad de México con una historia que era difícil de creer. Marcos dijo que había encontrado una ciudad americana nativa en el norte. Según Marcos, la gente de ese país comía en platos de oro y bebía agua en tazas de oro. Marcos dijo que había seis ciudades más de oro al norte de la que había visto.

Parte Coronado ¿Tenía el norte riquezas iguales al imperio de los aztecas? En 1540, Francisco Coronado partió en búsqueda de las siete ciudades de oro.

Coronado y sus fuerzas entraron en lo que hoy es el sudoeste de Estados Unidos. Coronado no encontró ninguna ciudad de oro. En lugar encontró aldeas de adobe construidas por los americanos nativos zuñi.

Coronado demandó que los zuñi aceptaran el gobierno de los españoles. Sus soldados atacaron a las aldeas que no se rindieron. Mataron a muchas personas en esas aldeas.

Muchas maravillas naturales Durante los dos años siguientes Coronado recorrió lo que hoy es Estados Unidos. Sus soldados se encontraron con muchas maravillas naturales. Un grupo viajó por el valle del río Grande. Otro grupo fue el de los primeros europeos en explorar el Gran Cañón.

Las fuerzas de Coronado cruzaron las Grandes Planicies. Se asombraron al ver grandes manadas de búfalos. En

1542 sus fuerzas regresaron a México. Aprendieron mucho de las tierras fronterizas. Pero no encontraron oro.

Santa Fe En 1609, los españoles construyeron una aldea sobre un brazo del río Grande. Llamaron a esta aldea Santa Fe. Santa Fe es la segunda ciudad española más antigua en lo que hoy en día es Estados Unidos.

Ya que Santa Fe no contaba con oro y plata, las autoridades le prestaron poca atención. Para los años 1620, cerca de 500 personas vivían en el pueblo. Pero España apenas pensaba en este pequeño pueblo. El asentamiento estaba aislado de la Ciudad de México.

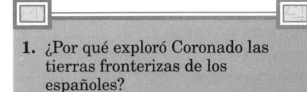

1. ¿Por qué exploró Coronado las tierras fronterizas de los españoles?
2. ¿Por qué odiaban los zuñi a los españoles?

Leer un Mapa. Para 1600, España controlaba un inmenso imperio en las Américas. ¿Cómo se llamaba su colonia en Norteamérica? ¿Cuál era el nombre de su colonia en *Sudamérica*?

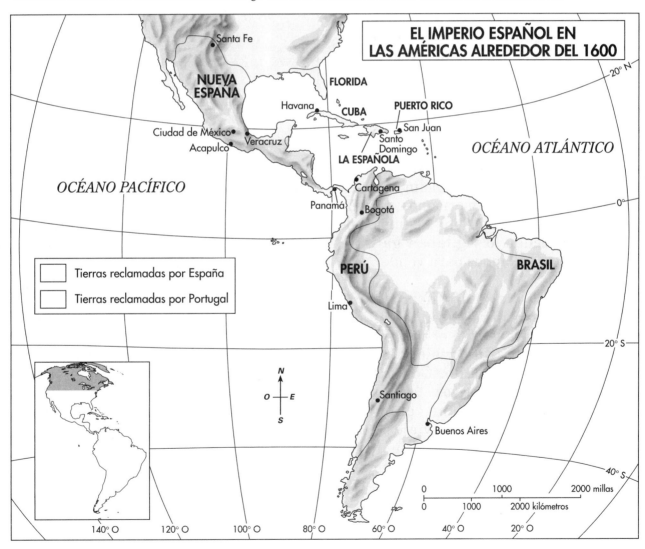

3 Las Misiones Convierten a los Nativos Americanos.

¿Cómo era la vida de las misiones para los americanos nativos?

En 1565, se estableció un asentamiento en La Florida, un fuerte llamado San Agustín. Lentamente creció ese puesto español. Hoy, San Agustín es la ciudad más antigua de EE.UU. fundada por los europeos.

La vida en San Agustín se centraba alrededor de la **misión**. Las misiones eran comunidades dirigidas por la Iglesia Católica. Los sacerdotes de las misiones trataban de **convertir** a los americanos nativos, o persuadirlos de convertirse en cristianos. Las misiones fueron construidas en la parte sur de Estados Unidos. Muchos de estos bellos edificios aún están en pie.

La vida en la misión   Cada misión estaba constituida por una escuela, una iglesia, una granja, y talleres. Las misiones daban a los americanos nativos ropa, comida y un lugar para vivir. A cambio, los americanos nativos trabajaban para la misión. Algunos cultivaban cosechas, o vigilaban ganado. Otros producían bienes para vender.

El Padre Kino   Un hombre que hizo muchísimo para extender el sistema de las misiones fue el padre Kino. En 1687 el padre Kino viajó a las tierras del norte a caballo. Convirtió a muchos americanos nativos.

Kino fue conocido como "el cura a caballo". Hizo más de 40 viajes a las tierras fronterizas, y estableció 25 misiones. Soñaba con un inmenso sistema de misiones a lo largo de las tierras fronterizas. Los gobernantes en la

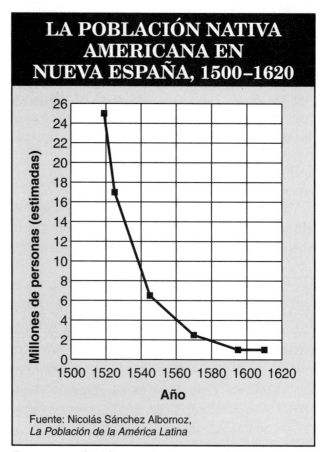

LA POBLACIÓN NATIVA AMERICANA EN NUEVA ESPAÑA, 1500–1620

Fuente: Nicolás Sánchez Albornoz, *La Población de la América Latina*

Leer una Gráfica. ¿Qué demuestra esta gráfica acerca de la población americana nativa en Nueva España? ¿Cuál fue la razón por este cambio?

Ciudad de México rechazaron su plan. Dijeron que era demasiado caro.

Sin embargo, después de la muerte de Kino, otros misioneros continuaron su labor. Construyeron misiones en todo el sudoeste de EE.UU. y la costa de lo que hoy es California.

Las misiones protegían a los americanos nativos del mal trato por parte de los colonizadores. Las misiones dieron a los americanos nativos nuevas medios para ganar dinero. Pero las misiones también les quitaron las costumbres americanas nativas. Para proteger a sus culturas, muchos americanos nativos se rehusaban a vivir en las misiones.

La Rebelión de Popé   Un grupo de americanos nativos que estaba descon-

El año es 1748. Mientras guardias armados españoles los vigilan, americanos nativos son obligados a construir zanjas de irrigación para el fuerte en San Antonio.

tento con el gobierno de los españoles vivía cerca de Santa Fe. En 1675, los españoles acusaron a 47 líderes religiosos americanos nativos de brujería. Cuatro de los cautivos fueron ahorcados. El resto fueron azotados. Uno de estos se llamaba Popé.

Popé juró vengarse de los españoles. Cinco años después encabezó una rebelión. Los americanos nativos obligaron a los españoles a salir de Santa Fe, y quemaron el pueblo. Durante los 13 años siguientes, los americanos nativos controlaron a Santa Fe. Pero los americanos nativos comenzaron a pelearse entre sí. En 1692, los soldados españoles marcharon a Nuevo México y retomaron Santa Fe.

1. ¿Por qué establecieron misiones los sacerdotes españoles?
2. ¿Quién fue Popé?

4 Se Desarrolla una Nueva Cultura.

¿Cómo creció una nueva cultura latina de las raíces españolas, africanas y americanas nativas?

Los españoles controlaban sus colonias estrictamente. Sin embargo, no podían controlar el modo de vida que se desarrolló dentro de ellas. Muchos colonizadores españoles se casaron con mujeres americanas nativas, o americanas africanas. La cultura de estos niños mezclaba las tradiciones europeas, americanas nativas y africanas. Con el paso de los años, esta mezcla se convirtió en una nueva cultura importante. Hoy, llamamos a esta cultura **latina.**

De tres culturas Cada grupo contribuyó a esta cultura. Los españoles aportaron su lenguaje y su religión católica. También introdujeron nuevos alimentos como las manzanas, la caña de azúcar, el trigo y el arroz. Los españoles trajeron a América animales tan útiles como las ovejas, las vacas, y los caballos.

Los americanos nativos hicieron importantes contribuciones a esta cultura. Los europeos jamás habían visto comidas como las papas, los tomates, el maíz y el chocolate. Estas rápidamente se convirtieron en parte importante de sus dietas. El maíz y las papas fueron de especial importancia. Eran más fáciles de cultivar y almacenar que otros alimentos. Durante los tiempos de **hambruna**, cuando no había suficiente comida para la gente, esos alimentos ayudaron a salvar millones de vidas en Europa, Asia y Africa.

La gente en la nueva cultura comenzó a utilizar medicinas americanas nativas para tratar las enfermedades. Vestían ropas sueltas como los americanos nativos y dormían bajo mantas americanas nativas.

Las contribuciones africanas a la nueva cultura también fueron grandes.

Los africanos trajeron consigo alimentos como los maníes, los camotes, y los plátanos. Los africanos también trajeron su propia música. Esta música tenía ritmos excitantes que gustan a la gente hoy en día. Las creencias religiosas africanas se convirtieron en parte de la cultura.

Lejos, hacia el norte, estaba comenzando una cultura totalmente diferente. Algunos minúsculos asentamientos se levantaban sobre la costa norteamericana. En el próximo capítulo, veremos como lucharon para sobrevivir.

1. ¿Qué tres grupos contribuyeron a la cultura de las colonias españolas?
2. Describe algunas de las contribuciones de los africanos y americanos nativos a la nueva cultura latina.

CAPÍTULO 5

IDEAS CLAVE

- La Nueva España estaba estrictamente dividida en clases. Los peninsulares, criollos, mestizos, mulatos, africanos, y americanos nativos todos tenían lugares fijos en la sociedad.
- La Iglesia Católica estableció misiones para convertir a los americanos nativos al cristianismo.
- Emergió una nueva cultura. Esta cultura Latina tenía sus raíces en las culturas españolas, africanas y americanas nativas.

REPASO DEL CAPÍTULO 5

I. Repasar el Vocabulario

Une cada palabra a la izquierda con la definición correcta.

1. peninsular
2. misión
3. mestizo
4. mulato

a. una persona de ascendencia española y americana nativa mezclada

b. una persona de ascendencia africana y española mezclada

c. comunidad dirigida por la Iglesia Católica

d. colono nacido en España

II. Entender el Capítulo

1. ¿Por qué les disgustaban a los criollos y mestizos los peninsulares en la Nueva España?
2. ¿Por qué regresó decepcionado Coronado a la Ciudad de México?
3. ¿Cómo ayudaron las misiones a los americanos nativos?
4. ¿En qué perjudicaron las misiones a los americanos nativos?
5. ¿Qué aportaron los africanos a la cultura latina?

III. Desarrollo de Habilidades: Resumen

En una hoja separada, escribe unas cuantas frases que resuman cada tópico:

1. El papel de un tipo de gente en la Nueva España: africanos, criollos, mestizos, mulatos, americanos nativos, peninsulares.
2. Las formas en que el padre Kino ayudó a expandir la Nueva España.
3. Las contribuciones de España a la cultura latina.

IV. Escribir Acerca de la Historia

1. **¿Qué hubieras hecho?** Eres un amigo de Popé. Te pide que tomes parte en la lucha contra los españoles. ¿Te unirás a él? Explica.
2. Crea un dibujo o pintura que muestre la vida en la Ciudad de México colonial. Incluye en tu trabajo gente de tres diferentes tipos. Escribe un pie de ilustración de tres líneas para tu imagen.

V. Trabajar Juntos

Del Pasado al Presente La mezcla de tradiciones europeas, africanas y americanas nativas se convirtió en una nueva cultura importante en las Américas. ¿Piensas tú que la cultura de Estados Unidos se está mezclando y cambiando hoy en día? Discute tu opinión con un grupo.

LOS INGLESES COLONIZAN NORTEAMÉRICA. (1497-1733)

¿Por qué fundaron los ingleses colonias en Norteamérica?

Los primeros africanos llegan a la colonia de Virginia en 1619. Los africanos asombraron a los ingleses con sus habilidades para los cultivos.

Buscando los Términos Clave

- La Casa de Burgueses de Virginia • el pacto del Mayflower
- la colonia de la bahía de Massachusetts

Buscando las Palabras Clave

- **autogobierno:** el poder de gobernarse a sí mismo
- **pacto:** un convenio

Sólo cinco años después del primer viaje de Colón, un barco inglés encabezado por John Cabot llegó a Norteamérica. Sin embargo, pasarían otros cien años antes de que los ingleses comenzaran a colonizar las Américas.

1 Los Ingleses se Asientan en Virginia.

¿Por qué existía un conflicto entre la democracia y la esclavitud en las colonias del sur?

John White estaba parado en la cubierta de su barco mirando hacia la oscuridad. "Hola", gritó hacia la playa. No hubo respuesta. Gritó otra vez hacia la noche, pero una vez más no obtuvo respuesta.

White estaba preocupado. Tres años antes, en 1587, había fundado un pequeño asentamiento allí en Roanoke (ROW-an-oc), una isla cerca de la costa de lo que hoy es Carolina del Norte. Cuando comenzó a acabarse la comida en la colonia, White se vio forzado a regresar a Inglaterra. Ahora había vuelto, pero no había nadie para darle la bienvenida.

Desaparecido sin dejar rastro
White y sus hombres remaron a la playa. Algo estaba mal. El asentamiento estaba abandonado. Las casas estaban vacías. Las únicas pistas eran tallas en los árboles: "CROATOAN" estaba tallado en un árbol. Croatoan era el nombre de una isla al sur.

Cuando White navegó hacia la isla, se desató una tormenta. Uno de los barcos estaba haciendo demasiada agua y la tripulación se rehusó a navegar. White usó el otro barco, pero no pudo encontrar la isla de Croatoan. Se vieron forzados a regresar a Inglaterra. Jamás se encontró ningún otro rastro de la colonia. Hasta hoy, nadie sabe que le pasó a la "colonia perdida" de Roanoke. Fue un comienzo desventurado para los ingleses en Norteamérica.

Jamestown En 1606, el rey Jaime I permitió a un grupo de comerciantes ingleses formar una colonia en Norteamérica. Estos comerciantes esperaban encontrar riquezas que igualaran las del imperio azteca en México.

En diciembre de 1606, tres barcos que llevaban aproximadamente 100 hombres y jóvenes zarparon a Norteamérica. Los colonos llegaron a un río que llamaron el río James en honor del rey Jaime I. Viajaron río arriba y comenzaron a construir una aldea. La llamaron Jamestown.

Los colonos de Jamestown enfrentaron tiempos difíciles. La mitad de los colonos eran nobles que no estaban interesados en cultivar los campos. Sólo querían buscar oro. No encontraron oro, y pronto todas sus provisiones se habían terminado. Para la primavera, la mitad de los colonos habían muerto.

Entonces el capitán John Smith tomó el liderazgo. Smith fue firme. Les dijo a los colonos que tendrían que trabajar, o sufrirían hambre. Las cosas mejoraron por poco tiempo, pero luego Smith tuvo que regresar a Inglaterra.

Alejado Smith, las cosas empezaron a empeorar de nuevo. El invierno de 1609-1610 fue tan terrible que los colonos lo llamaron "el tiempo de hambruna". Antes del "tiempo de hambruna" había 500 personas en Jamestown. Cuando terminó, sólo quedaban 60 colonos con vida.

El cultivo de tabaco Las condiciones mejoraron cuando llegó un nuevo gobernador muy estricto. Pronto llegaron provisiones de Inglaterra. Entonces ocurrió un gran descubrimiento. John Rolfe comprobó que el tabaco se cultivaba bien en Virginia. El tabaco mandado a Inglaterra producía dinero a los colonos. En poco tiempo, el tabaco era el cultivo principal de Jamestown.

El comienzo de la esclavitud A medida que crecía Jamestown, los granjeros necesitaban más trabajadores para cultivar tabaco. Los americanos nativos se rehusaban a trabajar para los colonos. En 1619, un barco holandés trajo 20 africanos a Virginia. Estos primeros africanos en las colonias inglesas no eran esclavos. Los africanos que los siguieron, sin embargo, fueron traídos como esclavos. La esclavitud formaría una parte importante de la vida en las colonias del sur.

Autogobierno Los colonos tenían esclavos, pero querían más libertad para ellos mismos. En 1619, los colonos lograron un poco de **autogobierno**. El autogobierno es el poder de gobernarse a sí mismo. El gobierno formó la **Casa de Burgueses de Virginia**. Este grupo estaba compuesto por colonos elegidos por los hombres blancos libres en cada pueblo. Este fue un primer paso importante hacia el autogobierno.

La libertad y la esclavitud eran dos ideas que no podían existir juntas. Durante los próximos 250 años, los americanos tendrían que lidiar con el conflicto entre esas dos ideas.

1. ¿Qué cultivo salvó a Jamestown?
2. ¿Por qué fue llevada la esclavitud a Virginia?

John Smith tenía un gran problema. Como líder de Jamestown, se enfrentó a muchos colonos que preferían buscar oro en vez de construir casas o hacer cultivos. ¿Cómo enfrentó Smith sus problemas?

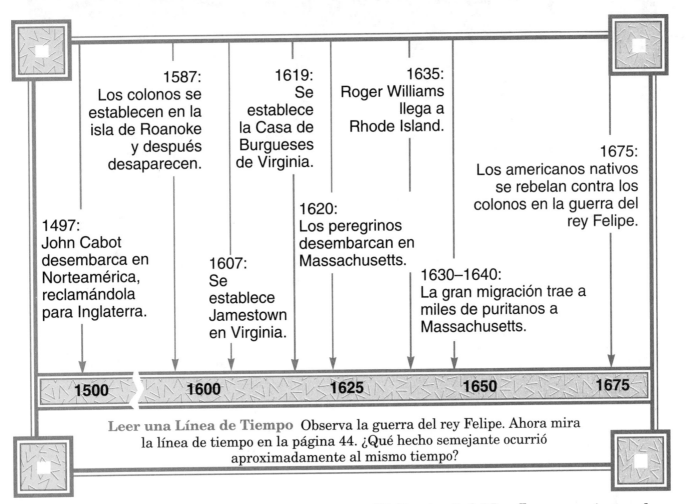

		1587: Los colonos se establecen en la isla de Roanoke y después desaparecen.	1619: Se establece la Casa de Burgueses de Virginia.	1635: Roger Williams llega a Rhode Island.	

1675:
Los americanos nativos
se rebelan contra los
colonos en la guerra del
rey Felipe.

1497:
John Cabot
desembarca en
Norteamérica,
reclamándola
para Inglaterra.

1620:
Los peregrinos
desembarcan en
Massachusetts.

1607:
Se
establece
Jamestown
en Virginia.

1630–1640:
La gran migración trae a
miles de puritanos a
Massachusetts.

1500 **1600** **1625** **1650** **1675**

Leer una Línea de Tiempo Observa la guerra del rey Felipe. Ahora mira la línea de tiempo en la página 44. ¿Qué hecho semejante ocurrió aproximadamente al mismo tiempo?

2 Los Colonos Ingleses Vienen a Nueva Inglaterra.

¿Por qué se mudaron a Nueva Inglaterra los peregrinos y los puritanos?

Otros colonos ingleses no eran como los colonos de Jamestown. Los peregrinos vinieron a América en busca de libertad religiosa. Eran gente simple y devota que estaba acostumbrada al trabajo duro. En los años 1600, Inglaterra no tenía libertad de religión. Los peregrinos tuvieron que abandonar Inglaterra porque se rehusaban a seguir las enseñanzas de la Iglesia Anglicana. En septiembre de 1620, llegaron a la costa de Massachusetts.

El Pacto del Mayflower Antes de desembarcar, los peregrinos firmaron un convenio. En el **Pacto del Mayflower**, los hombres se pusieron de acuerdo para elegir a sus líderes, y obedecer las leyes que éstos dictaran. Un **pacto** es un convenio. Como la Casa de Burgueses de Virginia, este pacto fue un paso importante hacia la democracia.

La ayuda de Squanto Los peregrinos construyeron un asentamiento y enfrentaron muchos problemas. El invierno fue frío y tenían poca comida. Casi la mitad de la gente que hizo el viaje a bordo del *Mayflower* murió antes de la primavera.

Un día dos americanos nativos visitaron la aldea. Sus nombres eran

Los puritanos van a la iglesia en la mañana de un domingo nevado. Los puritanos tenían una gran fe en la religión "pura". Esto les creó problemas con el rey de Inglaterra y los obligó a venir a Massachusetts.

Samoset y Squanto. Squanto le dijo a los peregrinos que había aprendido inglés cuando fue raptado por un capitán inglés. Squanto compartió su comida con los hambrientos peregrinos. También les enseño los modos americanos nativos de cultivar maíz, de cazar y de pescar.

Con la ayuda de Squanto, los peregrinos comenzaron a mejorar su situación. En el otoño, invitaron a Squanto y otros 90 americanos nativos a un banquete. Este fue el primer "Día de Acción de Gracias" (Thanksgiving), festividad que se celebra todos los años al final de noviembre.

La bahía de Massachusetts Mientras tanto, una segunda colonia inglesa se estaba construyendo cerca de allí. Se llamaba **la colonia de la bahía de Massachusetts**. Esta colonia fue fundada por personas que se llamaban a sí mismas "puritanos". Ellos querían purificar la iglesia de Inglaterra. Cuando el rey los castigó por sus creencias, los puritanos decidieron ir a Norteamérica. Establecieron una colonia basada en sus creencias. Salem fue fundada en 1628. Boston comenzó a ser edificada en 1630.

Los puritanos creían fuertemente en la educación y la democracia. En una democracia, la gente es libre para gobernarse a sí misma. Sin embargo, los puritanos no creían en la libertad de religión. Toda la gente que vivía en sus colonias tenía que seguir las reglas puritanas. La gente que no seguía las reglas era castigada, o expulsada de la colonia.

La fundación de Rhode Island Un joven ministro que estaba en desacuerdo con los puritanos fue Roger Williams. Williams pensaba que todas las personas debían poder profesar su religión como lo desearan. Cuando Williams se expresó en contra de los líderes puritanos, lo expulsaron de la colonia.

Williams huyó hacia el sur con sus seguidores en 1635. Hizo amistad con los americanos nativos de la zona, y decidió establecer una colonia. Llamó a esta colonia Providence. Providence fue el primer poblado americano que garantizó la libertad de religión a todos sus habitantes.

Unos años después, Anne Hutchinson se unió a Williams. También había sido expulsada de Massachusetts por sus creencias religiosas. Hutchinson y Williams fundaron una nueva colonia llamada Rhode Island. Rhode Island dio la bienvenida a colonos de todas las religiones.

1. ¿Cómo ayudaron Squanto y Samoset a los peregrinos en Plymouth?
2. ¿Dónde fue fundada la primera población de los puritanos?

3 Se Forman Las Colonias de la Nueva Inglaterra.

¿Cómo crecieron las colonias de la Nueva Inglaterra a partir de sus orígenes en Massachusetts?

Otros grupos de colonos partieron de Massachusetts para fundar nuevas colonias. Algunos buscaban la libertad de religión. Otros trataban de encontrar más o mejores tierras. Un grupo siguió a Thomas Hooker hacia el sur hasta el valle del río Connecticut. Los colonos se juntaron después para formar la colonia de Connecticut. Hacia 1650, los colonos estaban esparciéndose por toda la región que llamaban la "Nueva Inglaterra".

Guerras con los americanos nativos Donde fueran los colonos, encontraban a americanos nativos ya viviendo allí. Algunos de estos americanos nativos se convirtieron en cristianos. La mayoría no quería convertirse. Se los estaban expulsando de sus tierras.

En 1675, el líder americano nativo Metacom lanzó una guerra para recuperar las tierras perdidas. Metacom, llamado rey Felipe por los colonos, unió a muchos grupos de americanos nativos. La guerra, llamada guerra del rey Felipe, duró tres años. Ambos bandos mataron ferozmente a sus enemigos. Al final, Metacom fue derrotado y muerto. Miles de otros americanos nativos también resultaron muertos. Muchos de los sobrevivientes fueron hacia el oeste. Desde ese momento, los americanos nativos ya no impedirían el crecimiento de las colonias de Nueva Inglaterra.

Leer una Gráfica ¿Cuándo comenzó el gran crecimiento de la población de americanos africanos en el Sur?

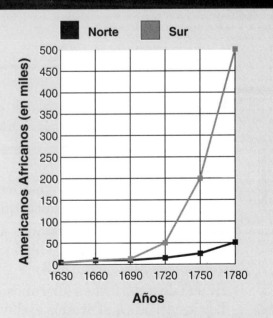

CRECIMIENTO DE LA POBLACIÓN AMERICANA AFRICANA, NORTE Y SUR, 1630–1780

Fuente: Departamento de Comercio de EE.UU., Oficina de Censos, *Estadísticas Históricas de Estados Unidos, De los tiempos coloniales a 1970, parte 2* (Series Z 1-19), pág. 1168

El crecimiento de la democracia

Hacia 1700, los colonos trataban de dominar la naturaleza en toda Nueva Inglaterra. Establecieron poblados, construyeron iglesias, y abrieron tiendas. Cultivaban en su suelo rocoso. A comienzo de 1700, Nueva Inglaterra era el centro de la construcción de barcos y del comercio en las colonias británicas. Los barcos de la Nueva Inglaterra llegaban a puertos de todo el mundo.

La democracia se enraizó en las colonias de la Nueva Inglaterra. Cada poblado de la Nueva Inglaterra realizaba reuniones periódicas. Se permitía votar en asuntos de la ciudad a los hombres blancos adultos que tenían propiedades. Estas reuniones cívicas todavía se mantienen hoy en día en algunos poblados de Nueva Inglaterra.

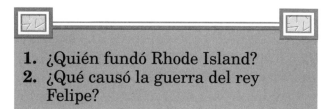

1. ¿Quién fundó Rhode Island?
2. ¿Qué causó la guerra del rey Felipe?

CAPÍTULO 6
IDEAS CLAVE

- La colonia de Jamestown estuvo a punto de desaparecer varias veces. Se salvó cuando se descubrió que el tabaco se cultivaba bien allí.

- Los peregrinos y los puritanos abandonaron Inglaterra para poder practicar la libertad de religión. Establecieron colonias duraderas en lo que hoy es Massachusetts.

- El uso de americanos africanos como esclavos comenzó en Jamestown. Los americanos africanos esclavizados fueron obligados a trabajar cultivando tabaco.

REPASO DEL CAPÍTULO 6

I. Repasar el Vocabulario

Une cada palabra a la izquierda con la definición correcta.

1. pacto
2. Roanoke
3. Salem
4. democracia

a. la "colonia perdida"
b. sistema en el que la gente se gobierna por sí misma
c. ciudad fundada por los puritanos
d. convenio entre colonos para seguir ciertas reglas

II. Entender el Capítulo

1. ¿Por qué casi fracasó la colonia de Jamestown?
2. ¿Cómo dio una asamblea más derechos a los virginianos?
3. ¿Por qué decidieron Roger Williams y Anne Hutchinson fundar su propia colonia?
4. ¿Por qué luchó Metacom contra los colonos ingleses?
5. ¿Cómo creció la democracia en la Nueva Inglaterra?

III. Desarrollo de Habilidades: Leer una Línea de Tiempo

Estudia la línea de tiempo en la página 53. Después contesta estas preguntas:

1. ¿Cuánto tiempo después de que Inglaterra reclamó Norteamérica se estableció la colonia de Roanoke?
2. ¿Cuánto tiempo duró la gran migración?
3. ¿Cuál fue el primer acontecimiento que demostró la democracia en las colonias inglesas?

IV. Escribir Acerca de la Historia

1. **¿Qué hubieras hecho?** Si tú hubieras sido un americano nativo en el tiempo que llegaron los peregrinos, ¿hubieras ayudado a los colonos? ¿Por qué sí o por qué no?
2. Diseña un cartelón animando a la gente a colonizar Rhode Island. Utiliza tanto imágenes como palabras.

V. Trabajar Juntos

1. Formen cinco grupos pequeños: Nueva España, Virginia, peregrinos, puritanos, Rhode Island. Describan hechos ocurridos a la gente en sus colonias. Después discutan: "¿En qué es distínta nuestra colonia de las otras?"
2. **Del Pasado al Presente** Con un grupo discute las diferencias entre las primeras asambleas y las actuales en cuanto a quién escoge a los miembros.

LAS COLONIAS INGLESAS SE TORNAN MUY DIVERSAS. (1623-1752)

¿En qué eran distintas las colonias centrales y del sur de las de Nueva Inglaterra?

Un antiguo grabado muestra a las primeras mujeres colonizadoras desembarcando en Jamestown. La vida en la frontera americana fue una prueba de valentía.

Buscando los Términos Clave

- colonias centrales • colonias del sur
- cuáqueros • ley de tolerancia

Buscando las Palabras Clave

- **sinagogas:** templos judíos
- **tolerancia:** permitir a otras personas practicar sus propias creencias
- **deuda:** dinero que se debe a otra persona

- **cosechas comerciales:** cultivos para vender
- **índigo:** planta que produce una tintura azul
- **espirituales:** canciones religiosas desarrolladas por los americanos africanos esclavizados

SUGERENCIA DE

Haz una tabla con dos columnas. En una escribe cinco frases que describan las colonias centrales. En la otra escribe cinco frases que describan a las colonias del sur.

ESTUDIO

La gente que vivía en las colonias inglesas al sur de Nueva Inglaterra era muy diversa. Esta diversidad afectaba la forma en que vivía. A veces, causaba problemas.

1 La Gente Viene a las Colonias Centrales de Toda Europa.

¿Por qué vinieron a las colonias inglesas personas de diferentes países?

Para 1733, había 13 colonias inglesas en Norteamérica. Sólo cuatro de ellas estaban en Nueva Inglaterra. El resto estaba localizada al sur de Nueva Inglaterra en dos regiones, las **colonias centrales**, y las **colonias del sur**.

Las colonias centrales eran Nueva York, Pennsylvania, Delaware, y Nueva Jersey. Las colonias centrales tenían un clima más templado que las Colonias de Nueva Inglaterra. El suelo era también más fértil.

Los Holandeses en Nueva Holanda
En los años 1620, los holandeses establecieron Nueva Holanda, que consistía en una serie de puestos de comercio a lo largo del río Hudson. En el extremo sur de la isla de Manhattan construyeron Nueva Amsterdam. Los holandeses compraron la isla a los americanos nativos por unos cuantos dólares en baratijas.

Otras personas fueron bienvenidas a asentarse en Nueva Holanda. En 1654, 23 judíos holandeses llegaron a vivir en Nueva Amsterdam. Fueron los primeros judíos en establecerse en Norteamérica. Otros judíos llegarían a Rhode Island y otras colonias y construirían templos llamados **sinagogas**.

Colonos de Suecia
En 1638, un pequeño grupo de colonos de Suecia se estableció en lo que hoy es Delaware y el sur de Nueva Jersey. Llamaron a su colonia Nueva Suecia. Los suecos eran pocos, y su colonia pasó a los holandeses en poco tiempo.

En 1664, barcos de guerra ingleses tomaron fácilmente Nueva Amsterdam. La invasión fue encabezada por el duque de York. Después de su victoria, el duque rebautizó la colonia como Nueva York. Muchos holandeses se quedaron en la colonia, a pesar de los nuevos gobernantes.

El duque de York después dio parte de la tierra a dos nobles que eran sus amigos. Esta tierra se convirtió en el estado que hoy es Nueva Jersey.

William Penn
En 1681 y 1682, William Penn recibió concesiones de tierra del rey Inglés. Estas tierras ahora forman los estados de Pennsylvania y Delaware. De joven, Penn se hizo miembro de un grupo religioso en Inglaterra llamado **cuáqueros**. Los cuáqueros creían en vivir con sencillez y en paz con toda la gente.

Penn estableció la colonia de Pennsylvania en 1681. Les pagó a los delaware, una nación americana nativo, por sus tierras, y los trató bien. Penn hizo un tratado de paz con los Delaware que cumplió toda su vida.

Penn creía en la **tolerancia**. Permitió a las personas practicar diferentes religiones en Pennsylvania. Muchos nuevos colonos llegaron a Pennsylvania de Alemania y Suiza. Se convirtieron en agricultores exitosos, y construyeron sus propias aldeas, que prosperaron.

Los africanos en Pennsylvania lograron gradualmente más derechos que los africanos en otras colonias. Para mediados de los años 1700, Pennsylvania tenía más africanos libres que cualquier otra colonia. Estas personas y sus descendientes encabezarían el movimiento en contra de la esclavitud en los años 1800.

1. ¿Dónde se asentaron los holandeses en Norteamérica?
2. ¿Quién fue William Penn?

2 Otros Colonos Llegan a las Colonias del Sur.
¿Qué colonias se desarrollaron en el sur?

Las cuatro colonias del sur eran Maryland, Virginia, Carolina y Georgia. Fueron colonizadas principalmente por personas provenientes de Inglaterra. Leíste acerca de la fundación de Virginia en el capítulo 6. Maryland fue fundada por Lord Baltimore, un amigo del rey de Inglaterra. Lord Baltimore era católico en un país que perseguía a muchos católicos. Quería establecer una colonia donde los católicos pudieran

William Penn firma un tratado con los delaware en 1681. A diferencia de la mayoría de los colonos, Penn compró la tierra que se convertiría en Pennsylvania. Trató a los americanos nativos con justicia. Después de su muerte, las cosas cambiaron.

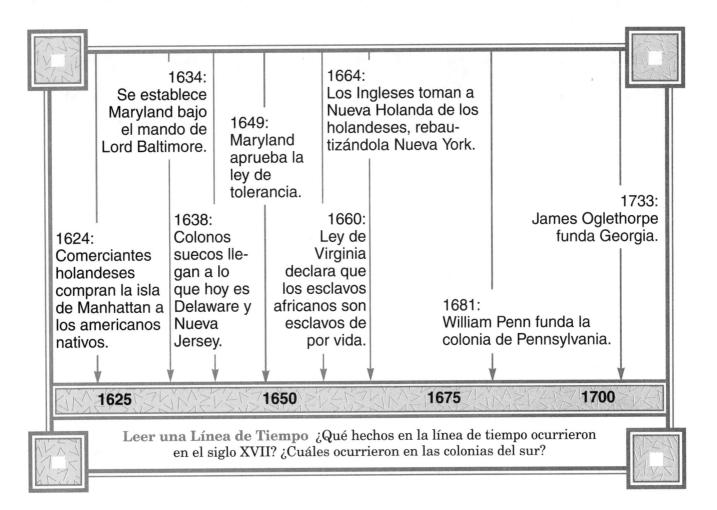

1624:
Comerciantes holandeses compran la isla de Manhattan a los americanos nativos.

1634:
Se establece Maryland bajo el mando de Lord Baltimore.

1638:
Colonos suecos llegan a lo que hoy es Delaware y Nueva Jersey.

1649:
Maryland aprueba la ley de tolerancia.

1660:
Ley de Virginia declara que los esclavos africanos son esclavos de por vida.

1664:
Los Ingleses toman a Nueva Holanda de los holandeses, rebautizándola Nueva York.

1681:
William Penn funda la colonia de Pennsylvania.

1733:
James Oglethorpe funda Georgia.

1625   1650   1675   1700

Leer una Línea de Tiempo ¿Qué hechos en la línea de tiempo ocurrieron en el siglo XVII? ¿Cuáles ocurrieron en las colonias del sur?

practicar su religión libremente. En 1649, Maryland aprobó una **ley de tolerancia**. Esta otorgaba libertad de religión a todos los cristianos.

Georgia Georgia, la última de las 13 colonias, fue fundada en 1733. Su fundador fue James Oglethorpe, un soldado respetado. Oglethorpe quería ayudar a las personas en Inglaterra que habían sido encarceladas por **deudas**. Una deuda es dinero que se debe a otras personas. En Inglaterra había muchos deudores. Los deudores son personas que no pueden pagar sus cuentas. En aquellos días, a los deudores se les encarcelaba hasta que sus familias pagaran las deudas.

Oglethorpe abrió su colonia de Georgia a deudores y de otras personas pobres de Inglaterra. Quería hacer de Georgia una colonia donde todos fueran iguales. No permitió la esclavitud en Georgia. Tampoco permitió la venta de ron.

A algunos de los colonos blancos no les gustaron las reglas de Oglethorpe. Querían que hubiera la esclavitud y grandes fincas. En 1752, Oglethorpe transfirió la colonia al rey. Luego, se permitieron la esclavitud y las grandes fincas en Georgia.

El Crecimiento de la Esclavitud
Para mediados de los años 1600, había muchas grandes plantaciones en las colonias del sur. Los plantadores

LAS TRECE COLONIAS INGLESAS

Colonia	Fecha de Asentamiento Inglés	Tipo de Colonia
Colonias de la Nueva Inglaterra		
Nueva Hampshire	1623	Real
Massachusetts	1629	Real
Rhode Island	1636	Carta de autogobierno
Connecticut	1636	Carta de autogobierno
Colonias centrales		
Nueva York	1664	Real
Nueva Jersey	1664	Real
Delaware	1664	Propietaria
Pennsylvania	1682	Propietaria
Colonias del sur		
Virginia	1607	Real
Maryland	1634	Propietaria
Carolina del Norte	1653	Real
Carolina del Sur	1670	Real
Georgia	1733	Real

Leer una Gráfica. Las colonias reales eran gobernadas directamente por un oficial del rey. En una colonia de propiedad, la colonia era gobernada por una persona rica. ¿Las primeras tres colonias fueron reales o propietarias?

recurrían más y más a los africanos esclavizados para cubrir sus necesidades. Para los años 1700, la mayoría de los africanos en las colonias del sur vivían como esclavos.

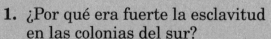

1. ¿Por qué era fuerte la esclavitud en las colonias del sur?
2. ¿Qué personas se establecieron primero en Georgia?

3 Las Tres Regiones Son Diferentes.
¿En qué eran diferentes las colonias inglesas unas de otras?

Con el paso de los años, las colonias de Nueva Inglaterra, del centro y del sur se desarrollaron de diferentes maneras. Las diferencias fueron causadas principalmente por la geografía.

La agricultura y el comercio El cultivo en las colonias de Nueva Inglaterra era difícil. La época de cosecha era corta. El suelo rocoso no era bueno para la agricultura.

Dado que pocos habitantes de la región podían ganarse la vida con la agricultura, muchos se orientaron a otros empleos. La construcción de barcos se convirtió en un negocio importante. Algunos residentes pescaban. Lo que pescaban se podía secar y vender a las otras colonias y a Inglaterra. Los habitantes de Nueva Inglaterra también buscaban ballenas en los mares. La grasa de las ballenas se usaba como aceite para lámparas. Con los huesos de la ballena se fabricaban botones.

En las colonias centrales, el suelo era más fértil, y la temporada de cosecha era más larga. La mayoría de las granjas eran más grandes que las de Nueva Inglaterra. Algunas fincas eran suficientemente grandes como para contratar trabajadores temporarios.

En las colonias centrales, los granjeros cultivaban grandes extensiones de trigo, maíz y cebada. Los granjeros cultivaban alimentos en cantidad, o **cosechas comerciales**, que se podían vender a las otras colonias. El comercio también era importante.

Las granjas más grandes estaban en las colonias del sur. Las cosechas principales eran tabaco, arroz e **índigo**. El índigo es una planta que produce una tintura azul. La esclavitud se hizo muy importante en el sur.

Religión y educación   Los puritanos en Nueva Inglaterra creían firmemente en la educación. Crearon las primeras escuelas públicas en Norteamérica. También fundaron el colegio de Harvard, la primera universidad en las colonias británicas.

A diferencia de Nueva Inglaterra, las colonias centrales acogían a personas de muchas diferentes religiones y creencias. Las colonias centrales eran mucho más tolerantes de las diferentes religiones que Nueva Inglaterra. Había muchos más católicos, y cada colonia

tenía pequeñas comunidades de judíos. La mayoría de las escuelas en las colonias centrales eran dirigidas por las iglesias. Estas escuelas generalmente eran buenas.

La iglesia oficial de las colonias del sur era la Iglesia Anglicana. Los africanos esclavizados se sentaban en la parte de atrás del templo y escuchaban a los ministros blancos que defendían la esclavitud. Después, los americanos africanos tuvieron sus propios ministros y sus propias iglesias. Desarrollaron sus propias canciones religiosas, llamadas **espirituales**. Los espirituales contaban de sus anhelos de libertad.

Ciudades   En los años 1700, nueve de cada diez colonos ingleses vivían en granjas. Sin embargo, las aldeas seguían creciendo. Los habitantes de esas aldeas trabajaban en la fabricación

Leer un Mapa Nombra las 13 colonias británicas. ¿Qué accidente geográfico impidió a las colonias que crecieran más?

LAS TRECE COLONIAS BRITÁNICAS

Colonias de la Nueva Inglaterra
Colonias Centrales
Colonias del Sur
Frontera del Estado hoy en día

de bienes y productos necesarios para los colonos.

Con este comercio, algunas poblaciones crecieron hasta ser grandes ciudades. Las ciudades más importantes eran Boston, en Massachusetts, y Filadelfia, en Pennsylvania.

El crecimiento de la democracia

Los blancos en las colonias británicas tenían más libertad que la gente en la mayoría de las naciones europeas. En las colonias, una persona de una familia blanca pobre podía anhelar subir a la clase media. Los colonos también tenían libertad política. Los hombres blancos que tenían tierras podían votar para elegir sus representantes.

Durante muchos años, los británicos dejaron a las colonias libres en gran medida para que se gobernaran solas. Los colonos llegaron a pensar que estaban libres del control británico. Sin embargo, a mediados de los años 1700, Gran Bretaña decidió aplicar un control más estricto a sus colonias americanas. Esto convenció a muchos colonos de que era tiempo de echar a los británicos de Norteamérica.

1. ¿Por qué era difícil la agricultura en Nueva Inglaterra?
2. ¿Qué parte de las colonias tenía una fuerte tradición de educación?

CAPÍTULO 7
IDEAS CLAVE

- A mediados de los años 1700 las colonias británicas acogían a personas de distintos orígenes. Estas personas vinieron de tierras europeas y africanas.

- La mayoría de los colonos se ganaba la vida en la agricultura. Sin embargo, el comercio y los negocios seguían creciendo, especialmente en Nueva Inglaterra y las colonias centrales.

- Grandes fincas, o plantaciones, crecían en tamaño y número en el sur. Un número creciente de americanos africanos fueron obligados a trabajar allí como esclavos.

REPASO DEL CAPÍTULO 7

I. Repasar el Vocabulario

Une la palabra a la izquierda con la definición.

1. deudores
2. plantación
3. cosechas comerciales
4. tolerancia
5. sinagoga

a. una finca muy grande
b. personas que no pueden pagar dinero que deben
c. templo judío
d. permitir a las personas practicar sus propias creencias
e. cultivos para vender

II. Entender el Capítulo

1. ¿Por qué eran las colonias centrales más tolerantes que otras regiones?
2. ¿Por qué fundó Maryland Lord Baltimore?
3. ¿Por qué no les gustaba James Oglethorpe a los colonos de Georgia?
4. ¿En qué era diferente la agricultura en Nueva Inglaterra de las otras colonias?
5. ¿Qué región colonial tenía el mayor número de americanos africanos esclavizados?

III. Desarrollo de Habilidades: Hacer una Tabla.

En una hoja separada, haz una tabla que compare información de cada grupo de colonias. Copia los encabezados que aparecen abajo para comenzar.

	CULTIVO	RELIGIÓN/EDUCACIÓN	BIENES COMERCIOS Y CIUDADES
Nueva Inglaterra			
Colonias centrales			
Colonias del sur			

IV. Escribir Acerca de la Historia

1. **¿Qué hubieras hecho?** Eres un colono holandés en Nueva Amsterdam cuando los ingleses se apoderan de ella. Puedes regresar a Holanda o quedarte en Nueva York. Explica tu decisión.
2. Imagínate que eres un americano nativo delaware. Escribe un discurso a tu gente diciéndole que debería llevarse bien con William Penn.

V. Trabajar Juntos

1. Formar cuatro grupos: los holandeses, los americanos africanos, los cuáqueros y los católicos. Investiga la manera en que la gente de tu grupo fue tratada en las colonias británicas. Después creen todos un mural acerca de ellos.
2. **Del Pasado al Presente** Con un grupo, analiza por qué vinieron colonos a las colonias inglesas en los años 1600 y 1700. ¿Por qué viene la gente hoy en día? Detalla las razones que son similares y las que son diferentes.

Los Colonos se Hacen Americanos. (1650-1750)

¿Cómo fue que los americanos se desarrollaron aparte de los británicos?

Para mantener sus conversaciones privadas, la gente joven en los hogares coloniales utilizaba un palo largo, llamado "vara de susurro".

Buscando los Términos Clave

- Pasaje Medio • Triángulo comercial • libertad de prensa

Buscando las Palabras Clave

- **comadrona:** alguien que ayuda en el parto
- **asamblea:** un grupo que hace leyes
- **nacionalismo:** lealtad a, u orgullo por, el país de uno
- **racismo:** creencia de que un grupo es superior a los otros

SUGERENCIA DE

Conforme lees este capítulo, anota los puntos que consideres más importantes en cada sección.

ESTUDIO

Eliza Lucas Pinckney fue una importante mujer de negocios en Carolina de Sur. En 1750, visitó Inglaterra donde conoció al rey. Pidió ser presentada a él como "americana". Se sentía diferente a los británicos. Eliza Lucas Pinckney no estaba sola. Hacia 1750, mucha gente en las 13 colonias se consideraban americanos.

1 Las Mujeres Jugaron un Papel Importante en las Colonias Británicas.

¿ Cómo era la vida para las mujeres en las colonias ?

La gente comenzó a verse a sí misma como americana porque la vida colonial era muy diferente a la vida en Gran Bretaña. Una diferencia era el papel de las mujeres. Las mujeres de las colonias tenían muchas responsabilidades. Trabajaban en muchas tareas. También tenían más derechos que las mujeres británicas.

Siempre trabajando   Las mujeres de las colonias estaban ocupadas desde el amanecer hasta bien entrada la noche. Cerca del 90 por ciento de las mujeres vivían en granjas. Aunque los hombres trabajaban el campo, las mujeres ayudaban cuando era necesario. También ayudaban a cuidar los animales de la granja.

Preparar los alimentos tardaba mucho tiempo. Las mujeres molían maíz, trigo y avena para hacer harina y alimentos. Hacían mantequilla y queso. Salaban carne para que no se echara a perder. Hacían conservas de verduras y disecaban fruta.

Las mujeres de la colonia tenían a su cargo de los gastos familiares. Pagaban las cuentas y compraban provisiones. Elaboraban muchas de las cosas que necesitaban sus familias.

Mujeres de negocios en la colonia
Aún con esas responsabilidades tan pesadas, algunas mujeres en la colonia también trabajaban fuera del hogar. Hacían casi todos los trabajos que desempeñaban los hombres. Algunas era tenderas. Otras trabajaban como herreras, plateras o carpinteras. Las mujeres también trabajaron como maestras, sastres e impresoras.

Muchas viudas se hicieron cargo de negocios de sus esposos. Una de esas mujeres fue Polly Spratt Provoost. Su esposo falleció cuando ella tenía sólo 26 años. Polly se encargó de la gran tienda de su marido en la ciudad de Nueva York. La gente decía que casi todos los barcos que atracaban en Nueva York llevaban algo para su tienda.

Muchas mujeres hábiles ganaban dinero como **comadronas**. Una comadrona es una persona que ayuda en el parto. La mujer común de la colonia tenía entre cinco y ocho hijos. Dar a luz era peligroso. El riesgo disminuía con una buena comadrona. Una comadrona, la señora Whitmore, de Vermont, viajaba hasta en raquetas de nieve para atender a sus pacientes. Para cuando tenía 87 años ya había atendido el nacimiento de más de 2,000 bebés.

Sus derechos   Aunque trabajan muy duro, las mujeres en la América colonial tenían menos derechos que los hombres. La ley daba a los hombres el derecho de ser jefes de familia. Por lo

Era poco común, pero algunas mujeres coloniales trabajaban como herreras. Las gemelas Carrie y Nellie Blair tenían una herrería.

general, los hombres controlaban todas las propiedades familiares. Sin embargo, las mujeres en las colonias tenían más derechos que las mujeres británicas. Las mujeres casadas tenían más control sobre sus propiedades.

1. ¿Cuáles eran algunas de las responsabilidades de las mujeres en la colonia?
2. Nombra tres trabajos que las mujeres de la colonia hacían fuera del hogar.

2 Los Americanos Africanos Eran Importantes en las Colonias Británicas.

¿Qué papel de importancia desempeñaban los americanos africanos en las colonias británicas?

Matías De Sousa desembarcó en la colonia británica de Maryland en 1634. Desarrolló un comercio exitoso con los nativos americanos. En 1641, los colonos eligieron a De Sousa para la **asamblea** de Maryland. Una asamblea es un grupo de personas que dicta leyes. De Sousa fue uno de los primeros americanos africanos libres y ricos. Sin embargo, en las colonias la mayoría de los americanos africanos no eran libres. Habían sido traídos como esclavos.

Traídos de Africa   Los africanos fueron esclavizados en todas las colonias. Sin embargo, las colonias del sur eran las que más usaban el trabajo de los africanos esclavizados. Muchas de estas personas habían sido capturadas en guerras. Otras habían sido secuestradas en redadas.

El viaje a través del Atlántico era terrible. Esta travesía llegó a ser conocida como el **Pasaje Medio**. Los mercaderes de esclavos metían cuanta gente podían en sus barcos. Cientos venían encadenados en las piernas y el cuello. Las enfermedades se propagaban en los barcos. Muchos barcos llegaban a las Américas con sólo la mitad de los africanos vivos.

Los africanos no se sometían fácilmente a esos horrores. Muchos preferían la muerte. Algunos se tiraban por la borda. Otros se negaban a comer o a recibir medicinas. También opusieron resistencia. Hubo por lo menos 55 levantamientos de africanos entre 1699 y 1845.

Millones de personas murieron durante el Pasaje Medio. Pero casi 20

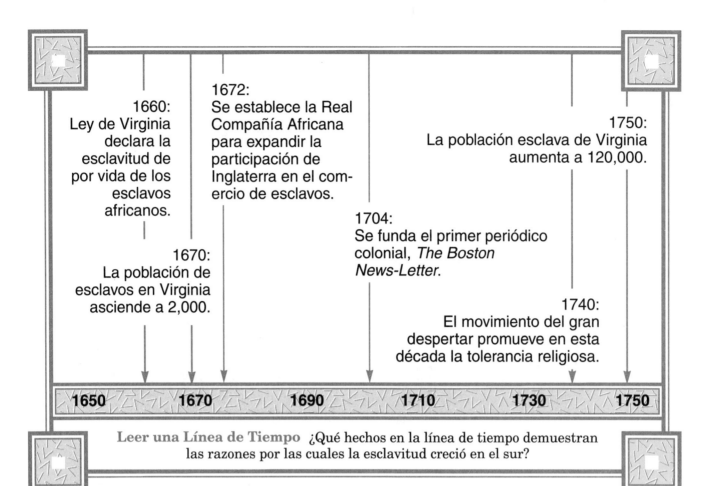

1660:
Ley de Virginia declara la esclavitud de por vida de los esclavos africanos.

1672:
Se establece la Real Compañía Africana para expandir la participación de Inglaterra en el comercio de esclavos.

1750:
La población esclava de Virginia aumenta a 120,000.

1670:
La población de esclavos en Virginia asciende a 2,000.

1704:
Se funda el primer periódico colonial, *The Boston News-Letter*.

1740:
El movimiento del gran despertar promueve en esta década la tolerancia religiosa.

| 1650 | 1670 | 1690 | 1710 | 1730 | 1750 |

Leer una Línea de Tiempo ¿Qué hechos en la línea de tiempo demuestran las razones por las cuales la esclavitud creció en el sur?

millones de africanos sobrevivieron el viaje hacia las Américas. Les esperaba una nueva vida en cadenas.

Apretando las cadenas   Las colonias del sur aprobaron leyes para controlar a los esclavos. Una ley de Virginia establecía que todo infante nacido de una madre esclava también era esclavo. Esta ley pasaba la esclavitud de generación en generación. Otras colonias siguieron el ejemplo de Virginia.

Esas leyes aumentaron la población de esclavos en las colonias británicas. En 1670, Virginia tenía cerca de 2,000 africanos esclavizados. En 1700, había 16,000 africanos esclavizados. En 1750, había 120,000 personas de ascendencia africana en Virginia. Casi todas estaban esclavizados. Componían casi el 40 por ciento de la población de las colonias del sur.

Hacia finales de los años 1600, muchos colonos ingleses pensaban que los africanos esclavizados eran objetos de su propiedad. Les negaban a los esclavos los derechos que les correspondían como seres humanos. Esta forma de pensamiento se conoce como **racismo**. El racismo es la creencia de que un grupo de personas es superior a otros.

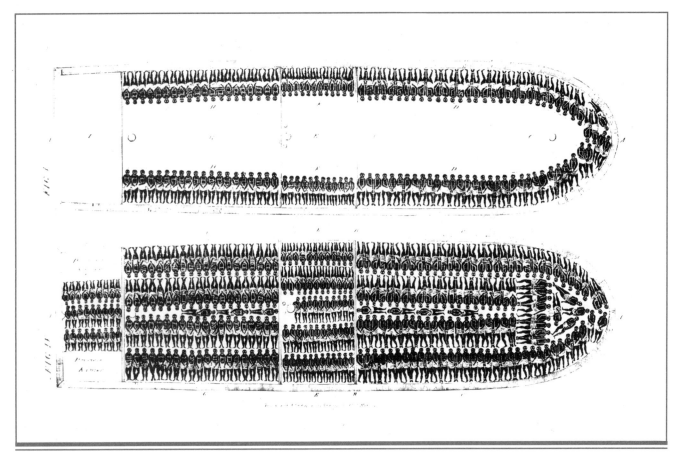

Este es un plano del cargamento de un barco de esclavos para las Américas. Te da una idea de como iban apretados los africanos en un barco para que los traficantes obtuvieran las mayores ganancias con cada viaje.

Trato injusto La gran mayoría de los esclavos en las colonias del sur trabajaba en el campo. Las labores del campo eran agotadoras. Sus amos los obligaban a trabajar largas horas. Muchos terratenientes trataban a sus esclavos con crueldad. Los esclavos eran golpeados, algunas veces hasta que los mataban. Los esclavos casi no tenían derechos. Los amos podían desintegrar familias, al vender a sus miembros. Nada horrorizaba más que esto a los esclavos.

Mantener vivo el espíritu Los esclavos lucharon contra estas terribles condiciones. Algunos rompían las herramientas de sus dueños. En unas pocas ocasiones, los esclavos prendieron fuego a los edificios de las granjas. Los terratenientes vivían con un miedo constante a las rebeliones de los esclavos.

Los africanos que estaban esclavizados trataban de mantener unidas sus familias. Las colonias del sur no consideraban legales a los matrimonios de esclavos. Sin embargo, los hombres y mujeres vivían como esposo y esposa. A menudo, las familias trabajaban juntas. Los esclavos se llamaban entre ellos "hermano", "hermana", "tía" y "tío", aunque no fueran parientes. Esto creaba una sensación de unión familiar.

Aún en las plantaciones, los africanos mantenían vivas sus tradiciones culturales. Introdujeron cultivos africanos como el camote. Los artesanos hacían tambores y banjos similares a los usados en Africa occidental. Los africanos también trajeron a las Américas sus danzas.

Estas tradiciones africanas también se filtraron en la cultura de los colonos blancos. Muchos disfrutaban de la comida africana. La música de origen africano era popular.

En el Norte   Había bastante menos esclavos en las colonias del norte. Los esclavos sumaban sólo el cuatro o cinco por ciento de la población. Las granjas del norte no podían ser trabajadas durante el invierno por el clima frío. Por lo tanto, no era rentable alimentar y vestir a los esclavos durante todo el año.

Las leyes permitían que los esclavos obtuvieran su libertad. De esta forma, algunos americanos africanos en las colonias del norte lograron su libertad. Las generaciones posteriores nacieron libres. Paul Cuffe nació en 1759. El padre de Cuffe era un americano africano libre. Cuffe estableció un exitoso negocio de transporte marítimo. Utilizó su dinero para ayudar a otras personas de ascendencia africana.

1. ¿Qué era el Pasaje Medio?
2. ¿Por qué la esclavitud creció más lentamente en el norte que en el sur?

3 Los Colonos Británicos se Convierten en Americanos.

¿Qué condujo a los colonos a considerarse a sí mismos americanos?

En 1700, un nuevo sentimiento de **nacionalismo**, o de lealtad hacia el propio país, se extendió por las colonias. Muchos colonos sentían más lealtad hacia las colonias que hacia Gran Bretaña. Se sentían más cercanos a los pobladores de otras colonias que a los británicos. Los colonos comenzaron a llamarse a sí mismos americanos.

No existe un retrato de Paul Cuffe. Cuffe nació pobre, pero ganó una gran fortuna con muchos barcos y almacenes.

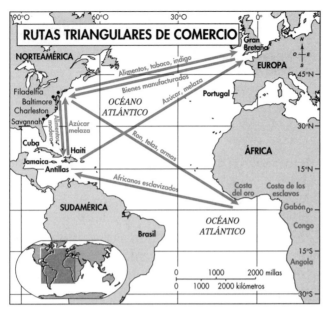

RUTAS TRIANGULARES DE COMERCIO

Leer un Mapa. ¿Qué era el "comercio triangular"? ¿Qué cargamento se mandaba de Africa a las Américas?

Diversidad religiosa   Cada vez más, las colonias se parecían menos a Gran Bretaña. Mucho inmigrantes venían de otros países europeos. Traían consigo nuevas religiones. Luteranos, bautistas, presbiterianos, y otras iglesias protestantes surgieron en las colonias. Los católicos y los judíos tenían sus templos. Los cuáqueros se convirtieron en un grupo grande e importante en las colonias.

Autogobierno   Otras diferencias dividían a los colonos de los británicos. Los colonos estaban acostumbrados a tomar sus propias decisiones. Administraban sus pueblos y aldeas. Elegían líderes locales. La mayoría de las colonias habían elegido asambleas. Estas asambleas fueron aumentando su poder con el paso del tiempo. Los colonos no querían que el gobierno británico les dijera qué debían hacer.

Crecimiento del comercio   Los colonos tampoco querían obedecer las leyes británicas de comercio. Estas leyes los obligaban a comerciar sólo con Gran Bretaña. Los colonos pensaban que esto era injusto. Para los años 1700, los mercaderes coloniales comerciaban con muchas partes del mundo.

Los barcos de Nueva Inglaterra vendían pescado y madera en las Indias occidentales. Regresaban con azúcar y melaza.

Las rutas comerciales eran llamadas el **comercio triangular**. Estas rutas formaban un triángulo entre Europa, las Américas y Africa. Intercambiaban ron, ropa y armas por esclavos. Los esclavos eran llevados a las Indias occidentales y a las colonias del sur.

Educar a la población   La amplitud de la educación también hacía diferentes a los americanos. Massachusetts fue líder en esto. Ordenó que se establecieran escuelas públicas. Otras colonias la imitaron. Para mediados de los años 1700, la mayoría de los hombres adultos en Nueva Inglaterra sabía leer y escribir. En las colonias centrales, muchas iglesias fundaron escuelas. La educación se extendió más lentamente en las colonias del sur. A pesar de esto, hacia 1750 cerca de la mitad de la población libre del sur sabía leer y escribir.

Los colonos leían todo tipo de material. Los periódicos eran muy populares. Al principio, todos periódicos eran publicados en Gran Bretaña. En 1704, se fundó el *Boston News-Letter*, el primer periódico colonial. Para 1765, había 25 periódicos publicados en las colonias. Estos periódicos tenían un punto de vista americano. Algunas veces criticaban a los gobiernos coloniales.

Esto solía traer graves problemas a los editores de periódicos. John Peter Zenger publicaba el *New York Weekly Journal*. En cierta ocasión criticó al gobernador de Nueva York. El gobernador lo encarceló. En 1735, Zenger fue llevado a juicio. Después de una buena defensa hecha por su abogado, Andrew Hamilton, Zenger fue declarado inocente. El caso ayudó a establecer la tradición de **libertad de prensa**. Significa que los editores están libres de control gubernamental.

Aumentan las diferencias   Entre 1650 y 1750, las 13 colonias británicas cambiaron mucho. La población pasó de 70,000 a más de 1.5 millones de personas. El nacionalismo continuó creciendo. Y puso a las colonias en camino a la independencia.

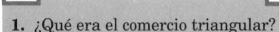

1. ¿Qué era el comercio triangular?
2. Indica tres maneras en que los colonos se consideraban americanos.

CAPÍTULO 8
IDEAS CLAVE

- Las mujeres de la colonia tenían muchas responsabilidades. También tenían más derechos que las mujeres británcas.

- Los americanos africanos jugaron un papel importante en la economía y la cultura de las colonias.

- El autogobierno, el comercio y la educación llevaron a los colonos a considerarse americanos.

I. Repasar el Vocabulario

Une a cada palabra a la izquierda con la definición correcta.

1. comadrona
2. racismo
3. asamblea
4. Pasaje Medio
5. nacionalismo

a. un grupo de personas que hace leyes
b. creencia de que un grupo es superior a otros
c. el viaje a través del Atlántico desde Africa hasta las Américas en el comercio de esclavos
d. lealtad a, u orgullo por, el país de uno
e. alguien que ayuda en el parto

II. Entender el Capítulo

1. ¿Qué tipo de trabajo hacían las mujeres en la colonia?
2. ¿Qué derechos tenían las mujeres en la colonia?
3. ¿Cómo se resistieron los americanos africanos a la esclavitud?
4. ¿Por qué había menos esclavos en las colonias del norte?
5. ¿Por qué crecieron los sentimientos de nacionalismo en las colonias americanas?

III. Desarrollo de Habilidades: Leer un Mapa

1. Mira el mapa del comercio triangular en la página 72. ¿Qué embarcaban las colonias de Norte América hacia Europa?
2. Nombra cinco regiones de Africa de las que se exportaban esclavos.

IV. Escribir Acerca de la Historia

1. **¿Qué hubieras hecho?** Si fueras el editor de un periódico colonial, ¿habrías escrito un artículo apoyando a John Peter Zenger? Explica.
2. Imagínate que eres un africano esclavizado que sobrevivió el Pasaje Medio. Escribe un cuento corto acerca de las experiencias que podrías contar a tus hijos.

V. Trabajar Juntos

1. Reúnanse en pequeños grupos. Cada grupo debe imaginarse cómo era la vida diaria de un colono. Pueden elegir un americano africano libre, dueño de un negocio, una comadrona, o un miembro de una asamblea colonial. Luego, escribe una obra corta acerca de la persona que elegiste.
2. **Del Pasado al Presente** Con un grupo, discute el papel de las mujeres en las 13 colonias. Luego, comenta el papel de las mujeres hoy en día. En grupo, nombra por lo menos tres similitudes y diferencias.

FRANCIA ESTABLECE COLONIAS EN NORTEAMÉRICA. (1590-1763)

¿Cómo estableció y luego perdió Francia un vasto imperio en Norteamérica?

El viaje de La Salle bajando por el Mississippi en 1682 fue el primer contacto entre muchos americanos nativos y los europeos.

Buscando los Términos Clave

- Guerra de franceses e indios

Buscando las Palabras Clave

- **jesuita:** un miembro de una orden católica
- *habitant:* un pequeño granjero en Nueva Francia

- **aliado:** una persona o grupo de personas que se unen a otras para un fin común

SUGERENCIA DE

Haz una tabla colocando en una columna cada explorador francés y en la otra el territorio que haya explorado.

ESTUDIO

Jacques Cartier (car-TYAY) se embarcó a explorar Norteamérica en 1533. Entre 1533 y 1542, Cartier realizó varios viajes. Reclamó tierras para Francia, en lo que hoy es Canadá. Llamó a este territorio Nueva Francia. Nueva Francia pronto crecería hasta ser un gran imperio francés en Norteamérica.

1 Francia Reclama Tierras en las Américas.
¿Cómo exploró Francia a Norteamérica?

Samuel de Champlain (sham-PLAYN), geógrafo de profesión, trabajaba para una compañía francesa de comercio de pieles. En 1605, Champlain fundó una colonia para el comercio en

Los comerciantes franceses cambiaban armas por pieles. Viajaron hasta muy adentro de Norteamérica.

Port Ray en Nueva Escocia. Este fue el primer asentamiento francés permanente en Norteamérica.

En 1608, Champlain exploró el río San Lorenzo. Tuvo que detenerse en el lugar donde el río se hacía angosto. Allí, fundó un fuerte de comercio de pieles llamado Quebec. Quebec se convirtió en el centro de Nueva Francia.

Champlain exploró el territorio situado alrededor de Quebec. Deseaba encontrar a americanos nativos a quienes comprarles pieles. Se encontró con los hurones, una poderosa nación de americanos nativos que vivían cerca de Quebec. Champlain firmó tratados de paz con ellos. Los hurones vendían sus valiosas pieles a la compañía de Champlain. Mientras viajaba por el territorio hurón, Champlain estudió la forma de vida de estos americanos nativos.

Champlain deseaba fortalecer la amistad entre los franceses y los hurones. Por ello, se les unió en una batalla contra los enemigos de los hurones, los iroqueses. Esto provocó graves problemas para los franceses. Los iroqueses eran muy poderosos. Impidieron a los franceses expandir sus asentamientos durante muchos años.

Hacia el interior En 1663, el rey Luis XIV (catorce) tomó el control directo de los asentamientos en Nueva Francia. Envió tropas para luchar contra los iroqueses. La Iglesia Católica también envió misioneros **jesuitas** a Nueva Francia. Los jesuitas eran miembros de una orden católica especial. Estos misioneros trataron de convertir a los hurones y a otros americanos nativos. Por ellos, los misioneros supieron de la existencia de un gran río que estaba hacia el oeste. Pensaron que podría conducir al océano Pacífico. Los franceses tenían la esperanza de que fuera una ruta marítima al Asia.

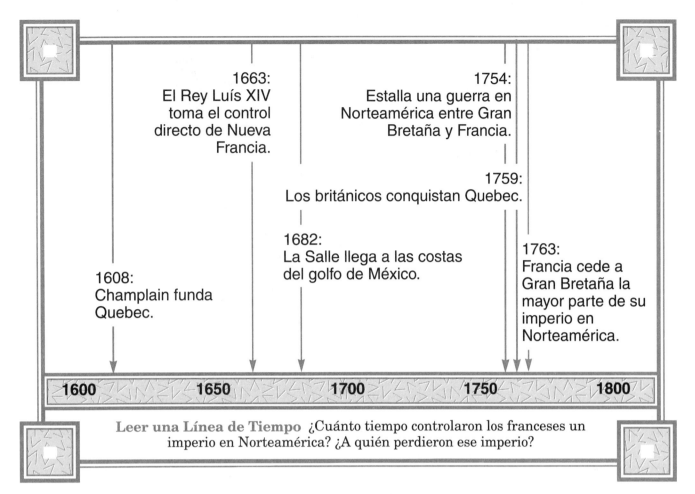

1663:
El Rey Luís XIV toma el control directo de Nueva Francia.

1754:
Estalla una guerra en Norteamérica entre Gran Bretaña y Francia.

1759:
Los británicos conquistan Quebec.

1682:
La Salle llega a las costas del golfo de México.

1608:
Champlain funda Quebec.

1763:
Francia cede a Gran Bretaña la mayor parte de su imperio en Norteamérica.

| 1600 | 1650 | 1700 | 1750 | 1800 |

Leer una Línea de Tiempo ¿Cuánto tiempo controlaron los franceses un imperio en Norteamérica? ¿A quién perdieron ese imperio?

Louis Joliet (zhoh-li-EY) y el padre Jacques Marquette partieron a averiguarlo. Joliet era un experimentado comerciante en pieles. El padre Marquette era un sacerdote católico. En 1673, llegaron al río que pensaban podía conducirlos al Asia. Le pusieron por nombre Mississippi. Al principio, el río fluía hacia el oeste, pero luego giraba hacia el sur. Joliet y Marquette regresaron al comprobar que el Mississippi no fluía hacia el océano Pacífico.

Marquette y Joliet trajeron consigo valiosa información sobre el territorio que habían explorado. Después, los franceses construyeron fuertes para el comercio a lo largo del Mississippi. También construyeron fuertes cerca de otros ríos en la región.

Al sur, hacia el golfo de México
Otro explorador francés continuó a par-tir de donde Joliet y Marquette se habían detenido. Robert Cavalier de La Salle (la SAL) viajó río abajo por el Mississippi. En 1682 llegó al golfo de México. La Salle llamó a toda la región Luisiana en honor del rey Luis.

En 1718, los franceses construyeron una ciudad cerca del Golfo. La llamaron Nueva Orleáns. Se convirtió en un gran centro de comercio francés.

1. ¿Por qué quería el rey francés que vinieran más colonos a Nueva Francia?
2. ¿Qué río siguieron los franceses hacia el golfo de México?

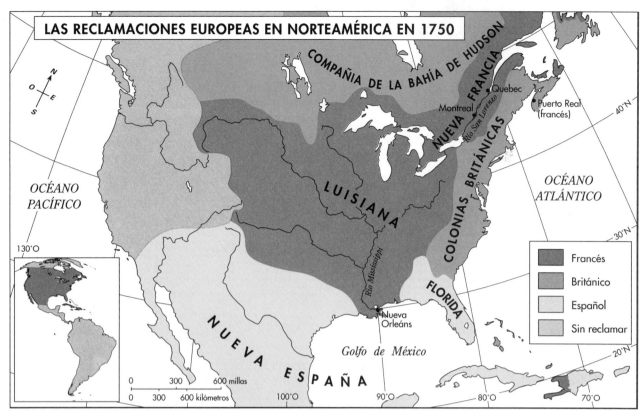

LAS RECLAMACIONES EUROPEAS EN NORTEAMÉRICA EN 1750

COMPAÑIA DE LA BAHÍA DE HUDSON

NUEVA FRANCIA

Quebec

Montreal

Río San Lorenzo

Puerto Real (francés)

LUISIANA

COLONIAS BRITÁNICAS

OCÉANO PACÍFICO

OCÉANO ATLÁNTICO

130°O

Río Mississippi

FLORIDA

Francés

Británico

Español

Sin reclamar

NUEVA ESPAÑA

Nueva Orléans

Golfo de México

0   300   600 millas

0   300   600 kilómetros

100°O   90°O   80°O   70°O

40°N

30°N

20°N

Leer un Mapa. ¿Qué pais se apoderó de la mayoria de lo que hoy es el sur de Estados Unidos? ¿Qué pais se apoderó del valle del río Mississippi?

2 El Comercio de Pieles Crece en Nueva Francia.

¿Por qué era más importante el comercio de pieles que la agricultura en Nueva Francia?

Un grupo de jóvenes mujeres francesas desembarcó en Nueva Francia en los años 1660. En Francia, algunas carecían de casa. Otras provenían de familias numerosas que no podían cuidarlas o alimentarlas. Fueron llamadas "las hijas del rey", porque el rey Luis había pagado el viaje a través del Océano Atlántico. A lo largo de los años 1,000 de estas jóvenes mujeres vinieron a Nueva Francia.

Comerciantes de pieles El rey patrocinaba el proyecto de las "hijas del rey" porque deseaba impulsar los asentamientos en Nueva Francia. Los primeros colonos de Nueva Francia habían sido hombres. Esperaban ganar dinero en el comercio de pieles. Casi todos en Nueva Francia tenían algo que ver con el comercio de pieles.

Sin embargo, el comercio de pieles no incrementó lo suficiente la población de Nueva Francia. Para los años 1660, había sólo cerca de 2,500 colonos en Nueva Francia.

El envío de las "hijas del rey" era una forma de incrementar la población de Nueva Francia. Los franceses también otorgaban recompensas a las parejas que tenían familias grandes. Les daban dinero a los hombres que se casaban a los 20 años de edad y a las mujeres que se casaban a los 16. Para los años 1680, la población de Nueva Francia había alcanzado la cifra de 10,000 personas.

Labrar la tierra El gobierno de Nueva Francia también intentó que los colonos se dedicaran al campo. Dividió las tierras a lo largo del río San Lorenzo en grandes propiedades. Estas propiedades fueron otorgadas a los nobles. Estos grandes terratenientes conseguían colonos para labrar parcelas más pequeñas de tierra.

Los pequeños granjeros eran llamados *habitants*. La agricultura en Nueva Francia no era fácil. El clima frío hacía que la labranza fuera difícil. Los espesos bosques de Nueva Francia representaban un duro obstáculo para el desmonte de la tierra. Las cosechas sólo proveían alimento a las familias de los *habitants* y a los comerciantes de pieles. El comercio de pieles continuó siendo la principal fuente de ingresos de la colonia.

El gobierno en Nueva Francia Existía menos autogobierno en Nueva Francia que en las colonias británicas. El más alto funcionario en la Nueva Francia era el gobernador. La Iglesia Católica jugaba un papel importante en el gobierno de Nueva Francia. El catolicismo era la única religión en la colonia. El obispo de la Iglesia Católica estaba inmediatamente debajo de la autoridad del gobernador en Nueva Francia. La iglesia también poseía grandes cantidades de tierra. Sus sacerdotes y monjas administraban hospitales y escuelas.

Relaciones con los americanos nativos Los franceses por lo general se llevaban bien con los americanos nativos. Los franceses no amenazaban su estilo de vida. Los comerciantes vivían entre los americanos nativos y aprendían sus lenguajes.

Los franceses tampoco destruían los lugares donde cazaban los americanos nativos. Dado que los animales cuyas pieles se comerciaban vivían en los bosques, los comerciantes de pieles necesitaban conservarlos. Por tanto, los franceses no cortaron muchos árboles en los bosques para crear granjas.

Otra razón por la cual los franceses se llevaban bien con los americanos nativos era que la población de Nueva Francia seguía siendo poca. Nueva Francia tenía bastante menos colonos que las colonias británicas. Hacia 1759, la población de Nueva Francia era todavía de sólo 80,000 personas. Había más de un millón de colonos en las colonias británicas. Los americanos nativos no temían que los franceses ocuparan sus tierras.

1. ¿Por qué eran importantes las pieles en Nueva Francia?
2. Da tres razones por las cuales los americanos nativos y los franceses se llevaban bien.

Jorge Washington encabezó unas fuerzas en la invasión al valle del río Ohio durante la Guerra de franceses e indios. Aquí, antes de una batalla, lee una oración a las tropas.

3 Los Británicos y los Franceses Libran una Guerra.

¿Cómo se apoderaron los británicos de Nueva Francia de los franceses?

Gran Bretaña y Francia eran rivales. Combatieron tanto en Europa como en Norteamérica. La guerra en Norteamérica fue llamada **la Guerra de franceses e indios**. Comenzó en 1754.

Tomar partido   Los franceses encontraron **aliados** en sus luchas contra los británicos. Un aliado es una persona o grupo que se une a otra para lograr un objetivo común. Muchos americanos nativos temían que los colonos británicos les quitaran sus tierras. Por ello se pusieron del lado de los franceses.

Una excepción importante fueron los poderosos iroqueses. Los iroqueses no perdonaron a los franceses por haberse unido a los hurones para luchar contra ellos. En 1754, los británicos pidieron a los iroqueses que se pusieran de su lado. Al principio, los iroqueses se rehusaron. Sin embargo, más tarde, durante la guerra, los iroqueses apoyaron a los británicos.

Exitos franceses   El objetivo de los franceses en Norteamérica era controlar el valle de Ohio. Los franceses tenían un importante fuerte en ese valle. Era llamado Fuerte Duquesne (du-QUEIN). En 1754, una fuerza británica de 200 colonos marchó dentro de la zona. La conducía un coronel de 22 años, Jorge Washington. Fueron atacados por una fuerza de franceses y de americanos nativos. Los colonos británicos eran muy inferiores en número. Washington tuvo que rendirse.

Los franceses obtuvieron una victoria aún mayor en 1755. Una gran fuerza británica comandada por el general Edward Braddock marchó hacia el fuerte Duquesne. Jorge Washington le advirtió que los franceses y los americanos nativos se esconderían detrás de los árboles y lo atacarían en el bosque. Pero Braddock no lo escuchó. El esperaba que los franceses pelearan al descubierto porque ésa era la forma en que los ejércitos peleaban en Europa.

Los franceses hicieron exactamente lo que predijo Washington. Destruyeron al ejército de Braddock. Braddock fue muerto en batalla. Washington condujo a los sobrevivientes de regreso. Los franceses continuaron ganando batallas durante los dos años siguientes.

Victoria británica En 1756, el rey británico nombró a William Pitt para encabezar el gobierno británico.

Pitt mejoró el ejército. Los británicos comenzaron a ganar la guerra en Norteamérica. En 1759 conquistaron Quebec. Aunque la lucha continuó durante un año más, los británicos habían ganado la guerra.

Los británicos y los franceses firmaron un tratado de paz en 1763. Los franceses renunciaron a la mayor parte de Nueva Francia. Los británicos se apoderaron de toda el territorio entre las colonias británicas y el Mississippi. Esto significaba que los colonos británicos podían moverse hacia el oeste.

1. ¿Cuál era el objetivo de los franceses en la Guerra franceses e indios?
2. ¿Cuál fue el resultado de esta guerra?

CAPÍTULO 9
IDEAS CLAVE

- Los franceses ocuparon muchas tierras en Norteamérica. Su territorio estaba al norte y al oeste de las colonias británicas.
- Los colonos franceses eran en su mayoría comerciantes de pieles. Por lo general se llevaban bien con los americanos nativos.
- Los británicos derrotaron a los franceses en la Guerra de franceses e indios. Los británicos duplicaron en tamaño su imperio en Norteamérica.

REPASO DEL CAPÍTULO 9

I. Repasar el Vocabulario

Une cada palabra de la izquierda con la definición correcta a la derecha.

1. Jesuita
2. *habitant*
3. aliado
4. Guerra de franceses e indios

a. una persona o grupo que se une a otros para un propósito común
b. miembro de una orden católica
c. conflicto entre franceses y británicos en Norteamérica
d. un pequeño granjero en Nueva Francia

II. Entender el Capítulo

1. ¿Qué buscaban los exploradores franceses en Norteamérica?
2. ¿De qué fuente de dinero dependía Nueva Francia?
3. ¿Cómo trataron los franceses de incrementar la población de Nueva Francia?
4. ¿Por qué generalmente se llevaban bien los franceses con los americanos nativos?
5. ¿Qué territorio fue ganado a los franceses por los británicos al final de la Guerra de franceses e indios?

III. Desarrollo de Habilidades: Leer un Mapa

1. Estudia el mapa de la página 78. ¿Qué río fluye a través de Nueva Orleáns?
2. ¿Qué zona de Norteamérica reclamaban los franceses?

IV. Escribir Acerca de la Historia

1. **¿Qué hubieras hecho**? Si tú hubieras sido un jefe hurón, ¿habrías aceptado ser aliado de los franceses? Explica.
2. Escribe una obra corta sobre la advertencia que Jorge Washington hizo al general Braddock.

V. Trabajar Juntos

1. En pequeños grupos, seleccionar un hecho importante ocurrido en Nueva Francia entre 1590 y 1763. Por ejemplo, pueden elegir los viajes de exploración de La Salle o el proyecto de Luis XIV "las hijas del rey". Luego dibujen un mural que represente el hecho.
2. **Del Pasado al Presente**   Con un grupo, analicen la forma en que sus vidas hubieran sido diferentes si Francia hubiese ganado la Guerra de franceses e indios. Luego escriban un párrafo que describa las diferencias.

Unidad 3
De la Revolución a la Independencia (1776-1783)

Capítulos

LOS BRITÁNICOS REFUERZAN SU CONTROL. (1763-1766)

¿Por qué se hubo malas relaciones entre los colonos y los británicos?

Pontiac, cacique de los ottawas, organizó a los americanos nativos del valle de Ohio en una guerra contra los colonos.

Buscando los Términos Clave

- La guerra de Pontiac • proclama de 1763
- decretos de navegación • ley del azúcar • ley de sellos
- Hijos de la libertad

Buscando las Palabras Clave

- **importar:** traer bienes a un país
- **contrabandear:** traer bienes a un país en forma ilegal
- **representante:** funcionario elegido para actuar en nombre de otros
- **boicotear:** rehusarse a comprar bienes de una persona, compañía o país en particular
- **derogar:** cancelar

Al oeste de las 13 colonias había una tierra rica. El suelo era fértil. Hermosos bosques cubrían enormes extensiones. Grandes ríos atravesaban los bosques. Parecía el lugar perfecto para que se asentaran los colonos.

1 Los Colonos No Pueden Pasar de los Apalaches.

¿Por qué prohibieron los británicos a los colonos avanzar hacia el Oeste?

Después de la victoria británica en la Guerra de franceses e indios, las tierras al oeste de los montes Apalaches parecían en condiciones de ser colonizadas. Los pobladores de las 13 colonias suponían que podrían ir al oeste. Sin embargo, los acontecimientos no ocurrieron como esperaban los pobladores.

La guerra de Pontiac   Los americanos nativos que vivían al oeste de los Apalaches desconfiaban de los británicos. Temían que los colonos británicos les quitaran sus tierras.

Muchos colonos británicos comenzaron a asentarse en el valle de Ohio. Talaron los bosques para hacer granjas. Los colonos y los americanos nativos se enfrentaron en varias ocasiones. Algunos americanos nativos deseaban contraatacar.

En 1763, estos americanos nativos encontraron un líder. Era Pontiac, un cacique de los ottawa. Se manifestó en contra de los colonos. Pontiac era hábil para ganar aliados. Muy pronto, muchos grupos de americanos nativos se unieron a él.

En mayo de 1763, comenzó la **guerra de Pontiac**. Al principio, los americanos nativos tuvieron éxito. Ocho fuertes británicos cayeron en pocas semanas. Las victorias de Pontiac amenazaron los asentamientos en Nueva York, Pennsylvania, Virginia y Maryland.

Sin embargo, Pontiac tuvo problemas. Sus fuerzas fracasaron en el intento de tomar Detroit. Detroit era el fuerte británico más importante de la región. Algunos aliados de Pontiac abandonaron la lucha. Para diciembre, la guerra había terminado. Habían muerto más de 4,000 americanos nativos y colonos.

Cierre de la frontera   La guerra de Pontiac preocupó a los Británicos. Acababan de pelear una costosa guerra con Francia. Si los colonos avanzaban al oeste, podrían provocar más guerras con los americanos nativos. Los británicos no deseaban ninguna otra guerra costosa.

Para controlar los asentamientos, el gobierno británico emitió la **proclama de 1763**. Una proclama es un anuncio oficial. Ordenaba que los colonos no podían asentarse en las tierras entre los Apalaches y el río Mississippi.

Reacciones furiosas   La proclama de 1763 puso furiosos a los colonos. Varias colonias habían reclamado tierras al oeste de los Apalaches. Algunas personas ya poseían tierras allí. Esperaban venderlas a pequeños granjeros para obtener ganancias.

Los colonos que proyectaban ir al oeste fueron los más iracundos. Muchos simplemente ignoraron la proclama. Miles de colonos se fueron al oeste. Ninguna proclama podía detener el traslado de los americanos hacia el oeste.

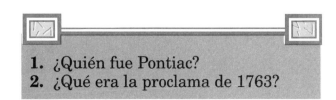

1. ¿Quién fue Pontiac?
2. ¿Qué era la proclama de 1763?

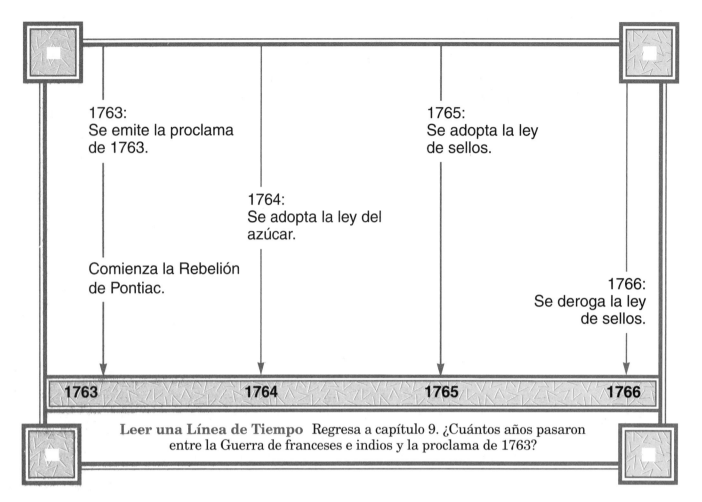

| 1763 | 1764 | 1765 | 1766 |

1763:
Se emite la proclama de 1763.

1764:
Se adopta la ley del azúcar.

1765:
Se adopta la ley de sellos.

Comienza la Rebelión de Pontiac.

1766:
Se deroga la ley de sellos.

Leer una Línea de Tiempo Regresa a capítulo 9. ¿Cuántos años pasaron entre la Guerra de franceses e indios y la proclama de 1763?

2 Gran Bretaña Hace que los Colonos Paguen Nuevos Impuestos.

¿Cómo respondieron los colonos a los nuevos impuestos?

Gran Bretaña tuvo muchos problemas después de su victoria sobre Francia. La Guerra de franceses e indios dejó a Bretaña con enormes deudas.

Problemas de dinero El gobierno británico tenía que pagar esas deudas. Mucha gente en Gran Bretaña deseaba que las 13 colonias pagaran la parte que les correspondía. Creían que las colonias no habían ayudado lo suficiente durante la guerra. Argumentaban que las colonias se habían llevado la mejor parte de la victoria en la guerra. Sin embargo, las colonias habían enviado tropas sólo cuando estuvieron en peligro.

Los contribuyentes británicos pensaban también que las colonias debían cubrir sus propios costos. Las colonias habían resultado costosas de administrar. Para mediados de los años 1700, esos costos seguían aumentando. Los conflictos entre los colonos y los americanos nativos continuaban. Se necesitaban más soldados para defender estos territorios.

Una solución odiada   El rey Jorge III deseaba mantener un firme control sobre las 13 colonias. En 1763, nombró a un nuevo líder del gobierno británico. Este líder era George Grenville. Era un experto en cuestiones de dinero.

A Grenville no le agradaban los colonos americanos. Decía que se comportaban como niños mal criados. Jorge III y Grenville creían que las colonias debían pagar más de sus propios gastos. Decidieron reforzar la aplicación de ciertas leyes que existían desde hacía tiempo.

Estas leyes eran los **decretos de navegación**. Los decretos de navegación habían sido emitidos en los años 1660 para controlar el comercio. En ellos se requería que las colonias vendieran ciertos productos sólo a Gran Bretaña.

Los colonos **importaban** productos desde Europa, Africa y Asia. Importar es traer bienes a un país. Los decretos de navegación disponían que estos bienes debían pasar por Gran Bretaña primero. Luego podían ser embarcados a las colonias.

Durante un siglo, los colonos habían ignorado los decretos de navegación. **Contrabandeaban** bienes a las colonias. Contrabandear es traer bienes a un país en forma ilegal. Los contrabandistas no pagan impuestos sobre sus bienes. Por eso los británicos recolectaban muy poco dinero.

Esto puso furioso a Grenville. En 1763, envió barcos de guerra a capturar a los contrabandistas de la colonia. Tenía dos objetivos. Quería que los colonos pagaran más impuestos. Y quería demostrar a los colonos que Gran Bretaña todavía controlaba las 13 colonias.

Más impuestos   El siguiente paso de Gran Bretaña fue emitir la **ley del azúcar** en 1764. La ley del azúcar hizo varias cosas. Creó nuevos impuestos

Los colonos de Boston se reunieron enfurecidos en los muelles cuando los británicos mandaron a 10,000 soldados a ocupar la ciudad.

Las protestas contra la ley de sellos se hicieron en todas las colonias. Esta pintura muestra a los colonos en Filadelfia protestando contra los nuevos impuestos.

que los soldados eran para controlar las colonias.

La ley de sellos   Los británicos no estaban satisfechos. Querían que los colonos pagaran más impuestos. En 1765 aprobaron la **ley de sellos**.

La ley detallaba más de 50 artículos que debían pagar impuestos. Cada artículo necesitaba una estampilla que demostrara que el impuesto había sido pagado. Estos artículos incluían licencias, títulos de propiedad y testamentos. El impuesto variaba desde un centavo para los periódicos hasta $10 para diplomas universitarios.

La ley de sellos era un tipo de impuesto diferente. Previamente, Gran Bretaña había gravado las importaciones. Sólo los comerciantes pagaban los impuestos de importación. Los colonos pagaban los impuestos de importación indirectamente. Pagaban mayores precios por los bienes gravados. La ley de sellos aplicó un impuesto directo sobre todos los colonos.

Indignación colonial   La ley de sellos enojó a muchos colonos. Afirmaban que iba en contra de la tradición jurídica británica. En Gran Bretaña, los votantes tenían cierto control sobre los impuestos. Los votantes elegían a sus propios **representantes**. Un representante es un funcionario elegido para actuar y hablar por otros. Los representantes conformaban el **Parlamento**. El Parlamento es el cuerpo legislativo británico. El parlamento había aprobado la ley de sellos.

Los colonos argumentaban que estos impuestos aprobados sin su representación iban en contra de sus derechos como ciudadanos británicos. Dado que no elegían representantes al Parlamento, no tenían voz ni voto en

sobre muchas importaciones, tal como azúcar, la melaza, el café y la ropa. Grenville exigió que se pagaran esos impuestos.

Los colonos también odiaban la ley de alojamiento de 1765. Esta decía que los colonos debían dar comida y alojamiento a los soldados británicos. Grenville envió a 10,000 soldados desde Gran Bretaña. Muchos colonos sospechaban

estos nuevos impuestos. Por tanto, decían los colonos, el Parlamento no tenía derecho a aplicarles impuestos. Sólo sus asambleas coloniales deberían tener derecho de aplicarles impuestos directos. Su lema era: "No debe haber impuestos si no hay representación".

Medidas de protesta   Las protestas contra la ley de sellos se propagaron por las colonias. Muchos colonos pensaban que las colonias debían unirse contra el decreto. Nueve colonias enviaron representantes a una reunión llamada el Congreso de la ley de sellos.

El Congreso de la ley de sellos envió cartas al rey Jorge III y al Parlamento. Las cartas demandaban que tanto la ley del azúcar como la ley de sellos fueran derogadas. También argumentaban que

el Parlamento no tenía derecho a decretar impuestos para las colonias.

Los colonos también **boicotearon** los bienes británicos. Boicotear es rehusarse a comprar, vender o usar bienes de una persona, compañía o país en particular. El propósito es obligar a éstos a cambiar su comportamiento. Los mercaderes prometieron no realizar transacciones con bienes británicos. El comercio con Gran Bretaña disminuyó. Los negocios británicos comenzaron verse afectados.

Hijos de la libertad   Se formó un nuevo grupo de colonos para protestar en contra del ley de sellos. El grupo se llamó **Hijos de la libertad**.

Los Hijos de la libertad eran muy fuertes en Massachusetts. Samuel

Los cobradores de impuestos británicos se enfrentaban a la ira de los colonos. A veces, éstos les golpeaban. Atado de manos y pies, este cobrador de impuestos será llevado fuera del poblado y abandonado en la carretera.

Adams era el líder de los Hijos de la libertad. Aunque Adams había sido recaudador de impuestos, a menudo ayudaba a la gente más pobre no cobrándoles impuestos. En 1765, Adams pidió a estas personas que se sumaran a los Hijos de la libertad.

Los Hijos de la libertad protestaron contra la ley de sellos. Organizaron marchas y manifestaciones. Quemaron pilas de estampillas en las plazas de los pueblos.

Las marchas a veces se convertían en turbas de exaltados. Muchedumbres enardecidas destrozaban las oficinas de los recaudadores del impuesto de sellos. Las turbas atacaron las casas de funcionarios del gobierno. La casa del gobernador de Massachusetts fue incendiada.

Los Hijos de la libertad también amenazaron a los funcionarios británicos que cobraban los sellos. Colonos coléricos arrojaron piedras a los recaudadores británicos de impuestos. Las turbas vertían brea caliente sobre ellos y luego los cubrían de plumas. Era una situación penosa y bochornosa.

Una victoria para las colonias

Los británicos no pudieron aplicar la ley de sellos. La mayoría de los colonos se rehusaron a usar las estampillas. En marzo de 1766, el Parlamento británico **derogó** (o canceló) la ley de sellos. Sin embargo, el Parlamento afirmó que tenía derecho a dictar leyes para gobernar las colonias. Esto muy pronto traería más problemas.

1. ¿Qué era la ley de sellos?
2. ¿Quiénes eran los Hijos de la libertad?

CAPÍTULO 10
IDEAS CLAVE

- Después de la guerra de Pontiac, los británicos prohibieron los asentamientos al oeste de los montes Apalaches.
- Para ayudar a pagar los gastos de la guerra de franceses e indios, Gran Bretaña hizo que los colonos pagaran nuevos impuestos.
- Los colonos se opusieron rotundamente. Dijeron que los británicos violaban sus derechos.
- Los británicos derogaron el ley de sellos. Sin embargo, reclamaron el derecho de dictar leyes para gobernar las colonias.

I. Repasar el Vocabulario

Une cada palabra de la izquierda con la definición correcta de la derecha.

1. boicotear
2. derogar
3. representante
4. contrabandear
5. importar

a. traer bienes a un país en forma ilegal
b. traer bienes a un país para venderlos
c. cancelar
d. rehusarse a comprar, vender o usar bienes de una persona, compañía o país en particular
e. funcionario elegido para actuar en nombre de otros

II. Entender el Capítulo

1. ¿Por qué enojó a los colonos la Proclama de 1763?
2. ¿Por qué quería Gran Bretaña que los colonos pagaran más impuestos?
3. ¿Qué era la ley del azúcar?
4. ¿Por qué enojó a los colonos la ley de sellos?
5. ¿Cómo reaccionaron los colonos a la ley de sellos?

III. Desarrollo de Habilidades: Entender el Tiempo

1. ¿Cuál de estos hechos ocurrió primero: El Parlamento aprueba la ley de sellos, la proclama de 1763, el Parlamento aprueba la ley del azúcar?
2. ¿Derogó el Parlamento la ley de sellos antes o después de la reunión del Congreso de la ley de sellos?

IV. Escribir Acerca de la Historia

1. Imagina que tú eres Pontiac. Escribe un discurso corto para convencer a otros líderes americanos nativos de hacerle la guerra a los británicos.
2. **¿Qué hubieras hecho?** Si tú hubieras sido un colono, ¿te habrías unido a los Hijos de la libertad? Explica tu posición en un párrafo corto.

V. Trabajar Juntos

1. Divídanse en pequeños grupos. Cada grupo debe dividirse en dos bandos opuestos para desarrollar un debate. Un lado debe defender el punto de vista de los británicos. El otro lado debe defender el punto de vista colonial. Luego, los grupos deben hacer un debate.
2. **Del Pasado al Presente** A mediados de los años 1700, muchos colonos pensaban que se les cobraba impuestos injustamente. Con un grupo, discute el por qué los colonos pensaban así. Después comenta acerca de los impuestos hoy en día. ¿Ayuda a los ciudadanos el dinero que se recauda por impuestos?

CAPÍTULO
11

LOS COLONOS SE DEFIENDEN. (1767-1775)

¿Cómo protestaron los colonos por los impuestos británicos?

Vestidos como americanos nativos, los colonos bostonianos abordaron los barcos británicos y destruyeron valioso té en el motín del té de Boston.

SUGERENCIA DE

En una hoja por separado escribe todas las frases en colores (tal como "Nuevos impuestos" en la página 93). Escribe una frase corta con la idea principal de cada sección que sigue a las frases en colores.

ESTUDIO

Buscando los Términos Clave

- derechos de Townshend • Hijas de la libertad
- matanza de Boston • Comité de correspondencia
- leyes intolerables • motín del té de Boston

Buscando las Palabras Clave

- **matanza:** asesinato cruel de un gran número de personas
- **intolerable:** que no se puede aguantar

- **declaración:** anuncio oficial
- **milicia:** grupo de ciudadanos que actúan como soldados en una emergencia

La gente de Boston estaba furiosa. En junio de 1786, los británicos capturaron un barco llamado *Liberty* (Libertad). Los funcionarios de la aduana dijeron que se lo estaba usando para contrabandear. Lo anclaron junto a un buque de guerra británico. Allí el *Liberty* estaba a salvo, pero los oficiales no. Una turba atacó sus casas. Los funcionarios, asustados, huyeron de Boston. Era evidente que los colonos no retrocederían frente a Gran Bretaña.

1 Los Colonos Protestan por los Nuevos Impuestos.

¿Cómo se opusieron los colonos a los derechos de Townshend?

La derogación de la ley de sellos en 1766 fue una victoria para los colonos. Pero la victoria no duró mucho. El Parlamento británico encontró otra manera de tasar a los colonos.

Nuevos impuestos   En 1767, el Parlamento aprobó una nueva serie de impuestos llamados los derechos de Townshend. Estas leyes imponían **tarifas aduaneras** (impuestos) a varios productos importados de Gran Bretaña. Productos como el té, los textiles, la pintura y el papel pagaban esas tarifas.

Funcionarios británicos fueron mandados a Boston a recaudar todos los impuestos sobre las importaciones de las colonias. Los derechos de Townshend otorgaban a los nuevos cobradores de impuestos un gran poder. Esos cobradores de impuestos podían registrar las casas y los negocios de los colonos en busca de bienes contrabandeados. Los cobradores de impuestos ni siquiera necesitaban una orden de un juez para registrar las viviendas o los negocios.

Leer una Gráfica. ¿Qué ley aplicó un impuesto sobre los documentos legales en las colonias? ¿Por qué se aplicaron estos impuestos después de la Guerra de franceses e indios?

LEYES E IMPUESTOS BRITÁNICOS EN LAS COLONIAS

Ley	Fecha	Explicación
Ley del azúcar	1764	tasaba el azúcar y la melaza que venían de las Antillas a las colonias
Ley de acuartelamiento	1765	forzaba a los colonos a proveer comida y alojamiento para las tropas británicas
Ley de sellos	1765	tasaba periódicos, almanaques, juegos de cartas, y todos los papeles legales de las colonias
Derechos de Townshend	1767	imponía derechos aduaneros a todos los productos fabricados embarcados con destino a las colonias, tales como el papel, el vidrio y la pintura.
Ley de té	1773	permitía a la Compañía británica de las Indias del este vender té directamente a las colonias: hizo al té importado más barato, dañando a los comerciantes de las colonias.

Una tormenta de protesta Los colonos protestaron contra los derechos de Townshend. Para 1768, los ánimos estaban caldeados. La asamblea de Massachusetts hizo un llamado para que se derogaran los derechos de Townshend. Pidió a las otras colonias que se unieran a la protesta. La asamblea de Virginia fue la primera en seguir a la de Massachusetts. Las asambleas de otras colonias se unieron a la protesta.

¡Boicot! Otra forma de protesta afectó a los británicos. Los colonos boicotearon los bienes de origen británico. El boicot comenzó en Boston. Pronto se extendió a los otros grandes puertos coloniales.

Boicotear no era fácil. Los colonos querían productos británicos. **Las Hijas de la libertad** intervinieron en el caso.

Estas mujeres de las coloniales se oponían a los derechos de Townshend. Ellas convencieron a la gente de no comprar productos británicos.

Las Hijas de la libertad se negaron a beber té. Sugirieron el café. Sin embargo, a muchos colonos les gustaba demasiado el té importado como para dejar de tomarlo. Por ello, contrabandearon té holandés.

Las Hijas de la libertad también se rehusaban a comprar telas británicas. Pidieron a las mujeres que fabricaran sus propias telas. A la tela hecha en casa se le llamaba de fabricación casera. Pronto, muchos colonos orgullosamente utilizaban tela hecha en casa. Las Hijas de la libertad tuvieron éxito en el boicot contra las telas británicas.

El boicot perjudicó mucho a los comerciantes británicos. Los colonos esperaban

A medida que aumentaba la oposición a los británicos, las mujeres coloniales se negaron a comprar telas británicas, y comenzaron a hacer sus propias telas. Pronto, muchos colonos utilizaban orgullosamente ropa de fabricación casera.

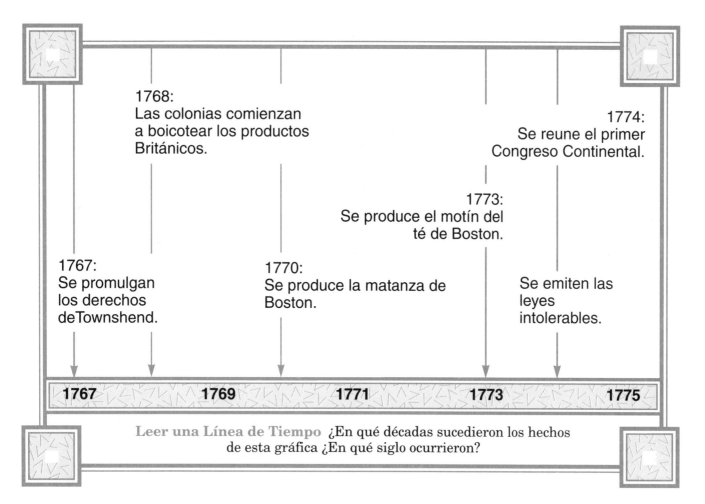

1768:
Las colonias comienzan a boicotear los productos Británicos.

1774:
Se reune el primer Congreso Continental.

1773:
Se produce el motín del té de Boston.

1767:
Se promulgan los derechos deTownshend.

1770:
Se produce la matanza de Boston.

Se emiten las leyes intolerables.

| 1767 | 1769 | 1771 | 1773 | 1775 |

Leer una Línea de Tiempo ¿En qué décadas sucedieron los hechos de esta gráfica ¿En qué siglo ocurrieron?

que esto haría que el gobierno británico derogara los derechos de Townshend. Sin embargo, tendría que suceder una tragedia para hacer que los británicos cambiaran su forma de pensar.

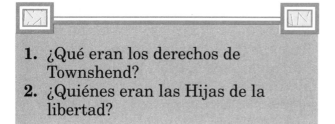

1. ¿Qué eran los derechos de Townshend?
2. ¿Quiénes eran las Hijas de la libertad?

2 La Matanza de Boston Empeora la Situación.
¿Cómo empeoró la matanza de Boston la situación en las colonias?

En 1768, cuando los colonos protestaron contra los derechos de Townshend,
Gran Bretaña mandó más soldados a Boston. A menudo, los soldados no se llevaban bien con los ciudadanos de Boston. Los soldados británicos sabían que no eran bien vistos. Ellos, a su vez, eran groseros con los ciudadanos de Boston. Los soldados a menudo tocaban o cantaban una canción que se llamaba "Yankee Doodle". La gente de Nueva Inglaterra pensaba que la canción les faltaba el respeto. Las tensiones aumentaron entre los colonos y los soldados.

En la noche del 5 de marzo de 1770, los ánimos en Boston estaban muy caldeados. Una muchedumbre se reunió frente a la aduana. Los colonos cercaron a los diez soldados británicos que la estaban vigilando. Uno de los líderes de la muchedumbre era Crispus Attucks, un marinero africano americano. Era miembro de los Hijos de la libertad.

En 1770, Crispus Attucks y otros cuatro colonos fueron asesinados por tropas británicas. Los sentimientos antibritánicos aumentaron cuando en otras colonias se supo de la matanza de Boston.

La muchedumbre gritaba a los soldados británicos. Les arrojaron lodo, bolas de nieve, conchas de ostras y piedras. La muchedumbre se enardeció más y más. Crispus Attucks desafió a los soldados a que abrieran fuego.

De repente comenzó una pelea. Attucks pidió a la muchedumbre que atacara. El gentío avanzó y los soldados británicos sintieron temor. El oficial a cargo trató de mantener calmados a los soldados, pero uno de ellos, nervioso, disparó a la muchedumbre.

Cuando el humo se desvaneció, Crispus Attucks y otros cuatro colonos yacían muertos. La gente de Boston se indignó. Se había derramado sangre en sus calles. El hecho fue bautizado la **matanza de Boston**. Una **matanza** es un asesinato cruel de un gran número de personas. La noticia de la matanza de Boston se esparció rápidamente por todas las colonias. Los sentimientos antibritánicos aumentaron cuando se conoció la noticia.

Un juicio por homicidio Los enfurecidos ciudadanos de Boston querían que se arrestara y se enjuiciara a los soldados. Muchos demandaron que las tropas británicas salieran de Boston. El oficial británico a cargo de Boston quería evitar más violencia, y estuvo de acuerdo en que se enjuiciara a los soldados involucrados en la matanza.

Los soldados tuvieron un defensor inesperado. John Adams era bien conocido en Boston. Apoyaba firmemente los derechos de los colonos, en contra de los británicos. Sin embargo, Adams pensaba que todos merecían un proceso justo, así que decidió ser abogado defensor de los soldados. Gracias a sus argumentos, la mayoría de los soldados fue declarados inocentes.

Derogación de los derechos de Townshend La matanza de Boston tuvo un resultado positivo. El boicot contra los bienes británicos había perjudicado a Gran Bretaña. La violencia convenció al gobierno británico de derogar algunos impuestos. En abril de 1770, la mayoría de los impuestos Townshend fueron derogados. Sin embargo, no se derogó el impuesto sobre el té. Esto continuó siendo un motivo de tensión entre los británicos y los colonos.

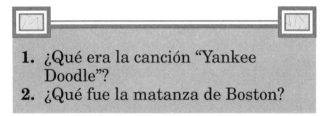

1. ¿Qué era la canción "Yankee Doodle"?
2. ¿Qué fue la matanza de Boston?

3 Las Colonias Británicas se Unen.

¿Por qué se llevó a cabo el Motín del Té de Boston?

Entre 1770 y 1773, las colonias aparentaban calma. Los colonos festejaron la derogación de los derechos de Townshend. Los boicots habían terminado.

La calma antes de la tormenta Sin embargo, muchos colonos seguían enfadados con los británicos. Les preocupaba que Gran Bretaña fuera a aprobar más impuestos. Cada vez más personas querían que las colonias se independizaran de Gran Bretaña. Una fuerte partidaria de la independencia era Mercy Otis Warren.

Warren era una escritora que criticaba a los británicos. Sus poemas y obras de teatro se burlaban de los funcionarios de ese país. Warren también se mofaba de los colonos que mantenían su lealtad a los británicos. Sus obras fueron muy leídas en las colonias.

En 1773, Warren ayudó a establecer el **Comité de correspondencia** de Massachusetts. Su trabajo consistía en asegurarse de que las noticias de Massachusetts llegaran a las otras colo-

nias. En poco tiempo, cada colonia había establecido un comité de correspondencia. Estos comités ayudaron a unir a los colonos contra los británicos.

Motín del té de Boston En 1773 comenzaron nuevos problemas. El Parlamento británico aprobó la ley del té. Esta ley permitía a la Compañía Británica de Las Indias orientales decidir qué comerciantes podían vender su té. A los colonos no les gustaba que les limitaran sus negocios e informaron a los británicos lo que pensaban.

El 16 de diciembre de 1773, tres barcos cargados de té de la India estaban atracados en el puerto de Boston. Miles de colonos protestaron. Exigieron que los barcos se fueran sin descargar.

Vestidos como americanos nativos, varios colonos asaltaron los barcos. Rápidamente rompieron las cajas de té, y las arrojaron por la borda. Pronto, más de 340 cajas de valioso té flotaban en el puerto de Boston. Los aconteci-mientos de esa noche fueron conocidos como el **motín del té de Boston**.

Después del motín del té de Boston, el rey Jorge III y el gobierno británico consideraron que los colonos debían ser castigados.

Castigo severo En 1774, el Parlamento aprobó una serie de leyes. Una ley cerró el puerto de Boston. Ningún barco podía entrar, y ningún barco podía salir. Otra le quitó a Massachusetts la mayoría de sus derechos de autogobierno. Una tercera ley cedió muchas de las tierras al oeste de los Apalaches al Canadá.

Los colonos nunca habían estado tan furiosos. Llamaron a esas leyes las **leyes intolerables**. **Intolerable** quiere decir que no se puede aguantar.

El llamado a una acción conjunta
Las colonias mandaron representantes a una reunión llamada el primer Congreso Continental. Este se reunió en Filadelfia en septiembre de 1774. Samuel Adams estuvo allí. También asistió Jorge Washington.

El congreso convocó a realizar un boicot contra todos los bienes británicos. Pero el congreso fue mucho más allá del boicot: aprobó una **declaración**, o anuncio oficial, que afirmaba que los colonos tenían el derecho de gobernarse a sí mismos.

El primer Congreso Continental sabía que la lucha con Gran Bretaña apenas se había iniciado. Dispuso que cada colonia estableciera una **milicia**. Una milicia es un grupo de ciudadanos que actúan como soldados en una emergencia. Gran Bretaña y sus 13 colonias estaban a punto de separarse.

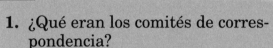

1. ¿Qué eran los comités de correspondencia?
2. ¿Qué fueron las leyes intolerables?

CAPÍTULO 11
IDEAS CLAVE

- Las tensiones llevaron finalmente a la violencia y la muerte en la matanza de Boston.
- La ley del té enfadó a los colonos. En protesta, organizaron el motín del té de Boston.
- Gran Bretaña castigó a los colonos con las leyes intolerables.
- Estos actos llevaron a los colonos a unirse en el primer Congreso Continental. Este declaró que los colonos tenían derecho a gobernarse por sí mismos.

REPASO DEL CAPÍTULO 11

I. Repasar el Vocabulario
Une cada palabra a la izquierda con la definición correcta.

1. tarifas aduaneras
2. matanza
3. intolerable
4. milicia

   a. grupo de ciudadanos que actúan como soldados en una emergencia
   b. asesinato cruel de un gran número de personas
   c. un impuesto sobre bienes importados a un país
   d. que no se puede aguantar

II. Entender el Capítulo
1. ¿Qué eran los derechos de Townshend?
2. ¿Cómo protestaron los colonos a los derechos de Townshend?
3. ¿Por qué sucedió la matanza de Boston?
4. ¿Por qué aprobó el Parlamento británico las leyes intolerables?
5. ¿A qué convocó el primer Congreso Continental?

III. Desarrollo de Habilidades: Determinar Causa y Efecto
1. ¿Qué ocurrió primero, la derogación de los derechos de Townshend o la matanza de Boston? Explica.
2. ¿Se reunió el primer Congreso Continental antes o después de que los colonos establecieran los comités de correspondencia? Explica.

IV. Escribir Acerca de la Historia
1. **¿Qué hubieras hecho?** Imagínate que eres un comerciante de las colonias. Los derechos de Townshend te afectan, pero te ganas la vida vendiendo té británico. ¿Te unirías al boicot contra los productos británicos? ¿Por qué sí o por qué no?
2. Escribe un artículo corto acerca de la matanza de Boston que podría haber aparecido en un periódico de Nueva Inglaterra. Debes estar seguro de contestar las preguntas *¿qué? ¿quién? ¿cuándo? ¿dónde? ¿por qué?*

V. Trabajar Juntos
1. Formen grupos de tres estudiantes. Ustedes son representantes de las colonias en el primer Congreso Continental. ¿Quieren que se garantice los derechos a las colonias? Tal vez ustedes quieran que las colonias se unan y actúen en contra de Gran Bretaña. Hagan una lista de argumentos para defender sus puntos de vista. Después, presenten sus argumentos a la clase. Cuando todos los grupos hayan presentado sus argumentos, hagan una votación.
2. **Del Pasado al Presente** En los capítulos 10 y 11 leíste acerca de cómo los colonos protestaron contra Gran Bretaña. Con un grupo, discute estos métodos y después analiza cómo se protesta hoy.

COMIENZA LA REVOLUCIÓN AMERICANA. (1774-1776)

¿Cómo comenzó la Revolución americana?

Cuando los hombres eran heridos en Concord, las mujeres coloniales muchas veces ocupaban sus lugares en el frente de combate.

Sugerencia de Estudio

Haz una lista de las batallas importantes en este capítulo de acuerdo con las fechas en que ocurrieron.

Buscando los Términos Clave
- Revolución americana • milicianos • Ejército continental
- batallas de Lexington y Concord • batalla de Bunker Hill
- segundo Congreso Continental

Buscando las Palabras Clave
- **rebelión:** resistencia armada contra un gobierno
- **folleto:** un pequeño libro
- **debate:** una discusión en la cual se analizan aspectos opuestos de una cuestión
- **delegado:** una persona que representa a otros

Era la noche del 18 de abril de 1775. Dos linternas brillaban en la torre de la Iglesia Norte de Boston. Indicaban que tropas británicas marchaban hacia los poblados de Lexington y Concord. La meta de las tropas era destruir las armas que los colonos habían escondido en Concord.

Pero los colonos estaban esperando esa señal. Cuando vieron las dos linternas, ¡sabían que venían los británicos! Paul Revere y otros colonos cabalgaron rápidamente a Lexington y Concord para avisar que los soldados británicos iban en camino. Cuando los británicos llegaron a Lexington, los soldados coloniales los estaban esperando.

1 Los Colonos Libran las Primeras Batallas.

¿Por qué fueron importantes las batallas de Lexington y Concord?

El rey Jorge había decidido que las colonias estaban en **rebelión**. Una rebelión es la resistencia armada contra un gobierno. Había llegado el momento de utilizar la fuerza. Los colonos debían aprender a obedecer a los británicos.

Ambos bandos no se entendían. Los británicos creían que los colonos retrocederían. No escucharon al general Thomas Gage, gobernador británico de Massachusetts, quien les advirtió que los colonos pelearían.

La mayoría de los colonos pensaba que lo único que tenían que hacer era demostrar que estaban dispuestos a pelear por sus derechos. Entonces Gran Bretaña cambiaría la forma en que trataba a las colonias.

Libertad o muerte   Otros colonos apoyaban la idea de una guerra contra Gran Bretaña. Uno de ellos era Patrick Henry, de Virginia. En marzo de 1775, pronunció un apasionado discurso ante la asamblea de Virginia. Henry dijo que no le temía a la guerra y terminó su discurso diciendo: "Dénme libertad o dénme muerte".

Patrick Henry no estaba solo. En Massachusetts, los colonos también se preparaban para la guerra. Los colonos organizaron sus fuerzas y se armaron. Formaron milicias y comenzaron a entrenarse. La milicia fue entrenada para estar lista para el combate con un aviso previo de sólo un minuto. Por esto, a los **milicianos** se les llamaba "minutemen" (hombres al minuto).

Los milicianos escondieron muchas de sus armas y provisiones en Concord, a menos de 20 millas de Boston. El general Gage sabía acerca de las armas. En la noche del 18 de abril de 1775, mandó 700 soldados a Concord. Sin embargo, Gage no sabía que los colonos habían sido prevenidos. Las dos linternas en la iglesia de Boston les avisaron que los británicos iban en camino.

Primeros disparos   La fuerza británica entró a Lexington en la mañana del 19 de abril. Un grupo de aproximadamente 70 milicianos los esperaba. Los milicianos no preveían que iban a pelear. Muchos ni siquiera estaban armados. Estaban allí para mostrar que defenderían sus derechos.

Las tropas británicas avanzaron hacia los colonos y ordenaron a los americanos que entregaran sus armas. Los milicianos se rehusaron. Pero, la mayoría de ellos comenzaron a alejarse de los británicos. De repente, se escuchó una descarga. Nadie sabe quién la disparó. Otros disparos siguieron. Cuando el tiroteo terminó, había ocho colonos muertos. Había comenzado la Revolución americana.

El contraataque   Las tropas británicas continuaron a Concord y destruyeron algunos abastecimientos militares. Después se marcharon del

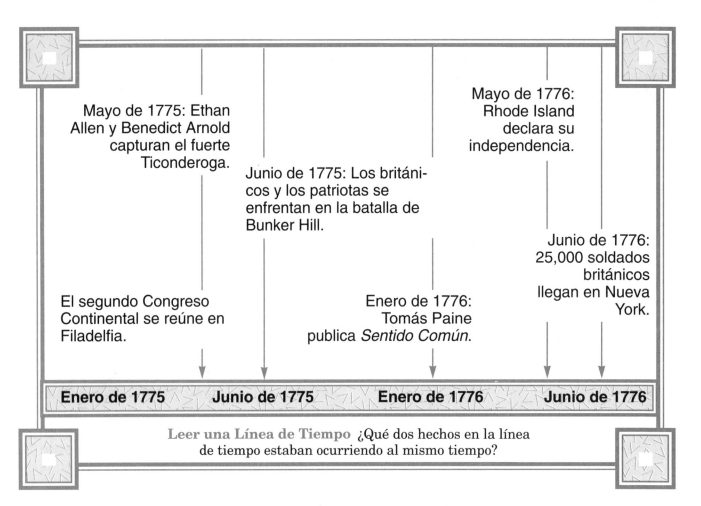

Mayo de 1775: Ethan Allen y Benedict Arnold capturan el fuerte Ticonderoga.

Junio de 1775: Los británicos y los patriotas se enfrentan en la batalla de Bunker Hill.

Mayo de 1776: Rhode Island declara su independencia.

El segundo Congreso Continental se reúne en Filadelfia.

Enero de 1776: Tomás Paine publica *Sentido Común*.

Junio de 1776: 25,000 soldados británicos llegan en Nueva York.

| Enero de 1775 | Junio de 1775 | Enero de 1776 | Junio de 1776 |

Leer una Línea de Tiempo ¿Qué dos hechos en la línea de tiempo estaban ocurriendo al mismo tiempo?

poblado. Llegaron al puente Norte, donde aproximadamente 300 colonos bloqueaban el camino.

Esta vez, los milicianos no retrocedieron. Podían ver una nube de humo que se alzaba del poblado: Un miliciano gritó "¿Van a dejarlos quemar nuestro pueblo?" Los colonos avanzaron hacia los Británicos. Siguió una corta batalla, y los Británicos se retiraron a Concord.

La lucha aún no había terminado. Los británicos comenzaron a retroceder hacia Boston. Más de 3,000 milicianos, escondidos detrás de árboles y muros de piedra, los esperaban. Mientras los británicos marchaban por la carretera, los milicianos les disparaban.

Desde Lexington continuó la retirada. Los colonos dispararon a los británicos todo el camino. Cuando finalmente las tropas llegaron a Boston, había 273 soldados británicos muertos o heridos. Los

colonos habían perdido menos de cien milicianos.

"El disparo que se escuchó en todo el mundo" Las batallas de Lexington y Concord fueron llamadas "el disparo que se escuchó en todo el mundo". Por primera vez los colonos americanos se habían enfrentado firmemente a los británicos. Los colonos pelearon por sus ideas de libertad. En Europa se habían discutido esas ideas, pero nadie antes se había atrevido a actuar de acuerdo con ellas. El mensaje de la batalla de Concord era que había gente que estaba dispuesta a morir por sus ideas de libertad.

Las batallas fueron importantes por otras causas. Pusieron en evidencia cuánto separaba a los británicos y los colonos. Iba a ser muy difícil evitar la guerra.

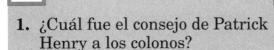

1. ¿Cuál fue el consejo de Patrick Henry a los colonos?
2. ¿Quienes fueron los milicianos?

2 Los Colonos se Preparan Para la Guerra.

¿Qué llevó a los colonos a la guerra contra Gran Bretaña?

Abigail Adams añadió más leña al fuego. La olla en el fuego ya estaba suficientemente caliente. Metió sus cucharas de plata en la olla. Se derritieron lentamente. Estaba fabricando balas. Abigail Adams y su esposo apoyaban la lucha de los colonos contra los británicos. Algunos colonas utilizarían las balas de Adams para pelear contra las tropas británicas.

La batalla más sangrienta El 10 de mayo de 1775, las fuerzas coloniales atacaron el fuerte Ticonderoga en Nueva York. Los colonos lo capturaron rápidamente. No hubo muertos de ningún bando.

En Boston, la situación era diferente. Los colonos establecieron campamentos alrededor de la ciudad. También construyeron defensas en dos colinas altas del otro lado de la bahía, Breed's Hill y Bunker Hill (la colina de Breed y la Colina Bunker). Desde allí los colonos podían evitar que las tropas británicas saliesen de Boston.

Los colonos estaban acampados cerca de la granja de John y Abigail Adams. Muchas personas que vivían cerca de Adams tenían miedo. Pensaban que los británicos podrían romper las filas de las fuerzas coloniales.

Un viejo grabado muestra a los británicos huyendo de los americanos después de la batalla de Lexington. ¿Cómo difiere este dibujo del relato de la batalla en este capítulo?

Abigail Adams se rehusó a irse. Antes del amanecer del 17 de junio, la despertó el ruido de los cañones en la distancia. Vió a los británicos disparándole a Charlestown. Poco después el poblado estaba en llamas. Había comenzado la batalla de Bunker Hill.

Los británicos trataron de expulsar a los colonos de Breed's Hill. Más de 2,500 tropas británicas atacaron a 1,200 colonos. Los británicos cargaron directamente subiendo la colina. Esperaban

Leer un Mapa ¿En qué batalla trataron los británicos de expulsar a los colonos de las colinas cerca de Boston?

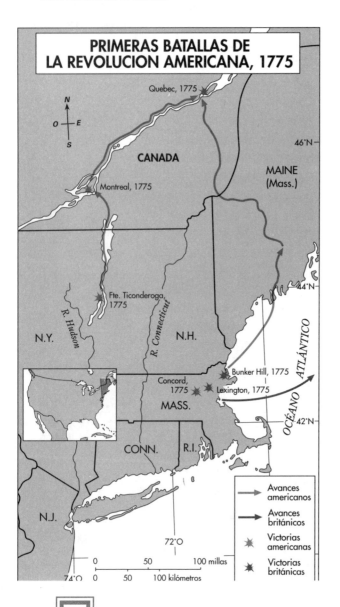

PRIMERAS BATALLAS DE
LA REVOLUCION AMERICANA, 1775

Quebec, 1775

CANADA

46°N

Montreal, 1775

MAINE
(Mass.)

Fte. Ticonderoga,
1775

R. Hudson

R. Connecticut

N.H.

44°N

N.Y.

Bunker Hill, 1775

Concord,
1775

Lexington, 1775

OCÉANO ATLÁNTICO

MASS.

42°N

CONN.

R.I.

N.J.

72°O

	Avances americanos
	Avances británicos
	Victorias americanas
	Victorias británicas

0   50   100 millas
0   50   100 kilómetros

74°O

que los colonos huyeran, pero éstos pelearon valientemente. Los colonos sólo se retiraron cuando se les acabó la pólvora. Los británicos los echaron primero de Breed's Hill, y después de Bunker Hill.

La batalla de Bunker Hill fue la más sangrienta de toda la Revolución americana. En esa batalla, más de 1,000 soldados británicos resultaron muertos o heridos. Los colonos perdieron aproximadamente 400 hombres. Los británicos ganaron la batalla, pero pagaron un precio terrible. Ahora sabían que los colonos estaban dispuestos a pelear.

El segundo Congreso Continental
El 10 de mayo de 1775, el **segundo Congreso Continental** se reunió por primera vez en Filadelfia. Las 13 colonias mandaron **delegados**. Un delegado es alguien que representa a otros.

Muchos de los líderes más importantes de las colonias estaban en el Congreso Continental. Entre ellos, a Benjamín Franklin de Pennsylvania, Tomás Jefferson de Virginia, y Jorge Washington de Virginia.

La mayoría de los delegados aún no quería romper completamente las relaciones con Gran Bretaña. Sólo querían defender sus derechos. Sin embargo, ya se había comenzado a luchar, y el congreso tenía que actuar. Se votó por convertir las diferentes milicias coloniales en un solo ejército. Se llamó a esta fuerza Ejército Continental. El Congreso Continental nombró a Jorge Washington comandante del ejército.

Al principio, el Congreso trató de prevenir una ruptura definitiva con Gran Bretaña. Mandó un mensaje al rey Jorge, en el que se detallaban las quejas de los colonos. El rey rompió el mensaje en pedazos. Entonces el Parlamento aprobó el envío de 25,000 soldados más a las colonias. Este era el ejército más grande que Gran Bretaña había

Cuando los británicos mandaron a 25,000 soldados a las colonias, los americanos se enfurecieron. Aquí, colonos enardecidos derriban una estatua del rey Jorge en la ciudad de Nueva York.

mandado jamás al extranjero. Esta enorme fuerza llegaría a Nueva York en junio de 1776.

Mientras tanto, el gobierno británico en las colonias se estaba desmoronando. En colonia tras colonia, la gente se rehusaba a obedecer a los gobernadores británicos. Los colonos establecieron sus propios gobiernos, pero la mayoría de ellos aún no quería romper con Gran Bretaña.

Un llamado a la independencia
En enero de 1776, se publicó un **folleto**, o pequeño libro, que cambiaría el parecer de muchos colonos. El folleto se titulaba *Sentido Común*. El autor fue Tomás Paine.

Paine escribió que los reyes no tenían el derecho de gobernar. Afirmaba que cuando gobernaban los reyes, destruían los derechos de las personas. Paine sostuvo que la única forma de gobierno buena era aquella en que el gobierno es elegido por el pueblo. Paine argumentó que las colonias debían declarar su independencia de Gran Bretaña.

El folleto *Sentido Común* de Paine tuvo una enorme influencia sobre los colonos. *Sentido Común* convenció a miles de colonos de que había llegado le hora de la independencia.

Preparados para separarse de Gran Bretaña   Otro hecho impulsó a los colonos hacia la independencia. El 7 de junio, un delegado pidió al segundo Congreso Continental que declarara la independencia de Gran Bretaña para todas las colonias.

El Congreso **debatió** la cuestión. Un debate es una discusión en la cual se analizan los aspectos opuestos de una cuestión. El Congreso aún no estaba dispuesto a declarar la independencia. En vez de eso, formó un comité para redactar una declaración de indepen-

dencia. El camino para la separación de Gran Bretaña quedaba despejado.

1. ¿Por qué atacaron los colonos el fuerte Ticonderoga?
2. ¿Qué efecto tuvo *Sentido Común* en los colonos?

CAPÍTULO 12
IDEAS CLAVE

- Las batallas de Lexington y Concord demostraron que los colonos pelearían con Gran Bretaña por sus derechos.
- Al principio, el segundo Congreso Continental no quería separarse de Gran Bretaña.
- *Sentido Común* de Tomás Paine ayudó a convencer a los americanos de que redactaran una declaración de independencia.

I. Repasar el Vocabulario

Une cada palabra a la izquierda con la definición correcta.

1. folleto
2. rebelión
3. delegado
4. segundo Congreso Continental

a. una persona que representa a otra
b. resistencia armada a un gobierno
c. un pequeño libro impreso
d. reunión de líderes coloniales que comenzó en mayo de 1775

II. Entender el Capítulo

1. ¿Por qué mandaron los británicos tropas a Lexington y Concord?
2. ¿Por qué fueron importantes las batallas de Lexington y Concord?
3. ¿Qué pasó en la batalla de Bunker Hill?
4. ¿Qué hizo primero el segundo Congreso Continental cuando se reunió?
5. ¿Cuál era la misión del comité establecido por el Congreso?

III. Desarrollo de Habilidades: Distinguir Entre Hechos y Opiniones

Dí si cada una de las siguientes declaraciones es un hecho o una opinión.

1. Gran Bretaña debió haber permitido que las colonias se gobernaran por sí mismas.
2. La batalla de Concord ha sido llamada "el disparo que se escuchó en todo el mundo".
3. *Sentido Común* fue el documento más importante jamás publicado en las colonias.

IV. Escribir Acerca de la Historia

1. Imagínate que tú estuviste en la batalla de Concord, ya sea como miliciano o como testigo. Escribe una página de tu diario que describa la batalla.
2. **¿Qué hubieras hecho?** Si hubieras sido invitado a ser delegado al segundo Congreso Continental, ¿hubieras aceptado? Explica.

V. Trabajar Juntos

1. Formen pequeños grupos de estudiantes. Escojan un hecho importante que haya ocurrido entre 1775 y 1776. Por ejemplo, podrían escoger la batalla de Lexington, o la publicación de *Sentido Común*. Creen un guión con dibujos acerca de ese hecho para un programa de televisión. Un guión con dibujos muestra qué ocurre en un programa de televisión a través de una serie de dibujos. Es como un bosquejo en dibujos.
2. **Del Pasado al Presente** *Sentido Común* tuvo una enorme influencia sobre los colonos americanos. Con un grupo, discutan qué ideas en el folleto todavía influyen en los americanos hoy en día.

LOS AMERICANOS DECLARAN SU INDEPENDENCIA. (1776)

¿Por qué se separaron los americanos de Gran Bretaña?

Cuando los americanos celebran el 4 de julio con desfiles, recuerdan el día en que se declararon libres.

SUGERENCIA DE

Usa los títulos de sección y los títulos de cada subsección para hacer un pequeño bosquejo del capítulo. Bajo cada título, escribe una frase que resuma la sección.

ESTUDIO

Buscando los Términos Clave

- declaración de la independencia • patriotas • leales

Buscando las Palabras Clave

- **traición:** el acto de traicionar al propio país
- **preámbulo:** una introducción
- **consentimiento:** acceder a algo

Era junio y hacía mucho calor en Filadelfia. Tomás Jefferson estaba solo en su apartamento. Escribió durante varios días. Finalmente, terminó su trabajo. El primer borrador de la declaración de la independencia de las colonias de Gran Bretaña estaba listo.

Aproximadamente a 100 millas (160 kilómetros) de distancia, en Nueva York, desembarcaban miles de soldados británicos. Estaban bien entrenados y listos para pelear. El rey Jorge III los había mandado para controlar las colonias. Ahora los miembros del Congreso Continental tenían que decidir si declararían la independencia.

1 Se Escribe la Declaración de la Independencia.

¿Por qué aprobó declarar la independencia de Gran Bretaña el segundo Congreso Continental?

En una mañana de primavera de junio de 1776, el segundo Congreso Continental comenzó el debate. Para julio, ese debate debía estar terminado.

Razones para la independencia La mayoría de los delegados al Congreso estaba a favor de la independencia. Había muchas razones por las cuales los delegados pensaban así. Muchos líderes coloniales le habían perdido la confianza a Gran Bretaña. Pensaban que sus derechos jamás estarían seguros si seguían siendo parte del imperio británico.

Había otra importante razón para declarar la independencia. Los colonos querían ayuda de los enemigos de Gran Bretaña en Europa. Esperaban que España y Francia les ayudarían. Pero, ¿cómo podrían los colonos probarle a Francia y España que no se rendirían repentinamente a Gran Bretaña? La mejor manera era declarar la independencia.

El gran debate Al principio, parecía que el Congreso Continental votaría rápidamente en favor de la independencia. Sin embargo, algunos delegados se oponían. Pensaban que declarar la independencia perjudicaría a las colonias en vez de beneficiarlas. Esto llevaría a una guerra que causaría grandes sufrimientos. Los opositores a la idea temían que las colonias no se mantendrían unidas si declaraban la independencia.

Entonces John Adams pronunció un discurso en favor de declarar la independencia. Tardaría mucho tiempo consstruir una nueva nación. Sin embargo, dijo Adams no había otra salida para la disputa con Gran Bretaña.

Se requería coraje para votar en favor de la independencia. Los delegados sabían que ponían a las colonias en peligro. Se enfrentaban a una guerra con el país más poderoso de Europa. Cada delegado también estaba arriesgando su vida. Si la revolución fallaba, aquellos que habían votado a favor de la independencia podrían ser ahorcados por **traición**. La traición es el acto de traicionar al propio país.

Se declara la independencia A pesar de los riesgos, el segundo Congreso Continental aprobó declarar la independencia. El 4 de julio de 1776, adoptó la **declaración de la independencia**. John Hancock, presidente del Congreso, anunció que las colonias eran ahora estados. Cortaron sus lazos con Gran Bretaña. La declaración de la independencia le anunció al mundo la fundación de una nueva nación. Es uno de los documentos más importantes de la historia mundial.

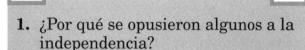

1. ¿Por qué se opusieron algunos a la independencia?
2. Da dos razones por las cuales los delegados pudieron haber votado por la independencia.

2 La Declaración de la Independencia Continúa Guiándonos.

¿Qué decía la declaración de la independencia?

La declaración de la independencia está dividida en cuatro partes. La primera parte es el **preámbulo**. Un preámbulo es una introducción. La segunda expone los principios sobre los cuales se basará la nueva nación. La tercera da las razones para la separación de Gran Bretaña. La última parte declara a las colonias independientes de Gran Bretaña.

Esta pintura muestra la firma de la declaración de la independencia. En ella están John Adams, Tomás Jefferson y Benjamín Franklin en el centro. ¿Puedes identificarlos?

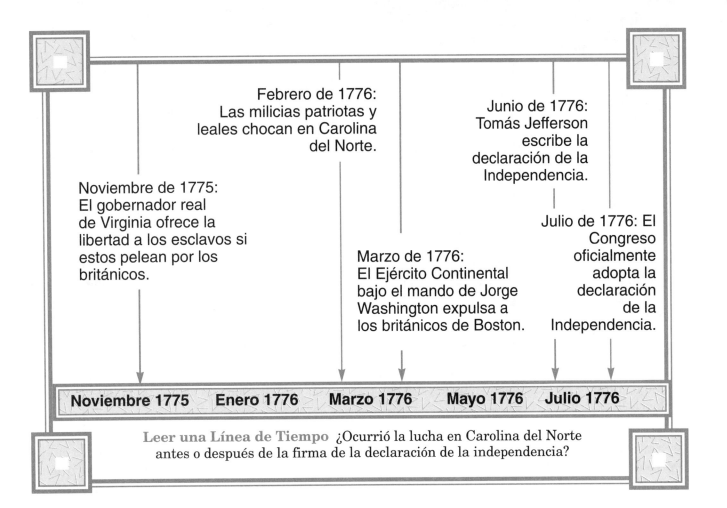

Noviembre de 1775:
El gobernador real
de Virginia ofrece la
libertad a los esclavos si
estos pelean por los
británicos.

Febrero de 1776:
Las milicias patriotas y
leales chocan en Carolina
del Norte.

Marzo de 1776:
El Ejército Continental
bajo el mando de Jorge
Washington expulsa a
los británicos de Boston.

Junio de 1776:
Tomás Jefferson
escribe la
declaración de la
Independencia.

Julio de 1776: El
Congreso
oficialmente
adopta la
declaración
de la
Independencia.

| Noviembre 1775 | Enero 1776 | Marzo 1776 | Mayo 1776 | Julio 1776 |

Leer una Línea de Tiempo ¿Ocurrió la lucha en Carolina del Norte antes o después de la firma de la declaración de la independencia?

Preámbulo El preámbulo explica por qué se redactó la declaración. Consiste de sólo una frase. Dice que a veces un grupo de personas se ve obligado a romper sus lazos con otro grupo. Y que luego, los líderes de este nuevo grupo independiente deben explicar por qué tomaron una decisión tan grave.

Los principios de la nueva nación
La segunda parte de la declaración expone los principios básicos de la democracia. La declaración impuso altos objetivos que ninguna nación había logrado antes.

La declaración de la independencia afirma que "todos los hombres han sido creados iguales". Todos tienen los mismos derechos básicos. Enumera esos derechos como "la vida, la libertad, y la búsqueda de la felicidad". De acuerdo con la declaración, la protección de estos derechos es la razón por la cual los pueblos forman los gobiernos.

Un gobierno puede mantenerse en el poder sólo si tiene el apoyo del pueblo. El gobierno recibe su poder del "consentimiento de los gobernados". El **consentimiento** es el aceptar algo libremente. El gobierno nunca le puede quitar los derechos al pueblo. Si lo hace, el pueblo debería derrocarlo.

Quejas contra los británicos La tercera parte de la declaración acusa al rey de muchas cosas. Dice que destruyó el autogobierno colonial. Trató de impedir que los colonos se trasladaran hacia el oeste. Mantuvo tropas británicas en las colonias durante tiempos de

El tema de la esclavitud no se discutió en la declaración de la independencia. Como muestra este dibujo, durante los tiempos revolucionarios, las tareas más pesadas todavía estaba en manos de los americanos africanos esclavizados.

paz. Aplicó impuestos a los colonos sin su consentimiento. Restringió el comercio con otros países. Lo peor de todo, mandó sus ejércitos a pelear contra los colonos.

Oficialmente independiente La cuarta parte de la declaración anuncia que las colonias son "estados libres e independientes". Lo que es igualmente importante, afirma que esos estados están unidos. Promete que se mantendrán unidos en la lucha futura. Son ahora los Estados Unidos de América.

Todos los hombres han sido creados iguales La declaración de la independencia impuso altos ideales para Estados Unidos. Ninguno era más importante que "todos los hombres han sido creados iguales". En 1776, muchas personas pensaban que ello significaba que todas las personas deberían tener iguales derechos. Sin embargo, los dele-gados al Congreso querían decir en realidad que sólo los hombres blancos que podían votar deberían ser iguales. Excluían a muchas personas. Las mujeres, los americanos africanos y otros grupos no eran considerados iguales.

Muchos de los delegados que firmaron la declaración tenían esclavos. Uno de ellos era Tomás Jefferson, un hombre poco común. El tenía esclavos, pero odiaba la esclavitud. Pensaba que perjudicaba a todos. Los americanos africanos esclavizados habían perdido su libertad. La esclavitud convertía a los amos de los esclavos en tiranos crueles. Jefferson esperaba que la esclavitud iría desapareciendo gradualmente.

Jefferson atacó el comercio de esclavos en su primer borrador de la declaración de la independencia. Sin embargo, delegados de las colonias del sur objetaron la declaración de Jefferson, así que el Congreso la eliminó de la versión final. La declaración mantuvo la frase: "todos los hombres han sido creados iguales".

Desde entonces, el significado de estas palabras ha cambiado. Ahora, los americanos piensan que todas las personas han sido creadas iguales. Han librado una larga lucha para lograr esta meta. La tarea está lejos de haber terminado. La igualdad para todos los americanos sigue siendo una meta a alcanzar.

Los ideales de la declaración de la independencia han guiado a Estados Unidos por más de 200 años. Cada ciudadano debe tener los mismos derechos básicos. Todos los americanos tienen derecho a "la vida, la libertad, y la búsqueda de la felicidad". El gobierno debe gobernar con el consentimiento del pueblo. Estos ideales son tan importantes hoy como lo eran en 1776.

1. ¿Qué es el preámbulo de la declaración de la independencia?
2. ¿Qué dice la tercera parte de la declaración?

3 La Nación da la Bienvenida a la Declaración de la Independencia.

¿Cómo reaccionaron la mayoría de los americanos a su independencia de Gran Bretaña?

Tan pronto como aprobó la declaración de la independencia, el segundo Congreso Continental la notificó al pueblo americano. El Congreso ni siquiera esperó a que se firmara el documento oficial. Mandó imprimir copias de la declaración. Estas fueron distribuidas en todo el país.

Celebraciones por la independencia
La mayoría de los americanos estaban contentos con la declaración de la independencia. Filadelfia fue la primera ciudad en conocer la noticia. Los delegados anunciaron la declaración en el principal edificio público de la ciudad. Miles de personas vitorearon la decisión. John Adams recordaría más tarde que "las campanas repicaron todo el día y toda la noche".

El 10 de julio, en la ciudad de Nueva York, los oficiales del ejército continental leyeron la declaración a sus tropas. Los soldados la vivaron. También lo hicieron los neoyorquinos comunes. Esa noche, una muchedumbre derribó una estatua del rey Jorge III. Proyectaban utilizar el plomo de la estatua para fabricar balas.

Desde entonces, Estados Unidos ha celebrado el día en que se aprobó la declaración. El 4 de julio de cada año, los americanos celebran el día de la independencia. Los fuegos artificiales y los desfiles marcan la fecha de fundación de nuestra nación.

Una nación dividida   Aquellos que apoyaron la declaración de la independencia se llamaban a sí mismos **patriotas**. La gran mayoría de los americanos eran patriotas. No importaba si habían nacido en América, o en Inglaterra u otros países europeos. Para 1776, mucha gente de otros países europeos se había convertido en americana.

En la batalla de Bunker Hill, Peter Salem, un americano africano libre, ayudó a defender la colina. Durante la batalla, Salem le disparó al comandante británico.

Sin embargo, algunas personas mantenían su lealtad a Inglaterra y al rey Jorge III. Se llamaban a sí mismos **leales**. Los leales formaban aproximadamente una quinta parte de la población libre total. Los patriotas y los leales eran acérrimos enemigos.

Después de la declaración de la independencia, los patriotas se enfrentaron a los leales. Acusaron a éstos de traición. A veces turbas de patriotas golpeaban a los leales. A menudo, los gobiernos de los estados acusaban a los leales de crímenes y les quitaban sus propiedades.

Algunos leales huyeron de sus hogares durante la guerra. Al finalizar la guerra, más de 50,000 leales se fueron de Estados Unidos. Muchos se establecieron en Canadá u otras colonias británicas. Sin embargo, la mayoría de los leales se quedaron en Estados Unidos. Con el tiempo, la gente se olvidó de las viejas divisiones. Muy pocos nietos de los leales supieron de qué lado estuvieron sus abuelos en 1776.

Americanos africanos en ambos bandos En noviembre de 1775, el gobernador británico de Virginia prometió liberar a cualquier esclavo que peleara por Gran Bretaña. Aproximadamente 800 esclavos se unieron a las fuerzas del gobernador. Después, miles de americanos africanos sirvieron en el bando británico en la guerra.

Sin embargo, la mayoría de los americanos africanos fueron partidarios de los patriotas. Apoyaban la lucha por la independencia. Algunos pertenecían a los Hijos de la libertad. Milicianos americanos africanos pelearon tanto en Lexington como en Concord.

Los americanos africanos también se ofrecieron como voluntarios en el Ejército Continental. Al principio el Congreso los rechazó. Sin embargo, pronto muchos estados se encontraron escasos de tropas. Entonces permitieron tanto a los americanos africanos libres como a esclavos prestar servicio como soldados.

Durante la guerra, 5,000 americanos africanos sirvieron como soldados en las fuerzas patriotas. Otros 2,000 sirvieron en la marina. Miles más colaboraron como trabajadores, espías y mensajeros. Los americanos africanos ayudaron a ganar la lucha por la independencia.

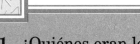

1. ¿Quiénes eran los patriotas?
2. ¿Cuántos americanos africanos sirvieron como soldados en las fuerzas patriotas?

CAPÍTULO 13
IDEAS CLAVE

- El segundo Congreso Continental votó a favor de la independencia a pesar de grandes riesgos para la nueva nación.
- La declaración de la independencia fijó los derechos de los americanos y enumeró los abusos de Gran Bretaña.
- La mayoría de los americanos apoyaban la independencia. Una minoría se hizo partidaria de Gran Bretaña.

I. Repasar el Vocabulario

Une cada palabra a la izquierda con la definición correcta.

1. traición
2. patriota
3. preámbulo
4. consentimiento

a. una introducción

b. el acto de traicionar al país de uno, que incluye tratar de derrocar al gobierno

c. cuando alguien acepta libremente algo

d. un colono que apoyaba la independencia de Gran Bretaña

II. Entender el Capítulo

1. ¿Por qué quiso la mayoría de los delegados al segundo Congreso Continental declarar la independencia?
2. ¿Cuáles fueron los argumentos en contra de declarar la independencia?
3. ¿Qué derechos básicos tenían todos de acuerdo con la declaración de la independencia?
4. ¿Qué les pasó a algunos leales después de que se aprobó la declaración de la independencia?

III. Desarrollo de Habilidades: Resumen

En una hoja por separado escribe dos o tres frases que resuman cada parte de la declaración de la independencia.

1. el preámbulo de la declaración de la independencia
2. la segunda parte de la declaración de la independencia
3. la tercera parte de la declaración de la independencia
4. la cuarta parte de la declaración de la independencia

IV. Escribir Acerca de la Historia

1. Diseña un cartel que anuncia la firma de la declaración de la independencia. Asegúrate de incluir detalles acerca de la declaración.
2. **¿Que hubieras hecho?** Si tu hubieras sido un esclavo americano africano en Virginia en noviembre de 1775, ¿te hubieras unido a los británicos que ofrecían libertad a cambio de pelear contra los colonos? Explica.

V. Trabajar Juntos

1. Sepárense en grupos pequeños. Cada grupo tendrá que prepararse para debatir si las colonias deberían o no declarar la independencia. Decidan qué posición tomará su grupo. Enumeren las razones para su posición. Después, toda la clase deberá debatir si se declarará o no la independencia.
2. **Del Pasado al Presente** Con un grupo, discutan las ideas expresadas en la declaración de la independencia. Después hagan una lista de ejemplos que muestren por qué estas ideas son todavía importantes hoy.

LOS COLONOS LUCHAN POR LA INDEPENDENCIA. (1776-1783)

¿Cómo lograron la independencia los colonos americanos?

En 1777, Sybil Ludington, de 16 años, cabalgó durante la noche para advertir a la gente de Connecticut que los británicos iban hacia allí.

Buscando los Términos Clave
- Hesianos • batalla de Saratoga • batalla de Yorktown

Buscando las Palabras Clave
- **alianza:** una asociación formal entre naciones

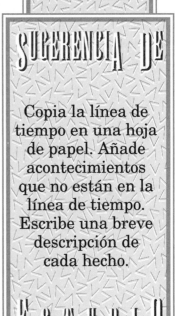

Los colonos sabían que la lucha por la independencia sería larga y ardua. Al principio parecía que perderían la guerra. Lentamente su suerte comenzó a cambiar.

1 Los Americanos Pierden las Primeras Batallas de la Revolución

¿Cuáles fueron los hechos clave de los primeros años de la Revolución?

Los británicos estaban seguros que ganarían la guerra. Gran Bretaña tenía 50,000 soldados entrenados en las colonias americanas, o en camino a ellas. Su marina dominaba los mares. Los barcos británicos podían bloquear otros buques que trataran de abastecer a los colonos. Gran Bretaña también podía contar con la ayuda de los americanos nativos. Estos temían que los colonos les quitaran sus tierras.

Sin embargo, los británicos también enfrentaban algunos problemas. Mucha gente en Gran Bretaña estaba en contra de la guerra. Pensaban que a las colonias se les debería permitir ser libres. Otro problema era la gran distancia que los barcos británicos tenían que navegar para llegar a las colonias. Finalmente, miles de soldados en el lado británico eran **hesianos**, soldados alemanes que los británicos habían contratado para pelear. Los hesianos no sentían una gran lealtad a la causa británica.

Leer un Mapa ¿Qué general Británico invadió el estado de Nueva York después de navegar por el río San Lorenzo de Canadá? ¿Qué ciudades sureñas atacó Cornwallis?

LA REVOLUCION AMERICANA, 1776-1781

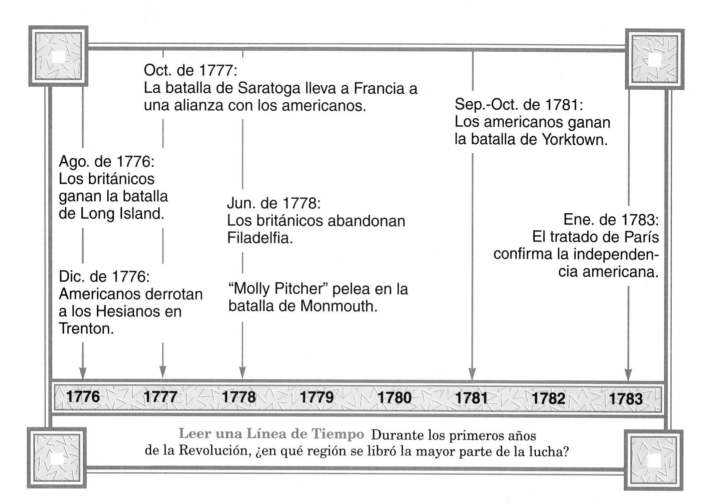

Oct. de 1777:
La batalla de Saratoga lleva a Francia a una alianza con los americanos.

Ago. de 1776:
Los británicos ganan la batalla de Long Island.

Jun. de 1778:
Los británicos abandonan Filadelfia.

Sep.-Oct. de 1781:
Los americanos ganan la batalla de Yorktown.

Ene. de 1783:
El tratado de París confirma la independencia americana.

Dic. de 1776:
Americanos derrotan a los Hesianos en Trenton.

"Molly Pitcher" pelea en la batalla de Monmouth.

| 1776 | 1777 | 1778 | 1779 | 1780 | 1781 | 1782 | 1783 |

Leer una Línea de Tiempo Durante los primeros años de la Revolución, ¿en qué región se libró la mayor parte de la lucha?

El Ejército americano Los colonos no podían igualar a los británicos en poder. Los americanos no tenían marina, sólo el pequeño Ejército continental. A lo sumo, contaba con 10,000 hombres. Muchos de los oficiales americanos tenían poco entrenamiento militar. El Congreso Continental también tenía dificultades en la recaudación de fondos para pagar al ejército o para comprar provisiones.

Los colonos, sin embargo, tenían grandes ventajas. Peleaban por su libertad, defendiendo sus hogares y sus familias. Luchaban sobre terreno que les era familiar. También tenían excelentes líderes.

Jorge Washington Jorge Washington era una persona muy alta: medía 6 pies 2 pulgadas. Se había ganado el respeto hasta de sus enemigos. Washington había tenido una vida muy

activa; había comandado tropas en la Guerra de franceses e indios. Después actuó en la legislatura de Virginia y en ambos Congresos Continentales. En el segundo Congreso Continental, Washington fue el único delegado con uniforme militar. Todos los delegados votaron "sí" cuando el Congreso eligió a Washington para comandar el Ejército continental.

El liderazgo de Washington fue clave para la victoria americana. Es cierto que sus soldados perdieron más batallas de las que ganaron. Sin embargo, Washington mantuvo la calma, incluso en las batallas. Al final, su Ejército continental ganó la guerra.

Primeras batallas Los americanos gueron derrotados en la batalla de Long Island en agosto de 1776 y huyeron a Nueva Jersey. Cuando los británicos los siguieron, los americanos se retiraron a

Pennsylvania. En diciembre de 1776, Washington elaboró un plan para apoderarse de Trenton, Nueva Jersey. En la oscuridad de la noche, los hombres de Washington remaron silenciosamente a través del helado río Delaware. Entre los soldados que se encontraban en los botes de Washington iban dos americanos africanos. Uno era Oliver Cromwell, un esclavo liberto. El otro era Prince Whipple, que era esclavo. Los 1,400 soldados hesianos se habían acuartelado en Trenton para el invierno. No esperaban un ataque. Los americanos los tomaron fácilmente por sorpresa y los derrotaron.

El plan de Burgoyne   El general Británico John Burgoyne confeccionó un plan para derrotar a las colonias americanas. Tres ejércitos británicos se moverían hacia Albany, Nueva York. Burgoyne marcharía con un ejército hacia el sur desde Canadá. El general Howe encabezaría un segundo ejército hacia el norte, desde la ciudad de Nueva York. Un tercer ejército se acercaría a Albany desde el oeste. Si el plan daba resultado, Nueva Inglaterra quedaría totalmente aislada.

1. ¿Qué bando parecía seguro de ganar la guerra? ¿Por qué?
2. ¿Cuál era el plan del general Burgoyne?

2 La Marea Cambia a favor de los Americanos.

¿Por qué fue importante la batalla de Saratoga?

El plan del general Burgoyne podría haber resultado si el general Howe hubiese cooperado. En vez de dirigirse hacia el norte, el ejército de Howe se movió hacia el sur. Atacó y ocupó la capital americana, Filadelfia.

Victoria en Saratoga   Seguro de la victoria, Burgoyne se dirigió al sur hacia Albany. Se libró una gran batalla cerca de Saratoga, Nueva York. Allí, una fuerza americana bajo el mando del general Horatio Gates obtuvo una clara victoria sobre Burgoyne. El 17 de octubre de 1777, Burgoyne y sus 5,000 soldados se rindieron.

La batalla de Saratoga fue un momento decisivo. Demostró a los europeos que los americanos tenían la posibilidad de ganar. La victoria convenció a Francia a formar una **alianza** con los americanos. Una alianza es una asociación formal entre naciones. Después de Saratoga, los franceses se unieron a los americanos para librar la guerra contra Gran Bretaña.

Invierno en Valley Forge   La victoria en Saratoga no puso fin a los problemas de los americanos. Las tropas mal vestidas y mal alimentadas de Washington pasaron el frío invierno de 1777-1778 en Valley Forge, en las afueras de Filadelfia. Los soldados carecían de ropa y provisiones. Aproximadamente 3,000 de los 11,000 soldados murieron durante ese terrible invierno.

Las provisiones no llegaron hasta el verano siguiente. Los americanos y los británicos libraron una feroz batalla en Monmouth, Nueva Jersey. En Monmouth, una mujer llamada Mary Ludwig Hayes se ganó el nombre de "Molly Pitcher" por cargar jarras (*pitchers* en inglés) de agua a los americanos mientras peleaban. Cuando cayó su marido, ella ocupó su lugar manejando un cañón.

Cuando su esposo fue herido durante una batalla, Mary Ludwig Hayes ocupó su puesto en el frente de combate. Cargó y disparó un cañón hasta que terminó la batalla.

La guerra en el Sur Después, en 1778, la guerra se trasladó al sur. Lord Cornwallis encabezó la campaña de los ingleses en el sur. Los británicos tuvieron éxito al principio.

Finalmente, los soldados coloniales obligaron a Lord Cornwallis a replegarse. Cornwallis retrocedió hacia el norte a Yorktown, Virginia. Allí esperó a que llegaran los barcos británicos. Pero para su sorpresa, los barcos franceses llegaron antes.

La batalla de Yorktown Las fuerzas combinadas de los americanos y franceses cercaron a Cornwallis. Los barcos franceses bloquearon la marina británica para que no pudiera llegar a Yorktown. En tierra, los soldados americanos fueron conducidos por un noble francés, el marqués de Lafayette. Los americanos rodearon a Cornwallis y sus tropas. James Armistead, un americano africano esclavizado, arriesgó su vida al espiar a los británicos para Lafayette. Años después, la legislatura de Virginia declaró libre a Armistead.

La batalla de Yorktown en 1781 fue una victoria aplastante. Washington trajo 16,000 soldados desde el norte. Atraparon a Cornwallis y obligaron a sus 7,000 soldados a rendirse.

El éxito americano en Yorktown terminó con las esperanzas británicas de una victoria. El tratado de París de 1783 fue el pacto que terminó la guerra. Le otorgó a los colonos la mayor parte de lo que exigían. Gran Bretaña finalmente aceptó la independencia americana. El tratado fijó la frontera oeste de este nuevo país en el río Mississippi. (Ver mapa arriba.)

1. ¿Por qué marcó la batalla de Saratoga un momento decisivo?
2. ¿Cómo influyó francia en el resultado de la guerra?

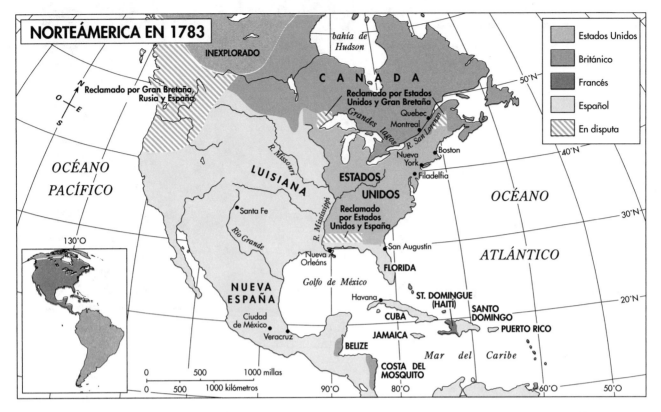

NORTEÁMERICA EN 1783

INEXPLORADO

bahía de Hudson

C A N A D A

Reclamado por Estados Unidos y Gran Bretaña

Quebec

Montreal

Grandes Lagos

R. San Lorenzo

Reclamado por Gran Bretaña, Rusia y España

OCÉANO PACÍFICO

R. Missouri

LUISIANA

ESTADOS UNIDOS

Nueva York

Boston

Filadelfia

R. Mississippi

Reclamado por Estados Unidos y España

Santa Fe

Río Grande

San Augustín

OCÉANO

ATLÁNTICO

Nueva Orleáns

FLORIDA

Golfo de México

NUEVA ESPAÑA

Havana

ST. DOMINGUE (HAITI)

SANTO DOMINGO

Ciudad de México

CUBA

PUERTO RICO

Veracruz

JAMAICA

BELIZE

COSTA DEL MOSQUITO

Mar del Caribe

	Estados Unidos
	Británico
	Francés
	Español
	En disputa

0   500   1000 millas
0   500   1000 kilómetros

50°N, 40°N, 30°N, 20°N, 130°O, 90°O, 80°O, 60°O, 50°O

Leer un Mapa. Cuando terminó la Revolución americana en 1783, ¿qué país controlaba la mayoría de las tierras al este del río Mississippi?

3 Los Americanos Reciben Ayuda para Derrotar a los Británicos.

¿Qué ayuda recibieron los americanos del extranjero?

Personas de muchos países pelearon por la independencia americana. Sin la ayuda del exterior, las posibilidades de una victoria americana hubieran sido muy escasas.

El barón von Steuben   El Barón Frederick von Steuben era de Alemania. Era un general muy hábil. Washington aceptó la oferta de von Steuben de enseñarle a los americanos cómo pelear.

Durante el terrible invierno de 1777-1778, von Steuben llegó a Valley Forge. El barón von Steuben convirtió a los granjeros americanos en soldados bien entrenados.

Bernardo de Gálvez   El latino Bernardo de Gálvez también ayudó a la causa americana. Como gobernador de la Luisiana española, Gálvez quería proteger los intereses de España. Pero además, Gálvez también quería que los americanos ganaran la guerra.

En 1779, Gálvez encabezó un grupo de soldados que atacó puestos británicos en la Florida occidental. Entre estos soldados había latinos, americanos africanos, y angloamericanos. También ayudó a los americanos a pasar armas a escondidas de los fuertes británicos sobre el río Mississippi. En 1781, condujo una flota que tomó Pensacola, Florida, de los británicos.

Otros amigos de los americanos
Junto a los Americanos en Savannah había cientos de voluntarios. Entre estos había 545 africanos libres de la colonia francesa de Haití. Los haitianos formaban parte de una unidad francesa más grande. Cuando las principales fuerzas Francesas retrocedieron, los haitianos pasaron al frente. Al defender esa posición evitaron que un revés de las tropas franco-americanas se convirtiera en una derrota aplastante.

1. Nombra a dos europeos que ayudaron a los americanos
2. ¿Cómo ayudó Bernardo de Gálvez a la causa americana?

CAPÍTULO 14
IDEAS CLAVE

- Los americanos sufrieron grandes derrotas en los primeros años de la revolución.

- La victoria americana en la batalla de Saratoga fue un momento decisivo en la Revolución americana. Después de Saratoga, los franceses mandaron ayuda muy importante. Para 1783, los americanos pudieron finalmente derrotar a los británicos.

- El ejército continental recibió ayuda de muchos extranjeros. Gálvez proveyó ayuda importante a las tropas americanas en el sur.

REPASO DEL CAPÍTULO 14

I. Repasar el Vocabulario
Une cada palabra a la izquierda con la definición correcta.

1. hesianos

2. ejército continental

3. alianza

    a. Soldados alemanes contratados por los británicos

    b. una asociación formal entre naciones

    c. fuerza armada de los americanos

II. Entender el Capítulo
1. ¿Qué ventajas y problemas tenía cada bando al comienzo de la Revolución americana?

2. ¿Qué hacía de Jorge Washington un gran líder?

3. ¿Por qué falló el plan del general Burgoyne?

4. ¿Por qué fue importante la alianza con Francia para los americanos?

5. ¿Cómo contribuyeron los americanos africanos y los latinos a la victoria americana?

III. Desarrollo de Habilidades: Distinguir Hechos de Opiniones
Escribe las siguientes declaraciones en una hoja de papel. Decide qué declaraciones son hechos y cuáles son opiniones. Junto a cada declaración, escribe "hecho" u "opinión".

1. Los británicos tenían mucho más soldados que los americanos.

2. Algunas personas, en Gran Bretaña, apoyaban a los colonos.

3. Jorge Washington fue sagaz al utilizar voluntarios extranjeros en el Ejército continental.

4. Los británicos debieron de haber seguido el plan original de Burgoyne.

5. James Armistead fue un americano africano que prestó servicio a las fuerzas americanas.

IV. Escribir Acerca de la Historia
1. ¿Qué hubieras hecho? Si tú fueras un latino que vivía en esa época en Florida o Luisiana, ¿te hubieras unido a Gálvez para pelear contra los británicos? ¿Por qué si o por qué no?

V. Trabajar Juntos
1. Formen un pequeño grupo. Imagínense que vivían en uno de los poblados donde pelearon los británicos y los americanos. Preparen una pequeña obra de teatro mostrando cómo afectó la guerra a la gente del pueblo.

2. Del Pasado al Presente Muchos europeos ayudaron a los americanos a derrotar a los británicos durante la Guerra revolucionaria. Con un grupo, discutan por qué personas de un país podrían luchar por personas de otro país. Después piensen cuántas veces los americanos han peleado en otros países.

Unidad 4
El Crecimiento de la Nueva Nación (1789-1840s)

Capítulos

SE FORMA UN NUEVO GOBIERNO. (1781-1790)

¿Cómo estableció la Constitución de EE.UU. un gobierno que ha durado más de 200 años?

Mientras Jorge Washington observa, un delegado firma la Constitución, base de todos los derechos que tienen los americanos.

SUGERENCIA DE

Mientras lees, haz una lista de las maneras en que el gobierno constitucional difirió del que había con los artículos de confederación.

ESTUDIO

Buscando los Términos Clave

- Artículos de la confederación
- Convención constitucional
- federalistas
- antifederalistas
- Declaración de derechos

Buscando las Palabras Clave

- **constitución:** la ley básica con la cual funciona un país
- **convención:** reunión en la cual se toman decisiones importantes
- **república:** un país donde el pueblo escoge a sus propios líderes
- **compromiso:** un acuerdo que da a cada parte algo de lo que quiere
- **sistema federal:** sistema de gobierno en el cual el gobierno nacional comparte el poder con estados o regiones
- **ratificar:** aprobar
- **enmendar:** cambiar o corregir

Mientras la gente de Filadelfia observaba, un grupo de hombres entró al edificio de la legislatura, de ladrillos rojos, el 25 de mayo de 1787. En total, entraron 55 hombres al edificio. Representaban a 12 de los 13 estados. Sólo Rhode Island no mandó a nadie.

Estos hombres eran líderes de sus estados. Al concluir la reunión, habían elaborado un nuevo plan de gobierno. Ese plan es la Constitución de EE.UU., ley básica de que rige nuestro país hasta hoy.

1 Se Necesita una Nueva Forma de Gobierno.
¿Por qué fue necesaria una constitución?

Durante la Revolución americana, el Congreso Continental escribió una **constitución** llamada los **Artículos de la confederación**. Una constitución es un documento que establece la ley básica con la cual funciona un país.

Los Artículos de la confederación crearon el primer gobierno nacional de Estados Unidos. Los 13 estados **ratificaron**, o aprobaron, los Artículos de la confederación en 1781.

Con los Artículos, los gobiernos de los estados tenían más poder que el gobierno nacional. Los Artículos otorgaban pocos poderes al Congreso. El Congreso podía declarar la guerra, tratar con naciones extranjeras e imprimir dinero.

Muchas debilidades Las debilidades del gobierno nacional no tardaron en causar problemas. Estados Unidos no tenía presidente ni un sistema de tribunales. Tampoco no podía recaudar fondos para tener una marina. No podía devolver el dinero que había pedido prestado durante la Revolución.

Otras naciones aprovecharon la debilidad de Estados Unidos. Gran Bretaña había prometido retirar sus soldados de la región de los grandes lagos. Pero los mantuvo allí. España se rehusaba a permitir que los ciudadanos de EE.UU. utilizaran el Mississippi. Esto perjudicaba a los granjeros del oeste que necesitaban el río para transportar sus productos a los mercados.

Llamado a una convención La gente comenzó a pensar que Estados Unidos necesitaba un gobierno nacional más fuerte. Se decidió convocar a una **convención** para proponer cambios a los Artículos de la confederación. Una convención es una reunión en la que se toman decisiones importantes.

Los delegados a la convención eran personas poderosas. Eran abogados, comerciantes y plantadores. Todos los delegados eran hombres blancos y cristianos. No hubo mujeres delegadas. Tampoco hubo delegados americanos africanos, latinos o judíos.

Se redacta una nueva constitución En sólo cinco días, los delegados habían derogado los Artículos de la confederación, y comenzaron a redactar una constitución totalmente nueva.

1. ¿Cuáles eran las debilidades del gobierno de Estados Unidos en 1787?
2. ¿Por qué convocó el Congreso a una convención?

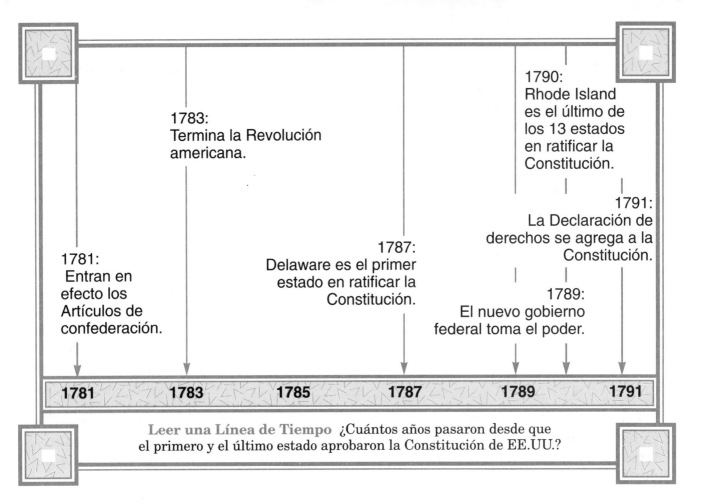

1783:
Termina la Revolución americana.

1790:
Rhode Island es el último de los 13 estados en ratificar la Constitución.

1791:
La Declaración de derechos se agrega a la Constitución.

1781:
Entran en efecto los Artículos de confederación.

1787:
Delaware es el primer estado en ratificar la Constitución.

1789:
El nuevo gobierno federal toma el poder.

| 1781 | 1783 | 1785 | 1787 | 1789 | 1791 |

Leer una Línea de Tiempo ¿Cuántos años pasaron desde que el primero y el último estado aprobaron la Constitución de EE.UU.?

2 Compromisos Importantes Ayudan a Crear la Constitución.

¿Qué temas dividieron a los delegados a la Convención Constituyente?

"Si los hombres fueran ángeles, no se necesitaría ningún gobierno", dijo James Madison. Pero los seres humanos no son ángeles. El gobierno *es* necesario. Esta era una idea sobre la que estaban de acuerdo los delegados.

Elegir líderes Los delegados también estaban de acuerdo en la forma de gobierno. Querían que Estados Unidos fuera una **república**. Una república es un país en el cual la gente elige a sus líderes. Los americanos no querían un rey como el rey Jorge.

Compromisos En muchos otros puntos los delegados llegaron a una serie de **compromisos**, o acuerdos en los cuales cada parte logró algo de lo que quería.

La clave fueron los compromisos entre los estados del norte y del sur. Los estados del norte y del sur tenían diferentes intereses. Los estados del norte tenían más ciudadanos. La gente tenía allí pocos esclavos. Los estados del sur tenían menos ciudadanos libres que el norte, pero tenían muchos esclavos.

¿Cómo podrían los delegados superar estas diferencias? Tres grandes compromisos solucionaron los problemas.

Un sistema federal Los delegados escogieron un **sistema federal** de gobierno. En un sistema federal, el gobierno federal, o nacional, comparte poder con los gobiernos de los estados.

Los delegados en Filadelfia querían que el gobierno nacional tuviese más poder del que tenía. Sin embargo, querían asegurarse de que no fuese *demasiado* poderoso.

Los estados grandes y los estados pequeños   Los delegados también tenían que decidir cómo dividir el poder entre los estados grandes y los estados pequeños. Los estados con la mayoría de los votos en el Congreso tendrían mayor poder. Los delegados se preguntaron: ¿Deberían todos los estados tener votos iguales? Los estados más pequeños lo querían así. ¿O deberían los estados con más habitantes tener más votos?

Los delegados llegaron a un compromiso. Crearon un Congreso con dos cámaras. En la **Cámara de representantes**, los estados con más habitantes tendrían más votos. En el **Senado**, los estados serían iguales. Cada estado tendría dos senadores, y por lo tanto, dos votos.

Contar los esclavos   El último gran compromiso tenía que ver con cómo deberían de ser contadas las personas esclavas. Según la ley, se consideraba a los americanos africanos esclavos como "propiedad". Pero los delegados sureños querían que fuesen contados como "personas" aun cuando ellos no querían otorgarles derechos de personas libres. Si se contaba por igual a los esclavos y a los no esclavos, esos estados tendrían más poder. Como compromiso, los delegados contaron a cada esclavo como las tres quintas partes de un ciudadano.

Los delegados no trataron de abolir la esclavitud. Sin embargo, sí permitieron un impuesto sobre el comercio de

Un grupo de americanos que no fue protegido por la Constitución fueron los americanos africanos, que aparecen aquí trabajando en una plantación sureña. La Constitución permitió que continuara la esclavitud.

esclavos. Además, acordaron que después de 1808, el Congreso podría prohibir a los americanos que importaran nuevos esclavos.

1. ¿Acerca de qué forma de gobierno estuvieron de acuerdo los delegados?
2. ¿Sobre qué temas llegaron a un compromiso los delegados?

3 Se Aprueba la Constitución.

¿Qué temas dividieron a quienes apoyaban y a quienes se oponían a la nueva Constitución?

El 17 de septiembre de 1787, los delegados aprobaron la nueva Constitución de EE.UU. Mientras los delegados firmaban el documento, Benjamín Franklin comentó que durante meses había estado mirando una pintura del sol, sobre la silla donde se sentaba Jorge Washington. ¿Era un sol naciente: una señal de un porvenir con esperanza? ¿O era un sol poniente? "Ahora, por fin", dijo Franklin, "sé que es un sol naciente".

Los delegados estaban orgullosos de lo que habían hecho. ¿Pero, lo aprobaría la nación? Para que la Constitución entrara en vigor, 9 de los 13 estados la tenían que ratificar. La opinión pública estaba fuertemente dividida. A quienes apoyaban a la Constitución se les llamaba **federalistas**. Quienes se oponían eran conocidos como **antifederalistas**.

Federalistas y antifederalistas
Quienes la apoyaban argumentaban

que Estados Unidos necesitaba un gobierno más fuerte. Un gobierno fuerte tendría capacidad para promover el comercio y proteger a los ciudadanos de EE.UU. Si los estados rechazaban la Constitución, decían, Estados Unidos se disolvería.

Los antifederalistas no le tenían confianza a ningún gobierno. Un gobierno federal fuerte podría ser peligroso. El presidente se podría convertir en un tirano, un gobernante cruel. El Congreso le podría quitar derechos a la gente. Los antifederalistas querían que Estados Unidos fuera una agrupación de estados sin cohesión.

Aprobación Muchas personas compartían el temor de que el nuevo gobierno quitaría al pueblo sus derechos. Para ganarse su apoyo, los federalistas hicieron una promesa. Si se aprobaba la Constitución, el Congreso añadiría una declaración de derechos que garantizara las libertades básicas. Leerás más acerca de la **Declaración de derechos** en el próximo capítulo.

Con esa promesa, aumentó el apoyo a la Constitución. La votación fue muy reñida en muchos estados. Sin embargo, en 1790, Rhode Island fue el décimo tercer y último estado en ratificar la nueva unión.

1. ¿Cómo se les llamaba a quienes apoyaban y a quienes se oponían a la Constitución?
2. ¿Qué argumentos usó cada grupo?

4 La Constitución Está Basada en Ideas de Justicia.

¿Cómo garantiza la Constitución que un gobierno es justo con el pueblo?

Las normas establecidas en la Constitución han regido nuestra vida nacional por más de 200 años. La Constitución ha tenido éxito porque es un documento "viviente". Las normas han crecido y cambiado en la medida en que las ideas sobre justicia y libertad de la gente han cambiado.

La Constitución es flexible Los autores de la Constitución habían ignorado los derechos de los esclavos. Le habían prestado poca atención a los derechos de las mujeres. La Constitución hizo de Estados Unidos una democracia. Sin embargo, al principio sólo aproximadamente una persona de cada diez podía votar.

La Constitución se mantuvo a tono con los tiempos. A mediados de los años 1800 se la cambió para prohibir la esclavitud. A comienzos de los años 1900, se la cambió para otorgarle el voto a las mujeres.

La Constitución permite el cambio. Describe cómo las personas pueden **enmendar**, o cambiar, sus normas. Los federalistas mantuvieron su promesa de añadir la Declaración de derechos a la Constitución. Las 10 enmiendas garantizan la libertad de religión, la libertad de palabra y muchas otras libertades. En total, los americanos le han hecho 27 enmiendas a la Constitución.

Durante los primeros años de vida del país, las mujeres podían votar en algunos estados. Para comienzos de los años 1800, los estados les habían quitado el derecho al voto a las mujeres.

Ideas de la Constitución   La Constitución contiene muchas ideas de peso. Primero, dice que todos los poderes del gobierno provienen del pueblo. Si el pueblo no está satisfecho con el gobierno, puede cambiarlo. Segundo, la Constitución protege las libertades individuales. Por ejemplo, la gente en Estados Unidos puede seguir la religión que le plazca. Tercero, el gobierno federal tiene sólo ciertos poderes. La Constitución enumera esos poderes.

La Constitución es un documento viviente que afecta nuestras vidas todos los días. Leerás más acerca de esto en el próximo capítulo.

1. ¿Qué cambios se le han hecho a la Constitución para hacerla más democrática?
2. ¿Cómo limita la Constitución los poderes del gobierno?

CAPÍTULO 15
IDEAS CLAVE

- Los delegados a la Convención Constituyente se reunieron en Filadelfia en 1787. Redactaron una nueva Constitución para EE.UU.
- Los delegados hicieron compromisos al crear la Constitución.
- Después de que los federalistas prometieron incluir una declaración de derechos en la Constitución, los estados la aprobaron.

I. Repasar el Vocabulario

Une cada palabra a la izquierda con la definición correcta.

1. república
2. constitución
3. compromiso
4. enmienda

a. la ley básica de un país
b. un acuerdo que le da a cada parte algo de lo que quiere
c. un país donde el pueblo escoge a sus propios líderes
d. un cambio o corrección

II. Entender el Capítulo

1. ¿Por qué era difícil para Estados Unidos lograr el respeto de otros países cuando regían los Artículos de la confederación?
2. ¿Qué compromisos agradaron a los estados sureños? ¿Por qué?
3. ¿Cómo satisfizo la Constitución tanto a los estados grandes como a los estados pequeños?
4. ¿Qué argumentos hicieron los antifederalistas en contra de la Constitución?

III. Desarrollo de Habilidades: Hacer una Tabla

Haz una tabla que enumere los tres compromisos principales en la Convención Constituyente. En la columna 1 rotúlalos: federalismo, representación y contar los esclavos. En las columnas 2 y 3 describe los compromisos y cómo funcionaban.

IV. Escribir Acerca de la Historia

1. Imagínate que eres un reportero de un periódico en Filadelfia en septiembre de 1787. Los delegados acaban de terminar su trabajo y tú deseas entrevistar a algunos de ellos. Escribe una lista de cinco preguntas que les quieres hacer a los delegados.
2. **¿Qué hubieras hecho?** Imagínate que eres un americano africano libre que vive en un estado norteño en 1787. ¿Hubieras apoyado la nueva Constitución? ¿Por qué sí o por qué no?

V. Trabajar Juntos

1. Escoge dos o tres condiscípulos con quienes trabajar. Seleccionen a una persona en Estados Unidos que puede haber sido real (tal vez un delegado a la Convención), o imaginaria (un granjero o un esclavo). Escriban una breve descripción de la persona. Después digan por qué el o ella apoya o rechaza la Constitución.
2. **Del Pasado al Presente** Con un grupo, discutan por qué los compromisos fueron importantes. (Podrían ver las tablas que hicieron en Desarrollo de Habilidades.) Después, enumeren algunas situaciones hoy, en la escuela, comunidad o estado, que son problemas que requieren compromisos.

La Constitución es la Base de Nuestro Gobierno.

¿Cómo está organizado el gobierno de EE.UU. según la Constitución?

El derecho al voto es uno de los derechos más importantes que la Constitución de EE.UU. da a los americanos.

Buscando los Términos Clave

- separación de poderes • limitación y equilibrio de poderes
- gabinete • juicio político (impeachment) • debido proceso (due process)

Buscando las Palabras Clave

- **legislatura:** la rama del gobierno que hace las leyes
- **mayoría:** más de la mitad
- **anticonstitucional:** no permitido por la Constitución
- **proyecto de ley:** una propuesta de ley

- **ejecutivo:** la rama del gobierno encabezada por el presidente que se encarga de hacer cumplir las leyes
- **judicial:** la rama del gobierno encabezada por la Corte Suprema

La Constitución de EE.UU. divide el gobierno nacional en tres partes. Estas partes, o ramas, son el Congreso, el presidente y los tribunales.

La Constitución crea una **separación de poderes** entre las tres ramas. Una separación de poderes significa que cada rama tiene sus propios deberes. Los legisladores, en el congreso, redactan las leyes. El presidente hace cumplir las leyes. Los jueces de la Corte Suprema y otras cortes federales entienden en las disputas acerca de las leyes.

Cada rama del gobierno puede tomar medidas que limitan los poderes de las otras ramas. Los redactores de la Constitución tuvieron cuidado de incluir este sistema de **limitaciones y equilibrios**.

1 El Congreso es el que Hace Nuestras Leyes.

¿Qué tipo de leyes puede aprobar el Congreso?

La tarea principal del Congreso es redactar las leyes de la nación. El Congreso es la **legislatura** del gobierno, la rama que hace las leyes. El Congreso está constituido por dos cámaras. Esas dos cámaras son la Cámara de Representantes y el Senado.

La Cámara de representantes y el Senado   Como resultado del compromiso entre los estados grandes y pequeños (ver página 129), la Cámara de representantes está basada en la población. Los estados con mayor población tienen más votos. Los representantes son elegidos por los votantes de un distrito. Los legisladores de la Cámara tienen mandato por dos años.

Cada estado tiene el mismo número de senadores, dos. El minúsculo Vermont tiene tantos senadores como la gigantesca California. Los senadores tienen mandato por seis años. Los senadores representan a todo el estado y no solo a una parte del estado.

Hacer las leyes   El congreso aprueba muchos tipos diferentes de leyes. Pero el Congreso no puede dictar cualquier ley. Debe seguir las normas de la Constitución. Esto es así porque la Constitución es "la ley suprema de la nación". Eso quiere decir que la Constitución es más importante que cualquiera de las leyes del Congreso.

La Constitución enumera los distintos tipos de leyes que puede aprobar el Congreso. Por ejemplo, el Congreso puede establecer impuestos. Puede controlar el comercio entre Estados Unidos y países extranjeros. Puede declarar la guerra y crear un ejército y una marina. La Constitución también indica los tipos de leyes que el Congreso *no puede* aprobar. El Congreso no puede aprobar una ley que castigue a una persona sin juicio previo.

Cómo se promulga una ley   Cada ley comienza como un **proyecto de ley**, o propuesta de ley. Para que se convierta en ley, un proyecto de ley debe recibir una **mayoría** de votos en ambas cámaras del Congreso. Esto significa que por lo menos la mitad de aquellos que votan en cada cámara deben apoyar el proyecto de ley. Después el presidente tiene que firmarlo.

Limitaciones al Congreso   El presidente y la Corte Suprema tienen el poder de limitar al Congreso. Supón que el Congreso aprueba un proyecto de ley que el presidente no apoya. El presidente puede rehusarse a firmar el proyecto de ley. Sin embargo, el Congreso puede volver a votar. Pero en ese caso, dos terceras partes de cada cámara tienen que votar afirmativamente para que sea aprobado.

La Corte Suprema también tiene el poder de limitar al Congreso. Puede declarar que una ley es **anticonstitucional**. Una ley anticonstitucional es aquella que va en contra de las normas de la Constitución. Si se declara anticonstitucional una ley es inaplicable.

1. ¿Cuántos senadores tiene cada estado?
2. ¿Cómo pueden el presidente y la Corte Suprema limitar los poderes del Congreso?

El Grupo de congresistas negros (Congressional Black Caucus) está formado por los americanos africanos que son legisladores en el Congreso de EE.UU.

2 El Presidente Encabeza al Gobierno.

¿Qué papel juega el presidente en nuestro gobierno?

Cualquier cosa que haga el presidente es noticia porque el presidente es la principal figura en el gobierno de EE.UU. El presidente encabeza la rama **ejecutiva**. La rama ejecutiva hace cumplir o aplica las leyes.

El presidente también tiene otras responsabilidades o poderes. Una de esas responsabilidades es ser comandante en jefe de las fuerzas armadas. Otra es dirigir la política exterior de la nación. El presidente también puede proponer nuevas leyes.

El presidente, así como el vicepresidente, es elegido por el pueblo y tiene mandato por cuatro años. Según la vigésimo segunda enmienda, un presidente sólo puede ejercer el cargo por dos mandatos.

El gabinete El presidente necesita muchas personas para ayudarle a cumplir con las responsabilidades del cargo. Los más importantes encargados son los de los 14 departamentos de la rama ejecutiva. Esos secretarios pertenecen al **gabinete** del presidente. El secretario de Estado es uno de los miembros del gabinete. Este funcionario encabeza el Departamento de Estado, que se ocupa de las relaciones con otras naciones.

Limitaciones al presidente Tanto el Congreso como la Corte Suprema pueden limitar al Presidente. El Congreso controla el dinero que gasta el gobierno. La rama ejecutiva no puede gastar dinero a menos que lo apruebe primero el Congreso.

El presidente escoge a las personas clave en la rama ejecutiva y en la justicia. Por ejemplo, el presidente nombra a

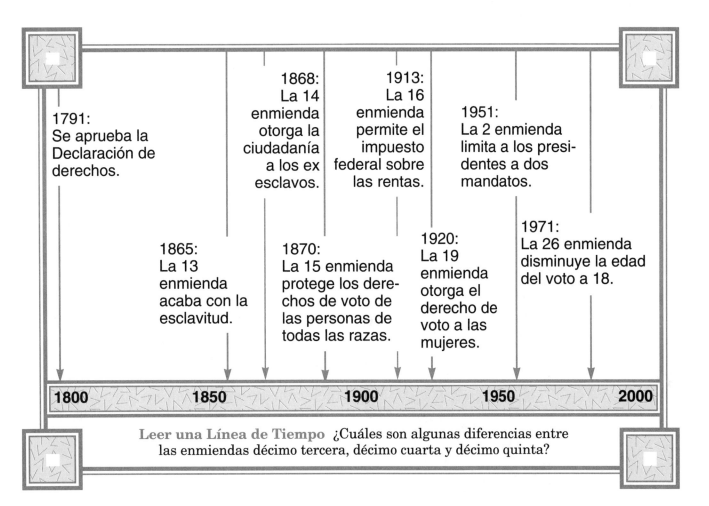

1791:
Se aprueba la Declaración de derechos.

1868:
La 14 enmienda otorga la ciudadanía a los ex esclavos.

1913:
La 16 enmienda permite el impuesto federal sobre las rentas.

1951:
La 2 enmienda limita a los presidentes a dos mandatos.

1865:
La 13 enmienda acaba con la esclavitud.

1870:
La 15 enmienda protege los derechos de voto de las personas de todas las razas.

1920:
La 19 enmienda otorga el derecho de voto a las mujeres.

1971:
La 26 enmienda disminuye la edad del voto a 18.

1800   1850   1900   1950   2000

Leer una Línea de Tiempo ¿Cuáles son algunas diferencias entre las enmiendas décimo tercera, décimo cuarta y décimo quinta?

los miembros del gabinete. El presidente también nombra a los miembros de la Corte Suprema y a los jueces de las cortes federales inferiores. Pero el senado tiene que aprobar los nombramientos del presidente.

El Congreso tiene una facultad más, muy importante. Puede remover al presidente de su puesto mediante un proceso llamado **juicio político** (impeachment). El Congreso sólo ha utilizado esta facultad una vez, en 1868.

1. ¿Cuáles son las responsabilidades del presidente?
2. ¿Qué limitaciones y equilibrios se aplican a los poderes del presidente?

La Corte Suprema asegura que el presidente obedezca la Constitución. La Corte Suprema también asegura que la rama ejecutiva cumpla las leyes aprobadas por el Congreso.

3 Las Cortes Deciden Temas de Ley.
¿Qué papel juega la Corte Suprema en nuestro gobierno?

Las tribunales federales conforman la tercera rama del gobierno federal. Esta es la rama **judicial**. La palabra proviene de la misma raíz que "juez".

La Corte Suprema La Constitución dice que el gobierno de EE.UU. debe crear una Corte Suprema. Además, el Congreso creó un sistema de tribunales inferiores. Encabeza la Corte

argumentos, los magistrados deciden el caso.

Una pirámide de tribunales La justicia federal está organizada como una pirámide. La Corte Suprema es su vértice superior. Debajo de ella hay capas de tribunales federales inferiores. Además, cada estado tiene sus propias cortes, separadas de tribunales federales.

La mayoría de los casos federales comienzan y terminan en la capa inferior. Existen más de 100 cortes federales de distrito. Cada estado tiene de uno a cuatro de esas cortes.

Por encima de las cortes distritales existe una segunda capa, compuesta de 12 cortes de apelación. Las cortes de apelación no entienden en juicios como lo hacen los tribunales distritales. En cambio, se ocupan de casos que han sido apelados, o sometidos a revisión, de las cortes inferiores. ¿Cómo ocurre esto? Si alguien que pierde un juicio en una corte inferior piensa que la decisión fue injusta, puede apelar la sentencia.

Un caso de la Corte Suprema La Corte Suprema entiende en casos que tienen que ver con temas constitucionales. En el caso de *Brown vs. Consejo de Educación de Topeka*, se le pidió a la Corte Suprema que determinara si se cumplía la décimo cuarta enmienda. Durante los años 1950, muchas ciudades en Estados Unidos tenían escuelas separadas para los estudiantes americanos africanos y los blancos. Oliver Brown, un americano africano, demandó al consejo de educación de Topeka, Kansas. Esa ciudad no permitía que la hija de Brown asistiera a una escuela para blancos cerca de su hogar.

La décimo cuarta enmienda declara que todos los ciudadanos gozan de igual protección ante la ley. La Corte Suprema tenía que decidir si las escuelas que segregaban a estudiantes por el

Miles de americanos se reunieron en Washington, D.C., para ver a Bill Clinton cuando asumió como presidente en 1993.

Suprema el presidente del tribunal, su principal magistrado.

El presidente del tribunal y otros ocho magistrados son nombrados por el presidente con la aprobación del Congreso. Sus cargos son vitalicios.

Los visitantes de la capital de la nación pueden ver a la Corte Suprema en sesión. Hoy en día hay siete hombres y dos mujeres en la Corte Suprema. Los magistrados se sientan en fila detrás de estrado. Los abogados se paran frente al estrado para argumentar sus casos. Después de que se han presentado los

color de la piel provían igualdad de educación. En 1954, la Corte decidió que las escuelas segregadas no daban igualdad de educación. La decisión de la Corte proscribió las escuelas segregadas en Estados Unidos.

1. ¿Cuántos magistrados componen la Corte Suprema?
2. ¿Cuál fue la decisión de la Corte Suprema en *Brown vs. Consejo de Educación de Topeka*?

4 La Declaración de Derechos Protege a las Libertades Individuales.

¿Qué derechos protege la Declaración de derechos?

Las primeras diez enmiendas a la Constitución son la Declaración de derechos. Estas enmiendas protegen muchos de los derechos de los ciudadanos. Protegen tu derecho a practicar cualquier religión que escojas. Permiten que las personas expresen sus opiniones libremente. Es importante que todos los ciudadanos conozcan los derechos que les otorga la Declaración de derechos.

Libertad de religión y de palabra La primera enmienda protege varias libertades importantes. Una es la libertad de religión. También protege la libertad de palabra y la de prensa. Libertad de palabra significa el derecho de expresar opiniones impopulares en público. El derecho a la libertad de prensa significa el derecho a imprimir esas opiniones.

El derecho a portar armas La segunda enmienda protege el derecho a tener armas. La enmienda vincula a este derecho a la necesidad de los estados de mantener una milicia, o fuerza

Leer una Gráfica. Cada rama tiene poderes que limitan los de los otros dos. Nombra una forma en que la rama judicial limita a la legislativa.

LAS TRES RAMAS DEL GOBIERNO DE EE.UU.: LIMITACIONES Y EQUILIBRIOS

RAMA EJECUTIVA	RAMA LEGISLATIVA	RAMA JUDICIAL
Aplica las leyes	**Dicta las leyes de la nación**	**Interpreta las leyes**
• puede vetar proyectos de ley	• puede destituir al presidente del puesto	• resuelve las disputas y castiga a quienes rompen la ley
• nombra jueces	• debe aprobar los nombramientos del presidente	• puede declarar las acciones del presidente anticonstitucionales
• puede llamar a sesiones especiales del congreso	• debe aprobar los tratados	• puede declarar a las leyes anticonstitucionales
	• puede aprobar leyes por sobre el veto del presidente	

Los americanos tienen derechos y responsabilidades. Una de ellas es tomar parte activa en la vida de sus comunidades.

armada. Se menciona con frecuencia esta enmienda cuando se discuten las leyes para controlar las armas de fuego. Esas leyes fijarían límites a la compra o posesión de armas de fuego. Las personas que se oponen a esas leyes dicen que son contrarias al derecho que da la segunda enmienda. Las personas que están a favor de estas leyes están en desacuerdo con esa idea.

Prohibición de registros injustificados La cuarta enmienda protege al pueblo contra "registros o confiscaciones injustificados". Esto significa que la policía sólo puede registrar un automóvil o una casa cuando tiene una buena razón para hacerlo. En muchos casos, primero debe explicar sus razones a un juez para obtener un permiso de registro.

Derechos de los acusados La quinta enmienda protege los derechos de las personas acusadas de un delito. Si la policía sospecha que alguien ha cometido un delito, no puede hacer procesar a esa persona. Primero, debe presentar la evidencia a un grupo de ciudadanos llamado gran jurado. Una persona sólo puede ser enjuiciada si el gran jurado decide que existe suficiente evidencia.

La quinta enmienda también protege los derechos de un acusado durante y después de un juicio. Si un jurado lo declara no culpable, esa decisión es definitiva. No puede volver a ser enjuiciado por los mismos cargos.

La quinta enmienda declara que el gobierno no puede quitar la vida, la libertad o la propiedad a nadie sin el **debido proceso de ley**. Esto significa que el gobierno debe seguir normas que son las mismas para todos. No puede tratar a las personas blancas de una manera y a las personas americanas africanas de otra. No puede tratar a las personas ricas de una manera diferente que a las personas pobres.

1. ¿Qué derechos protege la primera enmienda?
2. ¿Qué es el debido proceso de ley?

CAPÍTULO 16
IDEAS CLAVE

- El gobierno de EE.UU. tiene tres ramas.
- El Congreso es la rama legislativa, o la que hace las leyes.
- La rama ejecutiva hace cumplir las leyes.
- La rama judicial, que incluye la Corte Suprema, decide si las leyes están o no de acuerdo con la Constitución.
- Cada rama del gobierno puede limitar los poderes de las otras ramas.
- Las primeras diez enmiendas, conocidas como la Declaración de derechos, protegen los derechos de los americanos.

I. Repasar el Vocabulario

Une cada palabra a la izquierda con la definición correcta.

1. legislatura
2. anticon-
   stitucional
3. ejecutivo
4. judicial

   a. la rama del gobierno encabezada por el presidente
   b. la rama del gobierno encabezada por la Corte Suprema
   c. la rama del gobierno que hace las leyes
   d. contra la Constitución; no permitida

II. Entender el Capítulo

1. ¿Cómo limita la Constitución las leyes que puede aprobar el Congreso?
2. ¿Cómo tiene cada rama alguna participación en la confección de las leyes de la nación?
3. ¿Cómo decidirías si presentarías un caso a una corte estatal o a una corte federal?
4. ¿Cómo protege la Declaración de derechos los derechos de las personas acusadas de delitos?

III. Desarrollo de Habilidades: Uso de las Fuentes Primarias

Encuentra la primera enmienda en un libro de referencia. Léela. En una hoja de papel, haz lo siguiente:

1. Haz una lista de las palabras difíciles en la enmienda. Encuentra las palabras en el diccionario. Escribe sus definiciones junto a ellas. (Tal vez también quieras referirte al análisis de la primera enmienda en la página 140.)
2. Resume los puntos principales de la enmienda.

IV. Escribir Acerca de la Historia

1. **¿Qué hubieras hecho?** Imagínate que tu eras un magistrado de la Corte Suprema durante el caso *Brown vs. Consejo de Educación de Topeka*. ¿Cómo hubieras decidido en ese caso? Escribe un párrafo breve explicando tu decisión.
2. Diseña un cartelón que explique una de las primeras diez enmiendas a la Constitución. El cartelón deber relacionar la enmienda con la vida cotidiana.

V. Trabajar Juntos

1. **Del Pasado al Presente** Con un grupo, repasen los resúmenes de la primera enmienda que escribieron en Desarrollo de Habilidades. Después, como grupo, escriban un párrafo indicando en qué serían diferentes sus vidas si la primera enmienda no existiese.

El Nuevo Gobierno Comienza a Trabajar. (1789-1800)

¿Qué retos enfrentó el primer presidente de los EE.UU.?

En 1789 se reunieron multitudes en Nueva York. Fueron a ver a Jorge Washington prestar juramento como primer presidente de EE.UU.

Buscando los Términos Clave

- Republicano democrático • la rebelión del whisky
- discurso de despedida • décimo segunda enmienda

Buscando las Palabras Clave

- **precedente:** un acto o decisión que establece un ejemplo para acciones futuras
- **tarifa:** un impuesto sobre productos
- **neutral:** que no toma partido en una discusión
- **gabinete:** un grupo de asesores que ayuda al presidente.

SUGERENCIA DE

Haz una tabla con dos columnas. Titula una columna Republicano Democrático. Titula la otra Federalista. Indica qué diferenciaba a cada partido.

ESTUDIO

Hoy en día Estados Unidos es la nación más poderosa de la tierra. Podría parecer que Estados Unidos fue siempre poderoso. Pero como leerás, no era así en los primeros días de la nación.

1 Jorge Washington se Convierte en el Primer Presidente

¿Cómo ayudó Jorge Washington a fortalecer la democracia en Estados Unidos?

Cuando Jorge Washington se convirtió en el primer presidente en 1789, Estados Unidos enfrentaba muchas dificultades. La gente de Estados Unidos no estaba unida. Antes que nada era leal a su estado o región. Estados

Leer una Gráfica ¿Cómo diferían los dos partidos en sus puntos de vista sobre un gobierno central fuerte?

LOS PRIMEROS PARTIDOS POLÍTICOS

Federalistas	Republicanos democráticos
★Liderados por Alexander Hamilton	★Liderados por Tomás Jefferson
★Los ricos y los mejores educados deberían gobernar la nación	★El pueblo debería tener el poder político
★Gobierno central fuerte	★Gobiernos estatales fuertes
★Enfasis en la fabricación, el embarque y el comercio	★Enfasis en la agricultura
★Interpretación libre de la constitución	★Interpretación estricta de la constitución
★Pro británicos	★Pro franceses
★Favorecían la banca nacional	★Se oponían a la banca nacional
★Favorecían a las tarifas proteccionistas	★Se oponían a las tarifas proteccionistas

Unidos venía en segundo lugar en lealtad.

Además, había un problema con el dinero. El gobierno había pedido prestadas grandes cantidades de dinero para pagar los gastos de la Revolución americana. Tenía que encontrar la forma de pagar esa deuda.

La cuestión más importante era: ¿funcionaría la democracia? La idea de democracia era un experimento. La democracia había fracasado en otros lugares. ¿Podría funcionar en un país tan grande y diverso como Estados Unidos?

Se hace cargo Si había alguien que podía hacer que la democracia funcionase, era Jorge Washington. Washington no había querido ser presidente. Había aceptado sólo porque su amigo James Madison lo había persuadido de hacerse cargo.

Como primer presidente de Estados Unidos, se enfrentaba al trabajo más arduo de su vida. Washington sabía que todo lo relacionado con su trabajo era nuevo. Cualquier medida que Washington tomara como presidente se haría por primera vez. Cualquier cosa que hiciera sentaría un **precedente**. Un precedente es una acción que establece un ejemplo para acciones futuras.

Elección del primer gabinete El primer trabajo de Washington era encontrar personas capaces para ayudarlo. Le pidió a unas cuantas personas que encabezaran los diferentes departamentos del gobierno. Los consejeros más importantes de Washington fueron conocidos como su **gabinete**.

Washington eligió sabiamente su gabinete. No le importaba si los miembros de su gabinete no estaban de acuerdo con él. Quería que le dieran buenas ideas acerca de cómo unir a la nación.

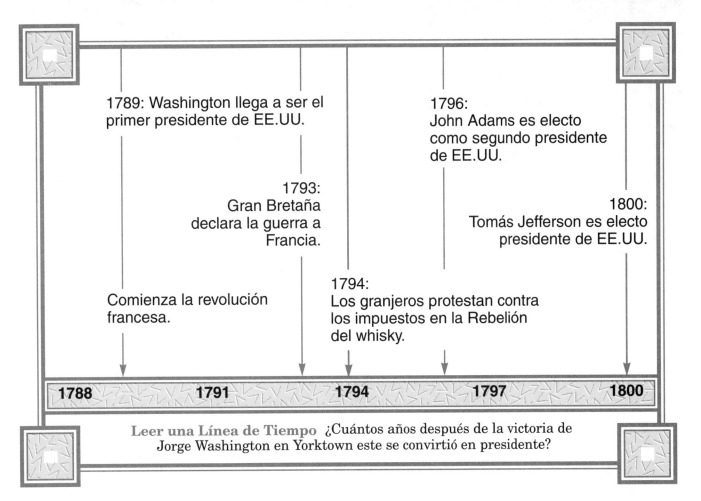

1789: Washington llega a ser el primer presidente de EE.UU.

1793: Gran Bretaña declara la guerra a Francia.

1796: John Adams es electo como segundo presidente de EE.UU.

1800: Tomás Jefferson es electo presidente de EE.UU.

Comienza la revolución francesa.

1794: Los granjeros protestan contra los impuestos en la Rebelión del whisky.

| 1788 | 1791 | 1794 | 1797 | 1800 |

Leer una Línea de Tiempo ¿Cuántos años después de la victoria de Jorge Washington en Yorktown este se convirtió en presidente?

Un miembro del gabinete de Washington era Tomás Jefferson. Jefferson fue el primer secretario de Estado. Jefferson confiaba en que los granjeros y los trabajadores votarían con sabiduría y defenderían su libertad. Jefferson también creía que los gobiernos estatales deberían tener más poder que el gobierno nacional.

Otro miembro del gabinete de Washington era Alexander Hamilton. Hamilton era secretario del Tesoro. Hamilton creía que la gente rica y educada podía manejar mejor la nación. También creía que el gobierno nacional debía ser más fuerte que los gobiernos estatales.

Los primeros partidos políticos
Cuando Washington se hizo cargo de la presidencia, no había partidos políticos.

Conforme pasó el tiempo, los miembros del Congreso comenzaron a disentir acerca de la forma de gobernar al país. Algunos congresistas apoyaban las ideas de Hamilton. Otros apoyaban las de Jefferson.

Aquellos que apoyaban a Hamilton fueron llamados federalistas. Los que apoyaban a Jefferson fueron conocidos como **Republicanos Democráticos**. Estos dos grupos fueron los primeros partidos políticos de Estados Unidos.

Los federalistas tenían la mayoría en el Congreso. Por lo tanto, en 1791, el Congreso empezó a aprobar los planes de Hamilton para la economía. Una de estas leyes imponía una **tarifa**, o impuesto, sobre todos los productos extranjeros que entraban al país. Otro impuesto fue aplicado al whisky. Se esperaba que este impuesto al whisky serviría para recaudar dinero.

La rebelión del whisky de 1791 comenzó cuando el gobierno aplicó un impuesto sobre el whisky. Sólo la firme acción de Jorge Washington terminó con la violencia.

1. ¿Cuáles fueron dos dificultades a las que se enfrentó Estados Unidos en sus primeros días?
2. ¿Cuáles eran algunas de las diferencias entre Jefferson y Hamilton?

2 Washington Cumple un Segundo Mandato.

¿Por qué fue importante para la nación el segundo mandato de Washington?

Los granjeros del oeste cultivaban maíz y otros cereales. Era difícil enviar estos productos a los mercados a través de escarpados caminos montañosos. Era más fácil convertir el maíz en whisky y despacharlo en botellones. El whisky se convirtió en un producto muy valioso en la frontera.

La Rebelión del Whisky Cuando el gobierno aplicó un impuesto sobre el whisky, muchos granjeros del oeste se rebelaron. Se rehusaron a pagar el impuesto. Algunos atacaron a los cobradores de impuestos. Miles de granjeros se unieron en una enorme marcha.

Washington sabía que tenía que actuar con rapidez. Llamó a 12,000 soldados y tomó el mando. Viendo esta demostración de fuerza, los granjeros se rindieron pacíficamente. La acción de Washington fue importante para el nuevo gobierno. Demostró que la gente debía de obedecer las leyes, aún las leyes que no les gustasen.

Una nueva capital para la nación La primera capital de Estados Unidos fue la ciudad de Nueva York. Más tarde, la capital se trasladó a Filadelfia. Pero los gobernantes deseaban construir una nueva capital para mostrar que EE.UU. era una potencia de primer nivel.

Washington le pidió al ingeniero francés Pierre L'Enfant que dibujara los planos para una ciudad que tuviera calles anchas y hermosos edificios. Su principal asistente fue Benjamín Banneker. Banneker era un americano africano libre que vivía en Baltimore. Banneker era un hábil inventor. En cierta ocasión, construyó su propio reloj tallando en madera todas las piezas.

La nueva ciudad capital fue terminada en 1800. La ciudad fue llamada Washington en honor de Jorge Washington. No era parte de ningún estado. El área de Washington fue llamada Distrito de Columbia, o D.C., en forma abreviada.

Una nación neutral

Durante el segundo mandato de Washington, Estados Unidos trataba todavía de sobrevivir. En 1789, se desató la revolución en Francia. Pronto, el rey de Francia fue destronado.

Después, Francia atravesó un periodo terrible conocido como el Reino del terror. Durante este tiempo, muchos franceses fueron decapitados, incluso el rey y la reina de Francia. Otros reyes y reinas en Europa comenzaron a preocuparse por su situación. Decidieron terminar con la Revolución francesa. En 1793, Gran Bretaña declaró la guerra a Francia.

Los americanos estaban divididos en cuanto a qué país respaldar. Los republicanos democráticos deseaban que la democracia se expandiera. Los federalistas temían que la violencia pudiera extenderse a Estados Unidos. Deseaban que Estados Unidos respaldara a Gran Bretaña.

Washington no estaba de acuerdo con ninguno de ambos bandos. Estados Unidos era aún débil.

Debía concentrar sus energías en hacerse más fuerte. Dijo que Estados Unidos permanecería **neutral** en la guerra. Ser neutral significa rehusarse a tomar partido.

Después de su segundo mandato, la gente quería que Washington siguiera como presidente. Washington sentó otro precedente. Dijo que no iba a ser presidente por un tercer mandato. Ningún presidente cumplió más de dos mandatos hasta 1940.

Cuando dejó el cargo, Washington pronunció un **discurso de despedida** o mensaje. Se expresó contra los partidos políticos. Dijo que los partidos provocarían enfrentamientos entre los

Benjamín Banneker escribió este almanaque y ayudó a diseñar la nueva capital nacional, Washington, D.C.

Aquí se muestra a Jorge Washington en 1796 diciendo adiós a los oficiales que actuaron junto a él en la Revolución americana, varios años antes.

americanos. También dijo al pueblo americano que no se inmiscuyera en las guerras europeas.

1. ¿Qué fue la rebelión del whisky?
2. ¿Por qué pensaba Washington que Estados Unidos necesitaba permanecer neutral?

3 Estados Unidos Lucha para Mantenerse Fuera de la Guerra.

¿En qué forma las medidas del Presidente John Adams dividieron su partido político?

En 1796, John Adams fue elegido como segundo presidente de Estados Unidos. Adams era un político capaz, aunque nunca fue muy popular. Trabajó mucho para mantener a Estados Unidos fuera de la guerra. Al final tuvo éxito. Sin embargo, ello arruinó su carrera.

Los franceses y los ingleses estaban tomando cautivos barcos de Estados Unidos. Los ingleses incluso demandaban sobornos para detener los ataques. Mucha gente presionaba a Adams para que declarara la guerra. Adams se abstuvo. Su propio partido federalista quería la guerra con Francia. Algunos estaban tan enojados que se separaron del partido. Esto dio a los republicanos democráticos la posibilidad de ganar las elecciones de 1800. Los republicanos democráticos eligieron a Tomás Jefferson para postularse a presidente. Y designaron a Aaron Burr para vicepresidente. Los federalistas designaron candidatos a John Adams y a Charles Pinckney.

Una elección extraña La elección de 1800 fue la elección más rara en la historia de EE.UU. La Constitución decía que la persona que obtuviera el mayor número de votos electorales sería elegida presidente. La persona que quedase en segundo lugar sería elegida vicepresidente. En la elección, tanto Jefferson como Burr lograron el mismo número de votos electorales.

¿Quién sería presidente, Jefferson o Burr? La Constitución decía que cuando el voto electoral estuviese empatado, la Cámara de representantes elegiría al presidente.

La Cámara votó 35 veces. En cada una de esas votaciones, hubo empate. En el trigésimo sexto intento, algunos votos cambiaron. Jefferson fue elegido presidente. Burr resultó electo vicepresidente.

La elección de 1800 hizo que el Congreso enmendara, o cambiara, la Constitución. Aprobó la **décimo segunda enmienda**. La enmienda dice que los electores deben votar por separado para presidente y vicepresidente. Ya no puede haber más elecciones como la de 1800.

1. ¿Quiénes fueron candidatos a presidente y vicepresidente en 1800?
2. ¿Cómo cambió la décimo segunda enmienda la forma en que el presidente y vicepresidente son elegidos?

CAPÍTULO 17
IDEAS CLAVE:

- Las políticas de Jorge Washington fortalecieron a Estados Unidos.
- Los dos primeros partidos políticos de EE.UU. fueron el Republicano Democrático y el Federalista.
- La reacción de Washington a la rebelión del whisky demostró a la gente que se debía obedecer las leyes.
- Los esfuerzos de John Adams por mantener a Estados Unidos fuera de la guerra arruinaron su carrera.

I. Repasar el Vocabulario

Une cada palabra de la izquierda con la definición correcta.

1. deuda
2. gabinete
3. tarifa
4. neutral

a. un grupo de consejeros que ayudan al presidente
b. no tomar partido en una discusión
c. dinero que se debe
d. un impuesto sobre productos de otro país

II. Entender el Capítulo

1. ¿Cuál fue uno de los precedentes que sentó Jorge Washington?
2. ¿Cuál fue el origen de los dos primeros partidos políticos en Estados Unidos?
3. ¿Por qué se rebelaron los granjeros del oeste en 1794 contra el impuesto al whisky?
4. ¿Por qué algunos americanos apoyaban a la Revolución francesa? ¿Por qué algunos estaban en contra?

III. Desarrollo de Habilidades : Entender Causa y Efecto

Entender las causas y los efectos es importante para el estudio de la historia. Las causas son hechos o condiciones que llevan a que se de un hecho o acontecimiento más importante. Los efectos son los resultados de un hecho o acontecimiento más importante. Responde las siguientes preguntas para aprender más acerca de causa y efecto.

1. ¿Cuál fue la causa de la décimo segunda enmienda?
2. ¿Cuál fue uno de los efectos de la enmienda?

IV. Escribir Acerca de la Historia

1. Imagínate que Jorge Washington te ha pedido que lo ayudes a elegir un gabinete. Haz una lista con por lo menos cinco cualidades que deben tener los miembros del gabinete.
2. **¿Qué hubieras hecho?** ¿Te habrías unido a los federalistas o a los republicanos democráticos? Explica.

V. Trabajar Juntos

1. **Del Pasado al Presente** El discurso de despedida de Jorge Washington fue una advertencia a la nación. En un grupo, discutan qué era lo que preocupaba a Washington. Luego hablen acerca de los peligros para Estados Unidos hoy en día. Escríbanlos como una especie de discurso de despedida.

JEFFERSON FORTALECE A LA NACIÓN. (1800-1814)

¿Cómo aumentó la nueva nación al doble de su tamaño y defendió su territorio?

Lewis y Clark encabezaron un grupo que incluía al americano africano York, y a una mujer shawnee, Sacajawea.

Buscando los Términos Clave

- Territorio del noroeste • ordenanza del noroeste
- batalla de Tippecanoe • compra de la Luisiana
- expedición de Lewis y Clark • halcón de guerra
- guerra de 1812

Buscando las Palabras Clave

- **territorio:** una región que todavía no es un estado
- **enganche:** servicio forzoso, especialmente en la marina
- **embargo:** una orden del gobierno que suspende el comercio

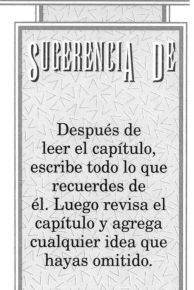

SUGERENCIA DE

Después de leer el capítulo, escribe todo lo que recuerdes de él. Luego revisa el capítulo y agrega cualquier idea que hayas omitido.

ESTUDIO

Después de la Revolución americana, miles de personas se encaminaron hacia el **territorio del noroeste**. Un **territorio** es una región que todavía no es un estado. Los colonos querían sus ricas tierras. Pero llegaron tantos que se desataron conflictos.

1 Los Americanos Van Rumbo al Oeste.

¿Cómo organizó el Congreso el territorio en el oeste?

Para 1785, mucha gente se había ido al territorio del noroeste. Se necesitaban normas legales para colonizar esta región. Por tanto, el Congreso aprobó la **ordenanza de la tierra de 1785**. Esta ley indicaba que las tierras se dividirían en secciones. Cada sección destinaría un terreno para una escuela.

Leer un Mapa Nombra cinco estados de la actualidad que hayan surgido del territorio del noroeste.

EL TERRITORIO DEL NOROESTE, 1787

Una segunda ley, llamada **la ordenanza del noroeste**, fue aprobada en 1787. Establecía las normas para gobernar en los territorios. Ilegaliza en ellos la esclavitud y también garantizaba libertad de religión y el juicio por jurado. Además, la ordenanza del noroeste establecía la forma de organizar en estados los territorios.

Un territorio podía pedir al Congreso ser admitido como estado cuando había más de 60,000 "personas libres" viviendo en él. Sin embargo, en las personas libres no se incluía a los americanos nativos o a americanos africanos esclavizados.

Cinco estados surgieron del territorio del noroeste. Más tarde, otros territorios siguieron las mismas normas para convertirse en estados. La ordenanza del noroeste estableció el método para que se incorporaran nuevos estados a EE.UU.

Crecientes conflictos Una gran corriente de colonos fue al territorio del noroeste durante los años 1790. Pero ya vivían allí americanos nativos. Los colonos talaban bosques para hacer sus granjas. Esto dificultaba la caza para los americanos nativos. Los americanos nativos y los colonos no tardaron en enfrentarse.

El plan de Tecumseh Un líder de los shawnee, Tecumseh, y su hermano Tenskwatawa comenzaron a unir a muchos grupos de americanos nativos para repeler a los colonos. Tecumseh era un orador poderoso y un gran líder. Viajó mucho para visitar diferentes grupos de americanos nativos. Convenció a muchas naciones americanas nativas de unirse a su campaña.

La batalla de Tippecanoe El gobernador de Indiana, William Henry Harrison, entró en acción. En 1811, marchó con 1,000 soldados a la aldea de

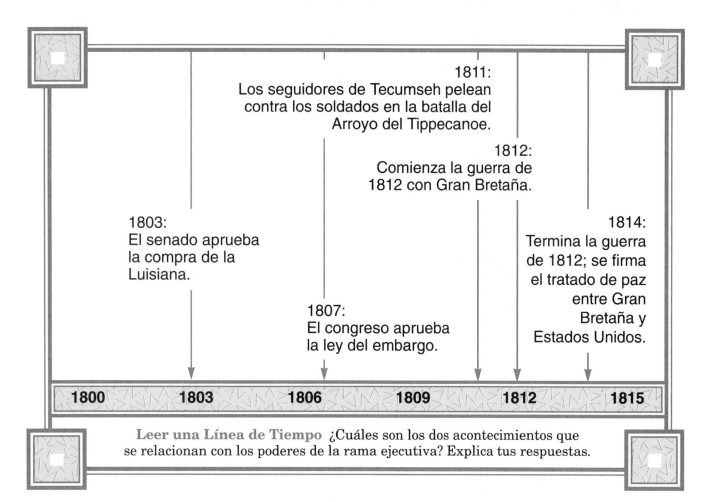

1811:
Los seguidores de Tecumseh pelean contra los soldados en la batalla del Arroyo del Tippecanoe.

1812:
Comienza la guerra de 1812 con Gran Bretaña.

1803:
El senado aprueba la compra de la Luisiana.

1814:
Termina la guerra de 1812; se firma el tratado de paz entre Gran Bretaña y Estados Unidos.

1807:
El congreso aprueba la ley del embargo.

| 1800 | 1803 | 1806 | 1809 | 1812 | 1815 |

Leer una Línea de Tiempo ¿Cuáles son los dos acontecimientos que se relacionan con los poderes de la rama ejecutiva? Explica tus respuestas.

Tecumseh junto al arroyo Tippecanoe en Indiana. Los soldados y los americanos nativos libraron una sangrienta batalla. Ninguno de los dos bandos fue vencedor. Esta batalla marcó el comienzo de una larga guerra entre los americanos nativos y los colonos.

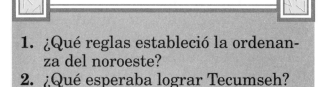

1. ¿Qué reglas estableció la ordenanza del noroeste?
2. ¿Qué esperaba lograr Tecumseh?

2 Estados Unidos Aumenta de Tamaño.

¿Por qué compró el presidente Jefferson el territorio de Luisiana?

Para 1800, un millón de colonos vivían entre los Apalaches y el Mississippi. La mayoría eran granjeros. Necesitaban embarcar sus productos agrícolas río abajo por el Mississippi hasta Nueva Orleáns. Luego esos productos eran enviados al este y a Europa. Sin embargo, Nueva Orleáns no pertenecía a Estados Unidos.

La compra de la Luisiana En 1800, Francia poseía la Luisiana, que incluía Nueva Orleáns. Jefferson

Un viejo grabado ilustra la batalla de Tippecanoe en 1811. En la batalla, las fuerzas americanas se enfrentaron a una alianza de grupos americanos nativos.

decidió intentar comprar Nueva Orleáns. Envió agentes a Francia. Los franceses sorprendieron a los americanos. No estaban tan sólo interesados en vender Nueva Orleáns. Querían vender toda la Luisiana. Los estupefactos americanos aceptaron pagar un precio de $15 millones. En 1803, el Senado aprobó la **compra de la Luisiana**. Una gran extensión de tierra al oeste del Mississippi era ahora parte de EE.UU.

La exploración de las nuevas tierras
En 1803, un pequeño grupo partió en un peligroso viaje para estudiar el nuevo territorio de los EE.UU. Meriwether Lewis y William Clark encabezaban el grupo. Jefferson les pidió que fueran más allá del territorio de Luisiana. Espera que encontraran una ruta a través de las montañas Rocosas hacia el Pacífico.

La **expedición de Lewis y Clark** partió de San Luis en 1804. Lewis y Clark vieron grandes extensiones de tierra que parecían no terminar jamás. Describieron grandes manadas de búfa-

los y de venados. Contaron cómo los americanos nativos les ofrecieron su amistad.

Entre el grupo iba York, un esclavo americano africano. York demostró ser un valioso miembro de la expedición. Era un excelente cazador. Comerció con muchos americanos nativos para obtener alimentos que mantuvieron vivo al grupo.

Los exploradores viajaron 1,600 millas (2,560 kilómetros) río arriba por el Missouri. Allí conocieron a **Sacajawea**, una americana nativa shoshone. Ella y su esposo guiaron la expedición rumbo al oeste. Finalmente, el grupo llegó a la tierra natal de ella en las montañas Rocosas. En ese lugar, Sacajawea convenció a su gente de que dieran comida y un guía a los exploradores.

El grupo continuó a través de las montañas. Luego navegó en canoas río abajo por el turbulento río Columbia. Varias veces estuvieron a punto de chocar con las rocas. El 7 de noviembre de 1805, Lewis y Clark vieron grandes aguas. Por fin habían encontrado el océano Pacífico.

Lewis y Clark regresaron con importante información acerca de la compra de la Luisiana y de las tierras situadas al oeste de las Rocosas. En los años siguientes, se crearon 15 estados a partir de la compra de la Luisiana.

1. ¿Por qué era importante Nueva Orléans?
2. ¿Por qué exploraron Lewis y Clark el territorio de Luisiana?

3 EE.UU. Libra la Guerra de 1812.

¿Qué acontecimientos condujeron a la guerra de 1812?

En 1803, estalló nuevamente la guerra entre Francia y Gran Bretaña. Jefferson no quería que Estados Unidos se involucrara. Declaró que el país permanecería neutral. Los barcos mercantes de los EE.UU. continuaron comerciando con ambos países. Estos barcos proporcionaban muchas de las provisiones que Francia y Gran Bretaña necesitaban. Por lo tanto, ambas intentaron hacer que Estados Unidos dejara de comerciar con la otra. La marina francesa capturó los barcos mercantes de EE.UU. que se dirigían a Gran Bretaña. Los británicos confiscaron los barcos mercantes de EE.UU. que iban hacia Francia.

Los comerciantes de los EE.UU. estaban furiosos. Para empeorar las cosas, los marineros capturados en los barcos de EE.UU. a menudo eran obligados a prestar servicio en la marina británica. Esta práctica era llamada **enganche**, o servicio forzoso. Los británicos engancharon a miles de marineros de EE.UU. Muchos americanos exigieron que Estados Unidos declarara la guerra a

Gran Bretaña. En lugar de hacer esto, Jefferson pidió al Congreso que aprobara un **embargo**, o una orden para suspender el comercio. Pero la ley de embargo no dio el resultado que Jefferson esperaba. Afectó más a Estados Unidos que a Gran Bretaña o Francia. Miles de marineros estaban sin trabajo. Los granjeros no podían vender sus cosechas.

James Madison ganó con facilidad las elecciones presidenciales de 1808. El presidente Madison esperaba poder evitar la guerra.

Presión para entrar en guerra

Para ese entonces, mucho más americanos deseaban la guerra con Gran Bretaña. En 1810, un grupo de nuevos

Leer un Mapa ¿Cuál era la frontera oeste del territorio de la Luisiana? ¿Qué nación controlaba la mayor parte del oeste en ese entonces?

LA COMPRA DE LUISIANA, 1803

Durante la guerra de 1812, los británicos atacaron e incendiaron a la nueva capital americana, Washington, D.C. Los británicos quemaron la nueva casa del presidente.

representantes del sur y del oeste presionaron fuertemente para que se declarara la guerra. Decían que los ataques británicos contra los barcos de EE.UU. demostraban que habían perdido el respeto hacia Estados Unidos. Este grupo era llamado los **halcones de guerra**.

Los halcones de guerra también querían más tierras para Estados Unidos. Pensaban que Estados Unidos la conseguiría si ganaba la guerra. Muchos colonos en el sur deseaban tener la Florida. Esta tierra era posesión de España, que era aliada de Gran Bretaña. Los halcones de la guerra también querían conquistar el Canadá.

La guerra de 1812 Finalmente, en junio de 1812, Madison cedió a las presiones. El presidente pidió al Congreso que declarara la guerra a Gran Bretaña.

En 1813, la flota británica controlaba los grandes lagos. Se apoderó de la ciudad de Detroit sobre el lago Erie. El capitán Oliver Hazard Perry de los EE.UU. recibió la orden de expulsar a los británicos. Cuando Perry recibió la orden, no tenía ni un barco. Durante varios meses, Perry y un grupo local, construyeron nueve pequeños barcos en secreto. Luego, las tropas de Perry se embarcaron para enfrentar a los barcos de guerra británicos. Después de una feroz batalla, Perry logró controlar el lago Erie. Su mensaje de victoria declaraba con orgullo: "Nos hemos encontrado con el enemigo y le hemos ganado".

En 1814, las fuerzas británicas atacaron la capital de Estados Unidos, Washington, D.C. Al acercase los británicos, Dolley Madison, esposa del presidente, arriesgó su vida para salvar documentos muy importantes. Pudo escapar justo a tiempo. Los británicos quemaron muchos edificios gubernamentales, entre ellos la casa del presidente.

Para finales de 1814, parecía que ni Estados Unidos ni Gran Bretaña ganaban la guerra. A fines de diciembre, se firmó un tratado de paz. La guerra de 1812 había terminado.

Sin embargo, las noticias viajaban lentamente en esos días. Ambos ejércitos continuaron peleando. Las fuerzas de EE.UU., comandadas por Andrew

Jackson, rechazaron un ataque británico a Nueva Orléans. ¡Una de las mayores victorias de EE.UU. se ganó después de que la guerra ya había terminado!

La guerra de 1812 en realidad no cambió mucho las cosas entre Estados Unidos y Gran Bretaña. No se ganaron nuevas tierras. Las relaciones entre EE.UU. y Gran Bretaña simplemente volvieron a ser como antes de la guerra. Sin embargo, muchos americanos pensaban que este país joven, Estados Unidos, había logrado que las naciones europeas le tuvieran más respeto. Las valientes acciones de los héroes de la guerra, como Perry y Jackson, demostraron que Estados Unidos podía defenderse. Los americanos sentían un creciente orgullo de su nación.

1. ¿Cuáles fueron dos razones por las que los halcones de guerra presionaban para que hubiera guerra con Gran Bretaña?
2. ¿Quién controlaba el territorio del noroeste al final de la guerra de 1812?

CAPÍTULO 18
IDEAS CLAVE

- Al final de los años 1700, más y más ciudadanos de EE.UU. iban al territorio del noroeste. Este movimiento provocó conflictos entre los colonos y los americanos nativos.

- En 1785 y 1787, el congreso estableció normas para organizar el territorio del noroeste.

- La compra de la Luisiana aumentó al doble el tamaño de Estados Unidos. Jefferson ordenó a Lewis y Clark que exploraran la región.

- Ni Estados Unidos ni Gran Bretaña ganaron la guerra de 1812. Sin embargo, los ciudadanos de EE.UU. se sintieron orgullosos de que su nación fuera capaz de defenderse a sí misma.

I. Repasar el Vocabulario

Une cada palabra a la izquierda con la definición correcta.

1. territorio
2. embargo
3. territorio del noroeste
4. enganche

a. servicio forzoso
b. tierras entre el río Ohio y los montes Apalaches
c. una orden del gobierno que suspende el comercio
d. región que todavía no es un estado

II. Entender el Capítulo

1. ¿Por qué fue importante la ordenanza del noroeste?
2. ¿Por qué era importante Nueva Orléans para los colonos del oeste?
3. ¿Cuál fue el propósito del viaje de Lewis y Clark?
4. ¿Cuál fue el efecto de la ley de embargo?
5. ¿Cuál fue el resultado de la guerra de 1812?

III. Desarollo de Habilidades: Comprobar los Tiempos

1. El gran flujo de colonos hacia el territorio del noroeste, ¿comenzó antes o después de la ordenanza de tierras de 1785? ¿Cómo lo sabes?
2. La compra de la Luisiana, ¿ocurrió antes o después de que Lewis y Clark atravesaran el continente? Explica tu respuesta.

IV. Escribir Acerca de la Historia

1. **¿Qué hubieras hecho?** Imagínate que en 1810 eres el líder de una nación americana nativa. Tecumseh te dice que la única forma de evitar que los colonos se apoderen de más tierras es unirse con otros americanos nativos. Algunos grupos de americanos nativos que se están uniendo a Tecumseh te han atacado en el pasado. ¿Le dirías a tu gente que siga a Tecumseh? Explica.

V. Trabajar Juntos

1. **Del Pasado al Presente** Los tres primeros presidentes de EE.UU. querían que el país fuera neutral. Decide, con un grupo, si están de acuerdo con las ideas de los tres presidentes. Luego, discutan si los EE.UU. debe ser neutral hoy en día.

EL NORTE Y EL SUR TOMAN CAMINOS DISTINTOS. (1793-1840)

¿Cómo comenzaron a separarse el norte y el sur?

Una foto de 1858 muestra a americanos africanos trabajando como esclavos en un campo de algodón de una plantación de Georgia.

Buscando los Términos Clave
- Revolución industrial • desmotadora
- conspiración de Vesey

Buscando las Palabras Clave
- **hilandería:** fábrica donde se produce tela
- **pensión:** una casa donde se paga por el alojamiento y la comida
- **capataz:** persona que supervisa el trabajo de los esclavos

SUGERENCIA DE

Escribe las respuestas a las preguntas que se hacen en las tres secciones de este capítulo.

ESTUDIO

En los años 1700, la mayoría de las familias americanas fabricaban o sembraban casi todo lo que necesitaban. La gente fabricaba productos como zapatos, velas y ropa en su propia casa. Para el final del siglo eso habría de cambiar.

1 Se Construyen Fábricas en el Norte.

¿Por qué se construyeron miles de fábricas en el norte a partir de los años 1800?

Durante los años 1700, se produjo un gran cambio en Gran Bretaña. Hoy en día este cambio se conoce como la **Revolución industrial**. El cambio empezó cuando la gente comenzó a utilizar la fuerza del agua para mover las máquinas. Más tarde, la gente inventó otras máquinas impulsadas a vapor.

Las nuevas máquinas podían producir bienes mucho más rápido que la gente. Al principio, Gran Bretaña era el único país que tenía las nuevas máquinas. Eso la colocó en una posición de poder. El algodón que se cosechaba en Estados Unidos era embarcado a Gran Bretaña para ser convertido en tela para ropa. La tela era luego embarcada de vuelta y vendida en Estados Unidos. Esto generaba grandes utilidades a los dueños de las fábricas británicas. También hacía que la ropa fuera muy cara para los americanos.

Para proteger sus ganancias, los británicos no permitían que se sacaran las máquinas fuera del país. El gobierno ni siquiera permitía que los trabajadores de las fábricas salieran del país. Por ello, los americanos ricos ofrecían

Las condiciones de trabajo eran arduas en las nuevas hilanderías del noreste. En las primeras, las mujeres y los niños trabajaban desde antes del amanecer hasta bien entrada la noche.

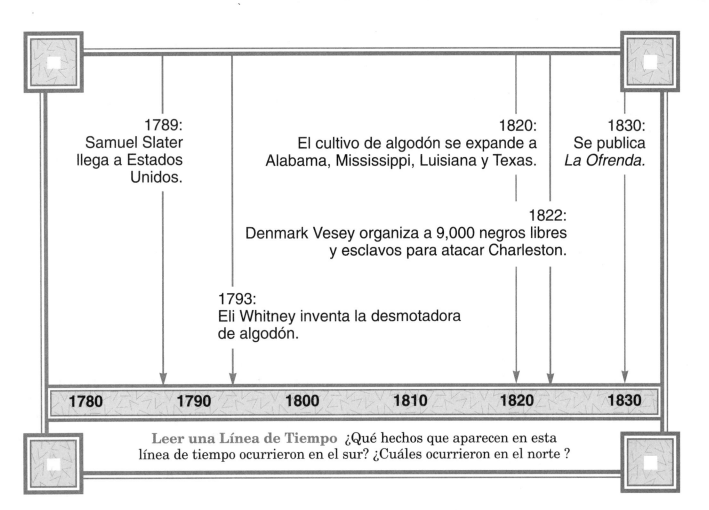

1789:
Samuel Slater llega a Estados Unidos.

1820:
El cultivo de algodón se expande a Alabama, Mississippi, Luisiana y Texas.

1830:
Se publica *La Ofrenda.*

1822:
Denmark Vesey organiza a 9,000 negros libres y esclavos para atacar Charleston.

1793:
Eli Whitney inventa la desmotadora de algodón.

| 1780 | 1790 | 1800 | 1810 | 1820 | 1830 |

Leer una Línea de Tiempo ¿Qué hechos que aparecen en esta línea de tiempo ocurrieron en el sur? ¿Cuáles ocurrieron en el norte?

grandes recompensas a cualquiera que les trajera los planos de las máquinas.

La primera fábrica en EE.UU. Samuel Slater era un joven obrero de fábrica que decidió arriesgarse. Slater sabía que los británicos lo encarcelarían si le encontraban planos de las máquinas. Por ello, Slater se pasó años memorizando cada parte de todas las máquinas que había en la fábrica.

En Nueva York, Slater escribió a Moses Brown, un rico comerciante de Providence, Rhode Island. Slater le dijo: "Si no le fabrico un hilado tan bueno como el que hacen en Inglaterra, no le cobraré nada por mis servicios". Brown no podía rehusar la oferta.

Slater construyó de memoria un molino de algodón completo en Rhode Island. Más tarde, su esposa Hannah desarrolló una manera de hacer un hilo más fuerte, de tal forma que no se corriera. Los Slater hicieron tanto dinero que otros americanos empezaron a construir sus propias **hilanderías** en el norte. Una hilandería es un lugar donde se fabrica tela.

Los obreros de las fábricas El trabajo en las fábricas era duro. Los obreros trabajaban 14 horas diarias, seis días a la semana. La mayoría de los obreros ganaba menos de dos dólares a la semana. El manejo de las máquinas era peligroso. La gente que se lastimaba simplemente perdía su trabajo. No recibía compensación en dinero de los dueños de las fábricas.

Las fábricas no eran un lugar agradable para trabajar. Hacía un calor insoportable en verano. En invierno eran frías, y el aire era denso por el humo de las lámparas. Durante todo el año, las fábricas eran terriblemente ruidosas. Con el tiempo, los obreros se vieron obligados a operar tres y hasta cuatro máquinas al mismo tiempo. Se les daba poco tiempo para comer.

Las "muchachas Lowell" Las mujeres jóvenes y los niños realizaban la mayor parte del trabajo en las fábricas. Se los contrataba porque trabajaban por menos dinero. A menudo recibían menos de la mitad de lo que ganaba un hombre por hacer el mismo trabajo.

Un rico fabricante llamado Francis Cabot Lowell quería contratar mujeres para que fueran obreras. Lowell construyó **pensiones** para las obreras. De esa forma, los padres sabían que sus hijas tenían un lugar seguro en donde vivir.

El día en una fábrica Lowell comenzaba temprano y terminaba tarde. La campana de la fábrica sonaba a las 4:00 A.M. para llamar al trabajo a las jóvenes mujeres. Los telares estaban listos a las 5:00 A.M. A las 7:30 A.M., se permitía desayunar a los obreros. A mediodía, había un receso de 30 minutos para el almuerzo. Finalmente, a las 7:30 P.M., una campana permitía a las jóvenes mujeres irse a casa.

En su tiempo libre, las mujeres podían ir a conferencias o a la escuela. Escribían poesía y hasta publicaban sus propia revista, llamada la *Ofrenda*. Los primeros trabajos en las fábricas dieron a las mujeres una libertad que no habían tenido antes.

1. ¿Cómo se pudieron construir en Estados Unidos las primeras fábricas?
2. ¿Quiénes fueron las "muchachas Lowell"?

2 El Sur Se Convierte en una Sociedad Esclavizada.

¿Por qué aumentó la demanda de esclavos la cosecha del algodón?

Dos mundos distintos se estaban desarrollando en Estados Unidos al principio de los años 1800. El norte tenía grandes ciudades. Tenía muchas fábricas y granjas. Una forma de vida diferente surgió en el sur. Era un mundo dominado por la esclavitud. La mayoría de los blancos en el sur no poseían esclavos. Aún así, la esclavitud afectó a toda la gente que vivía allí.

Una máquina nueva jugó un papel clave en hacer que la esclavitud fuera importante. La persona que desarrolló esta máquina fue un joven maestro llamado Eli Whitney. Antes de que el algodón pueda ser convertido en hilo, se le deben quitar las pepitas, o semillas. Las pepitas eran duras y pegajosas. Puesto que era difícil quitarlas, una persona sólo podía limpiar unas cuantas libras de algodón al día.

En 1793, Whitney produjo una máquina simple para quitar las pepitas. Llamó a su invento una **"desmotadora"** (cotton engine) o "cotton gin" en forma

Al quitar las semillas o pepitas mucho más rápido que a mano, la despepitadora de algodón (cotton gin) hizo que el cultivo de algodón fuera más rentable. ¿Cómo afectó esto a la esclavitud?

abreviada. Esta máquina también se conoce con el nombre de "despepitadora de algodón". Con la nueva despepitadora, una persona podía retirar las pepitas de cerca de 1,000 libras de algodón en un solo día.

La máquina de Whitney cambió la agricultura en el sur. Cosechar algodón se volvió tan rentable que la mayoría de los granjeros del sur dejaron de sembrar tabaco y comenzaron a plantar algodón. En un plazo de ocho años, la producción de algodón se incrementó más de 250 veces.

Crecimiento de la esclavitud
Para lograr grandes cosechas, los dueños de las plantaciones sembraron más algodón. Muy pronto los blancos sureños decían: "El algodón es rey".

Se necesitaba gran número de trabajadores para cosechar tanto algodón. Los granjeros blancos sureños utilizaban americanos africanos esclavizados. La esclavitud había formado parte de la vida en el sur desde hacía mucho tiempo. Con la nueva importancia que adquirió el algodón, se necesitaban muchos más esclavos. A los dueños de las plantaciones no les importaba si destruían familias. Querían más trabajadores para sus plantaciones de algodón.

¿A dónde iba a parar todo este algodón? La mayor parte del algodón iba a las hilanderías en el norte. Allí, se lo convertía en hilo y luego en tela. Los molinos norteños no habrían podido producir tanta tela sin el algodón sureño cosechado por americanos

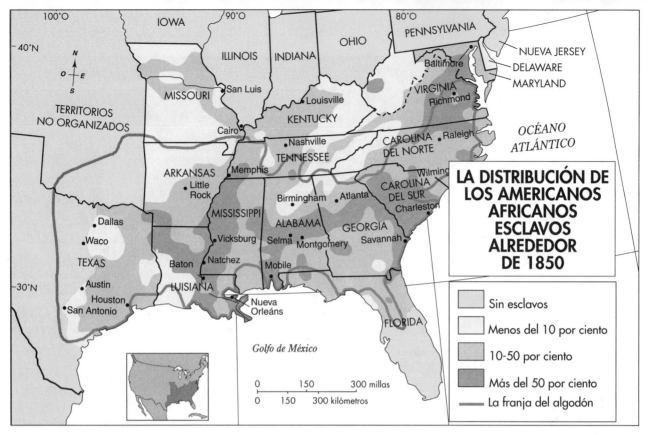

LA DISTRIBUCIÓN DE LOS AMERICANOS AFRICANOS ESCLAVOS ALREDEDOR DE 1850

Sin esclavos
Menos del 10 por ciento
10-50 por ciento
Más del 50 por ciento
La franja del algodón

Leer un Mapa ¿Qué estado tenía el mayor porcentaje de esclavos en su población: Carolina del Norte o Carolina del Sur?

africanos esclavizados. Por lo tanto, los dueños de las fábricas norteñas también se enriquecieron gracias a que había americanos africanos esclavizados.

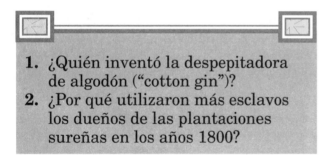

1. ¿Quién inventó la despepitadora de algodón ("cotton gin")?
2. ¿Por qué utilizaron más esclavos los dueños de las plantaciones sureñas en los años 1800?

3 Los Americanos Africanos Esclavizados Luchan por su Libertad.

Cómo eran las condiciones de vida para los americanos africanos esclavizados?

Solomon Northup era un americano africano libre que fue raptado y vendido como esclavo. Fue obligado a trabajar en los campos de algodón por más de 12 años. Después de obtener su libertad en1853, Northup escribió acerca de los años que había pasado como esclavo.

"A los trabajadores se los obliga a estar en los campos de algodón con la primera luz de la mañana. Sólo se les dan 10 ó 15 minutos al mediodía para comer un poco de tocino frío. Cuando hay luna llena, con frecuencia trabajan hasta bien entrada la noche."

Los americanos africanos esclavizados eran controlados por un **capataz**, persona que supervisaba y dirigía el trabajo de los esclavos. Si el capataz creía que los esclavos no trabajar lo suficiente podía azotarlos.

Cada noche, los agotados esclavos regresaban a casa para realizar todavía más tareas. Acarreaban agua, cortaban madera, y cuidaban sus pequeños jardines. Después de la cena se iban a acostar. Una hora antes del amanecer, un toque de corneta los levantaba para comenzar otro día de trabajo.

Aprendiendo a sobrevivir   Nada podía hacer que los americanos africanos olvidaran las penas de la esclavitud. Sin embargo, los esclavos americanos africanos desarrollaron su propia cultura que los ayudó a sobrevivir.

La familia era la mejor defensa contra las crueldades de la esclavitud. Los esclavos sabían que en cualquier momento su madre, hermana, hijo o padre podían ser vendidos a un propietario de esclavos de un lugar remoto. Y que tal vez nunca volverían a ver a ese ser amado. Los propietaros de esclavos llegaban hasta vender a los padres, separándolos de sus hijos. Para sobrellevar este horror, todos participaban en el cuidado de los niños. Todos los esclavos actuaban como madres o padres de los más jóvenes.

Los americanos africanos también tenían firmes creencias religiosas. Mantenían reuniones secretas para practicar su fe. Desarrollaron canciones religiosas conocidas como espirituales. Estos espirituales expresaban su odio a la esclavitud. Las canciones proclamaban que todas las personas son iguales a los ojos de Dios.

La lucha contra la esclavitud
Desde los tiempos de la colonia, los americanos africanos se rebelaron contra la esclavitud. Hubo un levantamiento en la ciudad de Nueva York en 1712. En Nueva York hubo otro levantamiento en 1741. En ambos casos, las autoridades ejecutaron a los rebeldes.

La conspiración de Vesey   Con el aumento de las plantaciones de algodón en el sur, las condiciones de vida de los esclavos empeoraron. Esto causó

Un mercado de esclavos en los años 1850. Los americanos africanos esclavizados temblaban ante la idea de que un miembro de su familia pudiera ser llevado y vendido, y que nunca más volviese a ver a los suyos.

muchos otros levantamientos en el sur. Uno de los más importantes fue encabezado por un ex esclavo llamado Denmark Vesey, en 1822.

Vesey continuó odiando la esclavitud. Se propuso apoderarse de Charleston. Mantuvo reuniones en su casa para desarrollar un plan para el levantamiento.

Vesey pensaba que había mantenido la conspiración en secreto. Sin embargo, a último momento, uno de sus compañeros reveló los planes. Las autoridades arrestaron a Vesey y a otros 130 americanos africanos. Vesey y otros 45 fueron ejecutados. El resto fueron encarcelados o enviados como esclavos a las islas del Caribe.

Otros levantamientos como el de Vesey también fracasaron. Aún así, los levantamientos continuaron hasta la guerra civil. Estos levantamientos demostraban cuánto odiaban los americanos africanos la esclavitud. La voluntad de ser libres era un vívido deseo de todos los americanos africanos.

1. ¿Cuál era una de las tácticas que los americanos africanos esclavizados utilizaban para ayudarse a sobrevivir la esclavitud?
2. ¿Quién fue Denmark Vesey?

CAPÍTULO 19
IDEAS CLAVE

- En Estados Unidos, las fábricas aumentaron como resultado de la Revolución industrial.
- Los obreros de las fábricas trabajaban muchas horas en pésimas condiciones.
- La invención de la "despepitadora de algodón" hizo posible un enorme incremento en la producción de algodón en el sur.
- Con el algodón como "rey" en el sur, el número de esclavos americanos africanos aumentó notablemente.
- A pesar de su dura vida, los esclavos americanos africanos se las arreglaron para desarrollar su propia cultura.
- Los americanos africanos, tanto esclavos como libres, lucharon activamente contra la esclavitud.

I. Repasar el Vocabulario

Une cada palabra de la izquierda con la definición correcta.

1. Revolución industrial
2. espirituales
3. capataz
4. hilandería

   a. fábrica donde se produce tela

   b. canciones religiosas desarrolladas por americanos africanos esclavizados

   c. época en que muchos productos comenzaron a ser elaborados por máquinas en las fábricas

   d. persona que supervisa y dirige el trabajo de los esclavos

II. Entender el Capítulo

1. ¿Cómo pudo Samuel Slater construir la primera fábrica en Estados Unidos?
2. ¿Cómo cambió el invento de Eli Whitney la agricultura en el sur?
3. ¿Qué relación tenían las hilanderías del norte con las plantaciones del sur?
4. ¿Cuáles eran algunas de las cosas que hacían los americanos africanos esclavizados para olvidar la crueldad de su vida diaria?

III. Desarrollo de Habilidades: Leer un Mapa

Estudia el mapa de la página 164. Luego responde las siguientes preguntas:

1. ¿Cuáles eran los estados que formaban parte del cordón de productores de algodón?
2. ¿Cuáles estados tenían el porcentaje más alto de esclavos africanos americanos?
3. ¿Qué es lo que esto indica sobre la relación entre la esclavitud y el algodón?

IV. Escribir Acerca de la Historia

1. **¿Qué hubieras hecho?** Si hubieras sido un persona joven que vivía en una granja de Nueva Inglaterra, ¿te habrías convertido en obrero de una fábrica? Explica tus razones.
2. Los americanos africanos esclavizados crearon canciones y espirituales que expresaban su ansia de libertad. Escribe la letra de una canción original que ex-prse un profundo deseo de libertad.

V. Trabajar Juntos

Del Pasado al Presente En los años 1800, muchos inventos cambiaron la forma en que vivía la gente en EE.UU. Con un grupo, analiza los inventos y los cambios que produjeron. Haz una lista de los inventos que han cambiado la vida de la gente hoy en día.

Los Americanos Avanzan Hacia el Oeste. (1820-1860)

¿Qué ocurrió mientras Estados Unidos avanzaban rumbo al oeste?

En 1838, los cherokees fueron forzados a trasladarse de sus hogares en el sudeste de EE.UU. Ellos truvieron que viajar hacia el oeste en la marcha conocida como el Camino de lágrimas.

Buscando los Términos clave

- Canal de Erie • el país de Oregón • ley de remoción de indios • territorio indio • Camino de lágrimas

Buscando las Palabras Clave

- **frontera:** límite de un país junto a tierras salvajes

- **canal:** vía de navegación excavada por personas para conectar dos cuerpos de agua

"¡Rumbo al oeste ho!". Con este grito, el jefe de la caravana animaba al flujo de las caravanas de carretas que partían hacia la **frontera**. Una frontera es el límite de un país junto a tierras salvajes. En los años 1800, las tierras al oeste del río Mississippi eran conocidas como la frontera.

Mucha de las personas en las caravanas de carretas esperaban poder construir sus casas y hacer fortuna en el oeste. Para ellos, el oeste parecía abierto y deshabitado. Pero había miles de americanos nativos y mexicanos viviendo en las tierras que muy pronto los nuevos pioneros reclamarían.

1 Viajar Se Vuelve más Fácil y Barato.

¿Cómo ayudaron las nuevas formas de viajar a la gente que se iba al oeste?

Los americanos habían estado avanzando hacia el oeste desde los tiempos coloniales. Los primeros colonos construyeron comunidades cerca de los ríos. Conforme más gente se iba al oeste, la tierra cerca de los ríos se sobrepobló. Los colonos comenzaron a alejarse cada vez más de los ríos. Lejos de los ríos, debían usar caminos de tierra. Pero estos caminos hacían que los viajes fueran lentos. Los colonos necesitaban una mejor forma de llegar a los ríos.

Leer un Mapa. ¿En cuál sección del país estaban localizados la mayoría de los principales ferrocarriles? ¿En qué dirección se orientaban la mayoría de las carreteras principales, de norte a sur, o de este a oeste? ¿Por qué era esto?

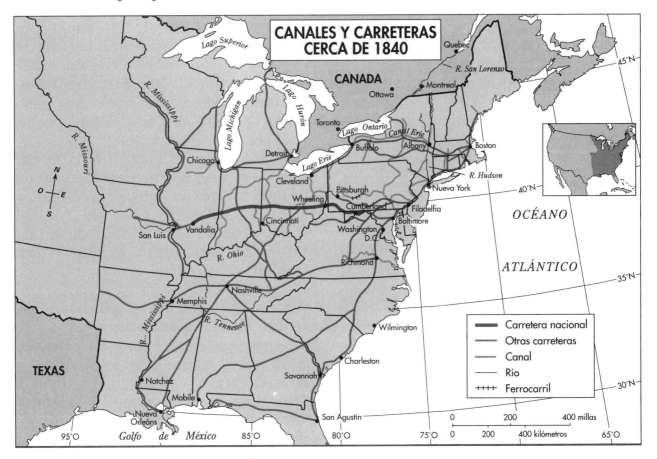

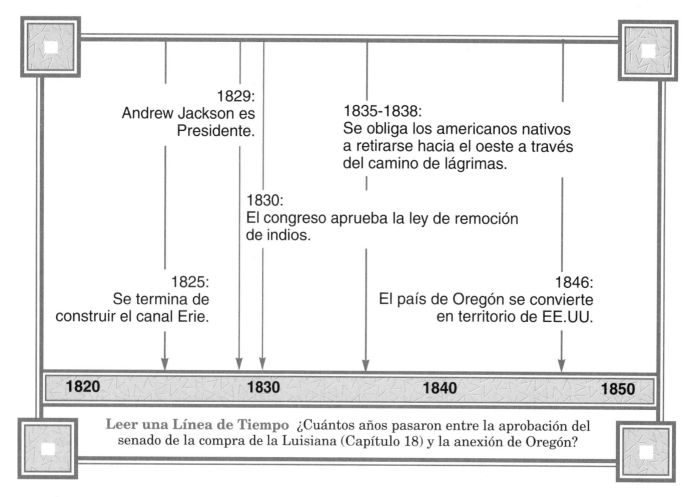

1829:
Andrew Jackson es Presidente.

1835-1838:
Se obliga los americanos nativos a retirarse hacia el oeste a través del camino de lágrimas.

1830:
El congreso aprueba la ley de remoción de indios.

1825:
Se termina de construir el canal Erie.

1846:
El país de Oregón se convierte en territorio de EE.UU.

1820   1830   1840   1850

Leer una Línea de Tiempo ¿Cuántos años pasaron entre la aprobación del senado de la compra de la Luisiana (Capítulo 18) y la anexión de Oregón?

Para resolver sus problemas, los colonos comenzaron a construir **canales**. Los canales son vías de navegación excavadas por personas. La construcción de los canales no fue fácil. Pero una vez que los canales fueron construidos, demostraron ser una de las mejores maneras de transportar bienes y personas.

El canal Erie   Durante muchos años, los neoyorquinos habían soñado con un canal que conectara el río Hudson con el lago Erie. Sus sueños se cumplieron con la construcción del canal Erie.

El canal Erie fue una maravilla de la ingeniería. Los trabajadores comenzaron a cavar el canal en 1817. Utilizando solamente picos y palas, cavaron 363 millas (584 kilómetros) desde Albany, Nueva York, en el río Hudson hasta Búfalo, Nueva York, en el lago Erie. (ver mapa en la página 171.)

Ventajas del canal   El canal hizo posible que se embarcaran bienes entre la ciudad de Nueva York y la región de los grandes lagos. Las barcazas llevaban hacia el oeste cosas tales como muebles y ropa. Traían hacia el este granos y madera.

Los pueblos y ciudades a lo largo del canal crecieron con rapidez. Florecieron ciudades nuevas como Syracuse y Rochester. Búfalo pasó de ser un pequeño poblado a sobresalir como una gran ciudad. La ciudad de Nueva York se convirtió en la ciudad más grande de Estados Unidos.

Para 1840 existían ya muchos otros canales. La gente de Pennsylvania y de Ohio construyó sus propios grandes canales. Los canales conectaban a los grandes lagos con los ríos Ohio y Mississippi. Pueblos como Cleveland y Cincinnati se convirtieron en importantes ciudades. Los canales ayudaron a que más gente se fuera al oeste y permitieron que los productos del oeste llegaran al este.

Avanzando más hacia el oeste.
Caminos y carreteras como el camino de Oregón y el camino de Santa Fe se convirtieron en importantes rutas hacia el lejano oeste. El viaje desde Independence, Missouri, hasta la costa oeste podía durar hasta más seis meses. Los colonos viajaban en carretas cubiertas. Las carretas eran organizadas en caravanas para mayor seguridad. Algunas veces, hasta 120 carretas formaban parte de una caravana.

Muchos colonos se fueron al **país de Oregón**. Oregón estaba ocupado por Gran Bretaña y por EE.UU. En 1846, se dividieron Oregón. Los colonos también

fueron a tierras que eran parte de México. Estas tierras incluían California, Nuevo México y Texas.

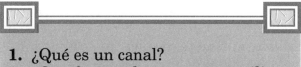

1. ¿Qué es un canal?
2. ¿Qué formas de transporte utilizaban las personas para viajar al oeste?

2 Los Colonos Comienzan una Nueva Vida en el Oeste

¿En qué era diferente la vida en el oeste de la vida en el este?

Una vez que los colonos llegaban al oeste, empezaban una nueva vida. Las

Leer un Mapa. ¿Dónde comenzaba el camino mormón? ¿Dónde terminaba el camino de oregón? Si hubieras viajado de San Luis a Los Angeles durante este tiempo, ¿qué caminos hubieras tomado y por qué pueblos hubieras pasado?

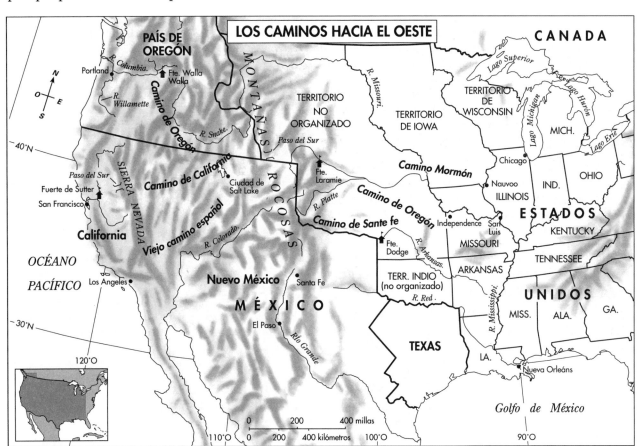

LOS CAMINOS HACIA EL OESTE

primeras cosas que necesitaban eran comida y refugio.

La vida en la frontera   El vivir en la frontera era duro y peligroso. Primero, debía despejarse la tierra de árboles, arbustos y piedras grandes. Los colonos usaban los árboles que cortaban para construir sus primeras casas. Estas casas eran a menudo simples refugios.

La primera casa verdadera de una familia fronteriza era usualmente una cabaña de troncos. No era más que una caja hecha de troncos y de barro. Los vecinos venían desde varias millas para ayudar a los nuevos colonos a construir sus casas.

Después de que los árboles habían sido cortados, crecia el pasto. El ganado y otros animales de granja podían entonces alimentarse del pasto. El resto de la tierra se usaba para cosechar.

Por lo general los miembros de la familia realizaban todo el trabajo de la granja. Criaban animales, cazaban para tener qué comer, desmontaban más tierra y sembraban. Hacían sus propios muebles, ropas y herramientas.

A medida que más gente fue al oeste, los pueblos empezaron a crecer. Algunos pueblos florecieron donde se juntaban dos ríos. Otros aparecieron a lo largo de caminos importantes. A medida que los pueblos crecían, se construían escuelas, iglesias y tiendas. Aun con todo lo que proveía un pueblo, la vida en la frontera seguía siendo difícil.

La democracia en el oeste   La gente que se había ido al oeste venía de todas partes de Estados Unidos y del mundo. Algunas era gente pobre del sur. Otras eran personas que habían vivido en el este y ya no querían vivir en las ciudades en crecimiento. Algunos eran granjeros del norte que deseaban mejores tierras para sembrar. También había inmigrantes de otros países que esperaban conseguir tierras propias.

Todos los colonos compartían las mismas dificultades y temores. Debido a esto, los colonos a menudo se consideraban iguales entre ellos. La forma en que se gobernaban reflejaba su creencia en la igualdad de todos.

Los colonos establecieron gobiernos basados en los del este. Sin embargo, en ellos podía participar más gente. Los problemas de la comunidad se discutían en reuniones en los pueblos, donde todos los hombres blancos mayores de 21 años tenían voto. En el este, sólo podían votar los hombres blancos que tenían propiedades. Pero las mujeres, los americanos africanos, los americanos nativos, los latinos, y los asiáticos no podían votar ni en el este ni en el oeste.

Cuando los obreros blancos que trabajaban en las fábricas y otras personas que vivían en el este se enteraron de las reglas de voto en el oeste, también quisieron votar. Muchos de los estados del este cambiaron sus leyes y permitieron el voto a todos los hombres blancos. Esto hizo que Estados Unidos se volviera aun más democrático.

1. ¿Qué tipo de casa construía usualmente primero un colono?
2. ¿En qué eran diferentes las reglas de voto en el oeste y en el este? ¿En qué eran similares?

3 Los Americanos Nativos Son Desplazados.
¿Cómo afectaron a los americanos nativos los asentamientos en las tierras del oeste?

Como aprendiste en el capítulo 18, Estados Unidos entró en guerra con

Gran Bretaña en 1812. Al principio de la guerra, el gobierno pidió a los cherokees que combatieran a los británicos. Muchos cherokees tenían la esperanza de que el gobierno de EE.UU. dejara de ocupar sus tierras si peleaban al lado de los americanos. Por lo tanto, se unieron a Estados Unidos en la guerra de 1812.

Cientos de cherokees combatieron bajo las órdenes del general Andrew Jackson. Durante una batalla, un cherokee llamado Junaluska le salvó la vida a Jackson. A pesar de este valiente acto, después de terminada la guerra, Jackson se puso en contra de sus aliados americanos nativos.

Andrew Jackson se convirtió en presidente de Estados Unidos en 1829. En ese tiempo, muchos americanos nativos del este se habían ido al oeste. Habían sido obligados a abandonar sus tierras en el este por los colonos. Sólo alrededor de 125,000 americanos nativos vivían aún al este del río Mississippi. La mayoría vivía en los estados del sudeste. Muchos de estos americanos nativos aceptaron las costumbres de los colonos blancos. Tenían la esperanza de vivir en paz con los americanos blancos. De estos grupos, los cherokees eran uno de los más importantes.

La nación cherokee Los cherokees tenían una constitución escrita. Declaraba a los cherokees como una nación independiente dentro de Georgia. La constitución establecía un gobierno cherokee separado.

Leer un Mapa. ¿Cuáles grupos de americanos nativos mostrados en este mapa fueron expulsados de sus tierras natales? Utilizando la escala de distancia, ¿aproximadamente cuántas millas fue forzado a viajar el pueblo seminole? ¿En qué dirección fue?

LOS NATIVOS AMERICANOS SON OBLIGADOS A RETIRARSE AL TERRITORIO INDIO, 1820-1840

Tierras de los americanos nativos

Rutas de migración de los americanos nativo

La constitución cherokee estaba escrita en su idioma. El sistema de escritura cherokee fue desarrollado por un artesano platero llamado Sequoyah.

Sequoyah tardó 12 años en desarrollar el alfabeto cherokee. No hablaba inglés y sabía escribir muy poco. Aún así, se dio cuenta de que el lenguaje escrito sería una gran herramienta para los cherokees. Utilizando el alfabeto de Sequoyah, los líderes cherokees crearon escuelas donde los jóvenes aprendían a leer y a escribir. Los cherokees escribieron acerca de su historia, sus creencias y tratados. Imprimieron libros y publicaron un periódico.

Los cherokees y otros americanos nativos querían vivir en paz con sus vecinos blancos. Desafortunadamente, la tierra de los cherokees era buena para sembrar algodón, y por ello los colonos querían tenerlas. Luego, se descubrió oro en las tierras cherokees. Los colonos desearon aún más esas tierras.

El presidente Jackson apoyaba a los colonos. Presionó al congreso para que separara tierras en el oeste para los americanos nativos. En 1830, el congreso aprobó una ley que hizo lo que Jackson deseaba. **La ley de remoción de indios** establecía que los americanos nativos debían ir a vivir al oeste del río Mississippi en una tierra llamada **territorio indio**. Pero los cherokees no querían dejar sus tierras. Los Cherokees apelaron a la Corte Suprema. En 1836, la corte dictaminó en favor de los cherokees. Sin embargo, la victoria de la Corte no ayudó a los cherokees y el presidente Jackson dijo que sacaría a los americanos nativos sin importar lo que hubiese dictaminado la corte suprema.

El Camino de Lágrimas   Los cherokees y otros americanos nativos fueron forzados a irse. Los soldados de EE.UU. sacaron a punta de pistola a hombres, mujeres y niños de sus casas. Los americanos nativos fueron puestos en campamentos de prisión. En el otoño de 1838, los líderes americanos nativos empezaron a guiar a sus pueblos hacia el territorio indio. Cerca de una cuarta parte de los americanos nativos murieron en el viaje. Los cherokees llamaron a esa trágica marcha el **Camino de Lágrimas**.

1. ¿Quién desarrolló el alfabeto cherokee?
2. ¿A qué se llamó el Camino de Lágrimas?

CAPÍTULO 20
IDEAS CLAVE

- Los canales y los buenos caminos mejoraron el transporte. Estas mejoras permitieron que más y más colonos avanzaran hacia el oeste.

- En el oeste, los colonos compartían una vida dura y peligrosa. Esto ayudó a crear derechos de voto más democráticos que los del este.

- Para hacer espacio a los colonos, muchos americanos nativos, como los cherokees, fueron forzados a salir de su tierra natal y a reacomodarse en otras partes.

REPASO DEL CAPÍTULO 20

I. Repasar el Vocabulario

Une cada palabra de la izquierda con la definición correcta de la derecha.

1. frontera
2. canal
3. País de Oregón
4. Territorio indio
5. Camino de Lágrimas

a. tierra que pasó a formar parte de Estados Unidos en 1846

b. tierra reservada para los americanos nativos al oeste del río Mississippi

c. el límite de un país junto a tierras salvajes

d. viaje forzado de los cherokees a las tierras ubicadas en el oeste

e. via de navegación construida por personas para conectar dos cuerpos de agua

II. Entender el Capítulo

1. ¿Cómo mejoraron los canales el transporte?
2. ¿Por qué era dura y peligrosa la vida para las familias en las fronteras del este?
3. ¿Por qué había más democracia en el oeste que en el este?
4. ¿Cuáles fueron dos formas en que su alfabeto ayudó a los cherokees?
5. ¿Por qué aprobó el Congreso de EE.UU. la ley de remoción de indios?

III. Desarrollo de Habilidades: Resumen.

1. Haz una lista con dos o tres de las ideas más importantes de la sección 1, Viajar Se Vuelve más Fácil y Barato.
2. Usa tu lista para escribir un párrafo corto, en el que resumas la sección.

IV. Escribir Acerca de la Historia

1. **¿Qué hubieras hecho?** Si hubieses estado viviendo en una de las ciudades sobrepobladas del este durante los años 1840. ¿Te habrías ido a la frontera del oeste? Explica.
2. Imagínate que eres el abogado que defiende al pueblo cherokee en la Corte Suprema. Escribe un discurso corto que vas a decir ante los jueces para convencerlos de que los cherokees no deben ser sacados de sus tierras.

V. Trabajar Juntos

Elige a dos o tres compañeros de clase para trabajar con ellos. Imagina que tú y tus amigos deciden irse al oeste para comenzar una nueva vida. En grupo, preparen sus planes de viaje. Cuando terminen, presenten sus planes a toda la clase y pregunten qué comentarios tienen.

CHOQUE DE CULTURAS EN EL SUDOESTE. (1821-1850)

¿Cómo cambió la vida en las tierras fronterizas mexicanas cuando EE.UU. se hizo cargo de ellas?

Esta ilustración antigua muestra a San Antonio, Texas, pocos días después de que Texas se uniera a EE.UU. en 1845.

Buscando los Términos Clave

- cesión mexicana • fiebre del oro • impuesto a los mineros extranjeros de 1850 • ley de tierras de 1851

Buscando las Palabras Clave

- **tejanos:** residentes de habla hispana de Texas
- **anexar:** agregar un territorio a una nación
- **cadete:** soldado en entrenamiento
- **californianos:** residentes de habla hispana de California
- **prejuicio:** rechazo a las personas que son diferentes
- **discriminación:** dar a otras personas un trato diferente debido a sus antecedentes culturales o religiosos, o porque son hombres o mujeres
- **irrigación:** sistema para llevar agua hasta los sembrados a través de pequeños canales.

SUGERENCIA DE

Haz una tabla para comparar la vida en California, Texas y Nuevo México antes y después de que EE.UU. se hiciera cargo. Revisa el capítulo para poder completar la tabla.

ESTUDIO

México obtuvo su independencia de España en 1821. Casi de inmediato la nueva nación comenzó a preocuparse acerca de Estados Unidos. La parte norte de México tenía muy pocos habitantes. La región llamada Texas no estaba bien defendida. Había colonos de Estados Unidos, ansiosos de tener más tierras, que querían establecerse allí.

1 Texas se Convierte en una República Independiente.

¿Por qué se separaron de México los colonos de EE.UU. que vivían en Texas?

Stephen Austin y el primer grupo de colonos de EE.UU. llegaron a Texas en 1821. Al principio, los residentes de habla hispana de Texas, o **tejanos**, dieron la bienvenida a los colonos. Austin y los colonos aceptaron seguir las normas establecidas por el gobierno de México. Los colonos de EE.UU. podían quedarse en Texas si adoptaban la nacionalidad mexicana. También tenían que convertirse al catolicismo. Además, debían obedecer las leyes mexicanas.

Muy pronto Austin trajo a cientos de familias de EE.UU. a Texas. Rápidamente los colonos de EE.UU. sobrepasaron en número a los tejanos.

Gradualmente, los sentimientos de los tejanos hacia los colonos de EE.UU. comenzaron a cambiar. Muchos colonos de EE.UU. se negaron a convertirse en ciudadanos mexicanos. Otros no respetaban las leyes mexicanas. Además, muchos de los colonos de EE.UU. se consideraban a sí mismos superiores a los tejanos.

El gobierno mexicano trató de frenar la inmigración desde Estados Unidos. Temían que los colonos de EE.UU. intentaran que Texas formara parte de Estados Unidos.

La rebelión de Texas   Obtener el control de Texas era una de las preocupaciones de México. Ese país también estaba tratando de formar un gobierno estable. Durante los años 1830, el general Antonio López de Santa Anna llegó al poder. Santa Anna se autodeclaró dictador de México en 1834. Muchos tejanos y colonos de EE.UU. se pusieron en su contra. Los colonos de EE.UU. se rebelaron. Algunos tejanos se les unieron.

En 1835, los rebeldes texanos rodearon a las tropas mexicanas en El Alamo. El Alamo era una misión abandonada en San Antonio. Los mexicanos contraatacaron, pero se rindieron después de 41 días. Sin embargo, ya iba en camino una gran fuerza mexicana comandada por Santa Anna.

En 1836, los soldados de Santa Anna rodearon a los texanos en El Alamo. Cientos de mexicanos perdieron la vida tratando de atacar la misión. Finalmente, se apoderaron de El Alamo.

La República de Texas   Mientras la batalla estaba en su apogeo, los rebeldes declararon su independencia de México. Crearon la República de Texas. Casi en seguida, una fuerza de rebeldes texanos sorprendió a las tropas de Santa Anna en el río San Jacinto. Santa Anna se vio obligado a firmar un tratado que otorgaba la independencia a Texas.

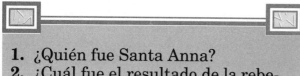

1. ¿Quién fue Santa Anna?
2. ¿Cuál fue el resultado de la rebelión texana?

2 Estados Unidos y México Van a la Guerra.

¿Qué acontecimientos provocaron la guerra entre México y Estados Unidos?

La independencia de Texas no trajo consigo una paz duradera. México y Texas comenzaron a discutir sobre los límites de la frontera sur de Texas. Texas reclamaba que su frontera era el río Grande. México argumentaba que la frontera era el río Nueces. Las tropas se enfrentaron varias veces en la frontera.

La anexión de Texas   La mayoría de los colonos de EE.UU. en Texas querían formar parte de Estados Unidos. Muchos en Estados Unidos también querían **anexar**, o agregarle, Texas a EE.UU. Muchos también deseaban ganar los territorios mexicanos de California y Nuevo México. Si Estados Unidos obtenía ese territorio, sus fronteras llegarían hasta el océano Pacífico. En 1845, el Congreso decidió finalmente anexar Texas. Los mexicanos se pusieron furiosos, pero no declararon la guerra.

El camino hacia la guerra   El presidente James Polk pensó que México querría vender California y Nuevo México. Ofreció a México $30 millones por los territorios. México no aceptó.

Leer un Mapa. ¿Quién ganó la batalla de Goliad? ¿En qué dirección se movieron las fuerzas mexicanas después de la batalla de El Alamo?

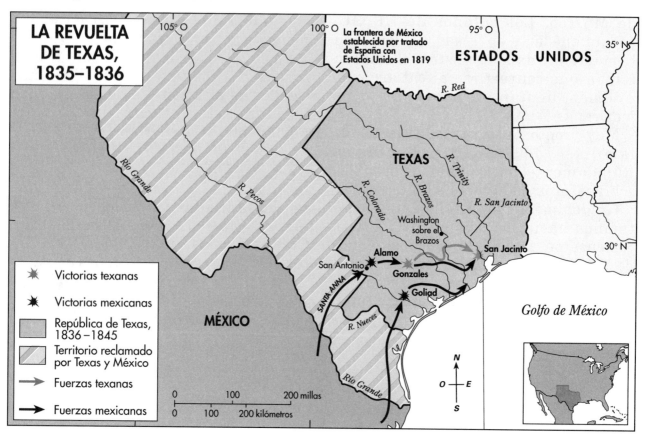

LA REVUELTA DE TEXAS, 1835–1836

La frontera de México establecida por tratado de España con Estados Unidos en 1819

ESTADOS UNIDOS

R. Red

TEXAS

R. Trinity

R. Colorado

R. Brazos

R. San Jacinto

Washington sobre el Brazos

Alamo

San Antonio

Gonzales

San Jacinto

Goliad

R. Pecos

Río Grande

R. Nueces

MÉXICO

SANTA ANNA

Golfo de México

Río Grande

* Victorias texanas
✹ Victorias mexicanas
República de Texas, 1836–1845
Territorio reclamado por Texas y México
→ Fuerzas texanas
→ Fuerzas mexicanas

0   100   200 millas
0   100   200 kilómetros

N O E S

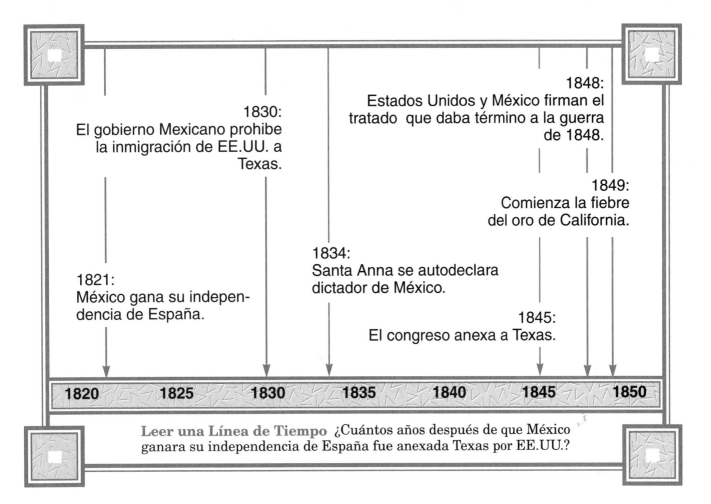

1830:
El gobierno Mexicano prohibe la inmigración de EE.UU. a Texas.

1848:
Estados Unidos y México firman el tratado que daba término a la guerra de 1848.

1849:
Comienza la fiebre del oro de California.

1834:
Santa Anna se autodeclara dictador de México.

1821:
México gana su independencia de España.

1845:
El congreso anexa a Texas.

| 1820 | 1825 | 1830 | 1835 | 1840 | 1845 | 1850 |

Leer una Línea de Tiempo ¿Cuántos años después de que México ganara su independencia de España fue anexada Texas por EE.UU.?

Estalla la guerra En 1846, Polk envió tropas al río Grande, el río que Estados Unidos reclamaba como frontera con Texas. Muy pronto las tropas de EE.UU. chocaron con los soldados mexicanos. Polk persuadió al Congreso de que declarara la guerra a México. Las dos naciones se prepararon para la lucha

Las fuerzas de EE.UU. atacaron México en tres frentes. Las tropas en el río Grande vencieron a un gran ejército mexicano. Otra fuerza de EE.UU. se apoderó de California en 1847. Una tercera fuerza desembarcó en la costa de México en Veracruz. Este grupo se apoderó del fuerte que había allí. Luego continuaron su marcha hacia la Ciudad de México. Las tropas de Santa Anna se apresuraron a defender la capital.

Las fuerzas de EE.UU. sobrepasaban en gran número a los defensores mexicanos. La lucha fue feroz. En poco tiempo, el único lugar que todavía mantenían los mexicanos era el castillo de Chapultepec. El edificio era defendido por **cadetes**, o soldados en entrenamiento. Algunos era tan jóvenes que sólo contaban 13 años de edad. Estos jóvenes valientes pelearon hasta morir. Chapultepec cayó en manos de las tropas de EE.UU. En 1847, fue conquistada la Ciudad de México.

Funcionarios del gobierno de México y de EE.UU. firmaron un tratado que daba término a la guerra de 1848. El tratado daba a EE.UU. casi la mitad del territorio mexicano. Estas tierras son llamadas la **cesión mexicana**.

GUERRA ENTRE ESTADOS UNIDOS Y MÉXICO, 1846-1848

40° N

Fuerte de Sutter
Sonoma
San Francisco
Monterey
Stockton
Los Angeles
Sloat
San Diego
San Pascual
Kearny
30° N

Frémont
R. Colorado
R. Gila
Fuerte de Bent
Santa Fé
Albuquerque

Fte. Leavenworth
Kearny

ESTADOS UNIDOS, 1845

R. Red
R. Mississippi

N
O   E
S

80° O

OCÉANO PACÍFICO

MÉXICO, 1845

Río Grande
R. Nueces
Laredo
Monterrey
Buena Vista
Taylor

San Antonio
Nueva Orleáns
Corpus Christi
Scott
Matamoros

Golfo de México

110° O

0   250   500 millas
0   250   500 kilómetros

Scott
Chapultepec
Ciudad de México
Veracruz

100° O

	Territorio reclamado por México y Estados Unidos
→	Movimiento de tropas de EE.UU.
✳	Batallas principales
⚑	Fuertes
—	Fronteras actuales

Leer un Mapa. México y EE.UU. se disputaron el territorio marcado con el cuadriculado. Nombra tres estados de hoy en día que estaban en el territorio por el que peleaban los dos países.

Las autoridades mexicanas insistieron en una condición antes de firmar el tratado. EE.UU. debía prometer que trataría con justicia a los mexicanos que vivían en las regiones que habían sido entregadas. Estados Unidos estuvo de acuerdo en que aquellos que permanecieran en EE.UU. tendrían todos los derechos de los ciudadanos de este país.

1. ¿Cuál fue la estrategia de EE.UU. para ganar la guerra?
2. ¿Qué prometió EE.UU. en el tratado que daba término a la guerra?

3 California se Convierte en Estado.

¿Cómo afectó a California el descubrimiento de oro?

Tan sólo nueve días después de la firma del tratado de paz, se descubrió oro en el norte de California. Las noticias del descubrimiento se esparcieron como un incendio. Muy pronto, personas de todo el mundo se apresuraron a ir a California.

Miles de personas viajaron desde todas partes del mundo por esta **fiebre del oro** en California. Pero la mayoría de los recién llegados era de la parte este de Estados Unidos. Se unieron a los **californianos**, o residentes de habla hispana de California.

Conflictos en los campos mineros
Había mucho racismo en los campos mineros. Una ley, el **impuesto a los mineros extranjeros de 1850**, aplicaba un pesado impuesto sobre cualquier

minero "extranjero". Los mineros debían pagar $16 al mes. Esa era una gran suma de dinero para la época. De acuerdo con la ley, entre los "extranjeros" se incluía a los californianos. Estas personas habían vivido toda su vida en California. Los californianos comenzaron a sentirse extranjeros en su propia tierra.

La promulgación de leyes no fue la única forma en que los mineros del este de EE.UU. trataron de limitar la competencia. Algunos formaron turbas y atacaron a los californianos y a los extranjeros. Los mineros chinos se convirtieron en el blanco principal. Pandillas de mineros de EE.UU. quemaron las chozas y el equipo de minería que era propiedad de los chinos. Algunos chinos fueron golpeados o baleados.

Aunque muchos mineros dejaron la minería, la violencia continuó. Esta vio-lencia se basaba en el **prejuicio**, o sea el rechazo a las personas que son diferentes. Las turbas destrozaron los negocios que eran propiedad de chinos. Fueron asesinados americanos nativos. Los californianos fueron expulsados de sus tierras.

A pesar de esas dificultades, la gente continuó viniendo a California. Muy pronto California tuvo suficiente población como para convertirse en estado. En 1850, el Congreso declaró a California el trigésimo primer estado.

1. ¿En qué consistía el impuesto a los mineros extranjeros de 1850?
2. Explica por qué era difícil la vida para los extranjeros en California.

Un minero de oro americano africano de pie junto a su reclamo en 1849. Algunos americanos africanos se convirtieron en mineros, pero otros se ganaban la vida como mercaderes.

ESTADOS UNIDOS GANA TIERRAS ESPAÑOLAS Y MEXICANAS

Leer un Mapa. ¿Qué territorios del mapa perdió México como resultado de la gue-rra entre México y Estados Unidos? ¿Qué tierras fueron adquiridas de México en la década de 1850?

4 Una Nueva Cultura Se Desarrolla en el Sudoeste

¿Como le fue a California bajo el dominio de EE.UU.?

El dominio de EE.UU. sobre Texas, California y Nuevo México ocasionó muchos cambios. Los colonos de EE.UU. estaban ansiosos de tener más tierras. A menudo ignoraban los derechos de las personas que ya vivían en esas regiones.

La pérdida de tierras Muchos californianos y otras personas de ascendencia mexicana perdieron sus tierras cuando Estados Unidos se apoderó de la región. La **ley de tierras de 1851**, permitía a los autoridades de EE.UU. hacer análisis de la propiedad de la tierra en California. Los dueños debían probar que eran propietarios de sus tierras.

Con frecuencia esto era difícil de probar. Algunos documentos se habían perdido. Otros reclamos eran antiguos y poco claros. A la larga, la mayoría de los propietarios probaron sus reclamos. Sin embargo, los costos legales a menudo los obligaban a vender sus tierras.

Leyes injustas La revisión de la propiedad de tierras no era el único problema que enfrentaron las personas de habla hispana. Se aprobaron leyes discriminatorias contra ellas. La **discriminación** es dar trato diferente a otras personas debido a sus antecedentes o religión, o porque son hombres o mujeres.

Una nueva cultura La población de origen mexicano continó desempeñando un papel importante en el sudoeste a pesar de la discriminación. A través del tiempo, se desarrolló una nueva cultura. Esta cultura mezclaba la cultura de EE.UU. con la de las personas de descendencia mexicana.

Muchas palabras españolas y americanas nativas se volvieron parte del idioma inglés. Dentro de estas palabras se incluyen *rodeo, bronco, lazo* (lasso), y *sombrero.*

También fue adoptada la agricultura al estilo mexicano. Las personas de origen mexicano enseñaron a sus nuevos vecinos cómo **irrigar** sus cultivos. Irrigar es llevar agua hasta los sembradíos a través de pequeños canales.

Los colonos tenían poca experiencia en manejar los derechos de agua en tierras secas. Por lo tanto, California siguió las prácticas españolas y mexicanas. California también aprobó una ley de propiedad basada en las tradiciones españolas. Otorgaba a las mujeres casadas mayores derechos sobre las propiedades que los que tenían las mujeres en otras partes de los EE.UU.

1. Menciona tres formas en que los mexicanos eran objeto de discriminación después de apoderarse EE.UU. de territorios mexicanos.
2. ¿Qué leyes españolas o mexicanas se convirtieron en nuevas leyes en el sudoeste de EE.UU.?

CAPÍTULO 21
IDEAS CLAVE

- Los colonos de EE.UU. que vinieron a Texas muy pronto se enfrentaron con el gobierno mexicano.
- Como resultado de la guerra con México, EE.UU. ganó los territorios mexicanos en el sudoeste.
- El descubrimiento de oro en California condujo a un gran aumento de la población. Personas de todo el mundo vinieron a California para enriquecerse.
- La nueva cultura en el sudoeste mezclaba las culturas de EE.UU. y de México.

REPASO DEL CAPÍTULO 21

I. Repasar el Vocabulario

Une cada palabra de la izquierda con la definición correcta de la derecha.

1. prejuicio
2. anexar
3. discriminación
4. irrigación

a. cuando la gente es tratada de manera diferente
b. agregar territorio a una nación
c. rechazo a las personas que son diferentes
d. sistema para llevar agua hasta los sembradíos

II. Entender el Capítulo

1. ¿Qué acontecimientos condujeron a la guerra entre México y Estados Unidos en 1846?
2. ¿Por qué creció tan rápido la población de California después de 1848?
3. ¿Cómo perdieron sus tierras muchos mexicanos después de que Estados Unidos se apoderó de territorios del sudoeste?
4. ¿Cuáles fueron tres formas en que la cultura mexicana influyó sobre la nueva cultura del sudoeste controlado por EE.UU.?

III. Desarrollo de Habilidades: Hacer una Línea de Tiempo

En una hoja de papel, haz una línea de tiempo. Divide tu línea de tiempo en períodos de cinco años: 1820, 1825, 1830, 1835, 1840, 1845 y 1850. Completa la tabla con las fechas y hechos que se detallan abajo.

1821: El gobierno de México otorga tierra en Texas a Stephen Austin.

1830: México prohíbe toda inmigración de EE.UU. hacia Texas.

1836: Los colonos de EE.UU. logran independizar a Texas de México.

1845: Estados Unidos se anexa Texas.

1846: Estados Unidos declara la guerra a México.

1848: Termina la guerra entre México y Estados Unidos. Se descubre oro en California.

1850: California se convierte en estado.

IV. Escribir Acerca de la Historia

1. **¿Qué hubieras hecho?** Imagina que eres un tejano que está enojado con el gobierno mexicano. ¿Decidirías unirte a colonos de EE.UU. en su lucha de independencia? ¿Por qué sí o por qué no?
2. Imagínate que eres el jefe de una familia de propietarios de tierras en California en los años 1850. Tu hacienda está siendo invadida por colonos. Escribe varias notas en un diario describiendo qué está pasando y tus sentimientos respecto a esos acontecimientos.

V. Trabajar Juntos

Del Pasado al Presente Con un grupo, analiza cómo la tradición mexicana ha influido en la forma en que los americanos viven hoy en día. Haz una lista que muestre evidencias de la influencia de la cultura mexicana.

Unidad 5
Una Nación Dividida; Una Nación Unida (1840s-1876)

Capítulos

LOS INMIGRANTES LLEGAN DE A MILES A ESTADOS UNIDOS. (1840-1860)

¿Cómo fueron aceptados los nuevos inmigrantes de Europa y Asia en Estados Unidos?

Inmigrantes irlandeses retiran dinero de un banco en Nueva York. El dinero se mandaba a los familiares en Irlanda que sufrían la hambruna.

Buscando los Términos Clave

- Gran hambruna • *fong* • nativos• partido Sabe Nada

Buscando las Palabras Clave

- **barrio bajo:** una zona pobre de la ciudad
- **inmigrante:** alguien que deja su tierra natal para radicarse en otro país
- **buhonero:** vendedor ambulante

SUGERENCIA DE

Crea una tabla con tres columnas rotuladas con los nombres Irlanda, Alemania y China. En cada columna escribe lo que has aprendido acerca de los inmigrantes de estos países.

ESTUDIO

En un día cálido de julio de 1845, un granjero Irlandés estaba viendo su cosecha de patatas. Observó extrañas manchas negras sobre sus plantas. En escasos días, las hojas de las plantas se volvieron negras y se cayeron. En semanas, las patatas estaban pudriéndose en la tierra. Este fue el comienzo de la **gran hambruna**. Durante la gran hambruna, más de 750,000 irlandeses murieron de hambre y enfermedades.

1 Irlandeses y Alemanes Encuentran una Nueva Patria en Estados Unidos.

¿Por qué salieron de sus tierras natales irlandeses y alemanes a mediados de los años 1800?

El sufrimiento durante la gran hambruna fue fuera de serie. Cuando se perdio la cosecha de patatas, la mayoría de la población no tenía qué comer. Millones de personas sufrieron hambre o enfermedades. Moría tanta gente que se metían los cadáveres en ataúdes para el funeral, y después se los sacaba para volver a usar el féretro.

El éxodo de Irlanda Para muchos irlandeses, la única esperanza de supervivencia consistía en salir de Irlanda. Vendieron todo lo que tenían para comprar un pasaje a Estados Unidos. Entre 1845 y 1860, más de 1.5 millón de irlandeses vinieron a Estados Unidos.

Los irlandeses en Estados Unidos Los irlandeses habían sido granjeros en Irlanda. Pero muchos de ellos no tenían dinero para comprar tierra en Estados Unidos. Por ello, muchos se radicaron en las ciudades donde desembarcaron. Miles de familias irlandesas se mudaron a Boston, Nueva York, Filadelfia y Baltimore. Aquí, las viviendas de los irlandeses se establecieron en los **barrios bajos**, o sectores pobres de la ciudad.

Los empleos que encontraron los recién llegados pagaban poco y eran peligrosos. Los hombres irlandeses trabajaban en los muelles y en las fábricas. Construyeron canales y carreteras. También construyeron miles de kilómetros de líneas de ferrocarril. Los trabajadores irlandeses eran renombrados por su valentía y capacidad de trabajo.

Las mujeres irlandesas también encontraron trabajo. Muchas se emplearon como sirvientas en casas de clase media. Estas mujeres muchas veces trabajaban siete días a la semana. Su jornada regularmente comenzaba a las 6:00 A.M. y terminaba a las 11:00 P.M. Aun así, trabajar en casas de familia era mejor pagado que trabajar en las hilanderías. Las condiciones de trabajo en esas fábricas eran peligrosas. Las horas eran largas y el trabajo cansador.

Aunque el trabajo era duro, los **inmigrantes** estaban contentos de tener empleos. Un inmigrante es alguien que deja a su tierra natal para radicarse en otro país. Estos empleos proveían a las jóvenes irlandeses de dinero para vivienda, comida y ropa.

Parten otros europeos Los irlandeses no fueron los únicos recién llegados a Estados Unidos. Entre 1820 y 1860, ocho millones de inmigrantes vinieron a Estados Unidos desde Europa. Además de Irlanda, llegó gente de otros países como Inglaterra, Suecia y Alemania.

En 1848, estallaron revoluciones en muchas partes de Alemania. Luego de que fracasaron, miles de personas tuvieron que huir para salvar sus vidas. Casi un

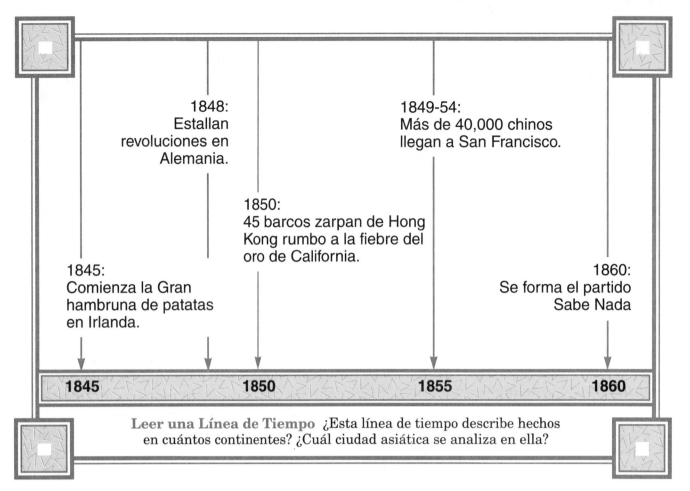

1848:
Estallan revoluciones en Alemania.

1849-54:
Más de 40,000 chinos llegan a San Francisco.

1850:
45 barcos zarpan de Hong Kong rumbo a la fiebre del oro de California.

1845:
Comienza la Gran hambruna de patatas en Irlanda.

1860:
Se forma el partido Sabe Nada

| 1845 | 1850 | 1855 | 1860 |

Leer una Línea de Tiempo ¿Esta línea de tiempo describe hechos en cuántos continentes? ¿Cuál ciudad asiática se analiza en ella?

millón de alemanes llegaron a Estados Unidos entre 1848 y 1860. Otros alemanes llegaron para hacerse de una vida mejor. Aquellos con dinero generalmente compraron fincas en el medio oeste. Otros se asentaron en las ciudades del medio oeste. Para los años 1850, un gran número de alemanes vivía en San Luis, Cincinnati y Milwaukee.

Los inmigrantes de Europa dieron mucho a Estados Unidos. Los alemanes trajeron consigo nueva música, árboles de Navidad y jardines de infantes a Estados Unidos. Los suecos enseñaron a los americanos cómo construir cabañas de troncos. Los irlandeses se con-

virtieron en líderes de la política, la Iglesia Católica, y los sindicatos. Los inmigrantes de muchos países trabajaron en fábricas, construyeron ferrocarriles y canales. Los europeos contribuyeron a que las ciudades crecieran y que el país prosperara.

1. ¿Por qué vinieron muchos irlandeses a Estados Unidos en los años 1840?
2. ¿Cuáles fueron dos contribuciones hechas por los inmigrantes europeos a Estados Unidos?

2 Los Asiáticos Llegan a California.

¿Por qué vinieron los chinos a Estados Unidos?

En 1850, algunos jóvenes chinos regresaron a China con oro en el bolsillo. Esto creó una "fiebre de oro" en el este de China. Miles de jóvenes chinos decidieron ir a California.

La tierra de la montaña de oro

Entre 1849 y 1854, más de 40,000 chinos llegaron a San Francisco. La mayoría de los inmigrantes chinos eran hombres. Esperaban hacer su fortuna en Estados Unidos y regresar a China.

Algunos lo hicieron, pero muchos se quedaron.

Un minero, Ah Sang, se convirtió en una leyenda en los campos mineros. En China, Ah Sang había estudiado medicina. En California, otros chinos iban a verlo cuando estaban enfermos o lastimados. Pronto, sus habilidades atrajeron a otros mineros. Sus curaciones fueron tan exitosas que decidió abandonar su búsqueda de oro y abrió una clínica.

La primera clínica de Ah Sang estaba en un hotel. Con el tiempo estableció una clínica con 50 camas. Se convirtió en uno de los principales hospitales de California.

Leer un Mapa. ¿Había más chinos viviendo en el este o el oeste de EE.UU.? ¿Por qué fue así?

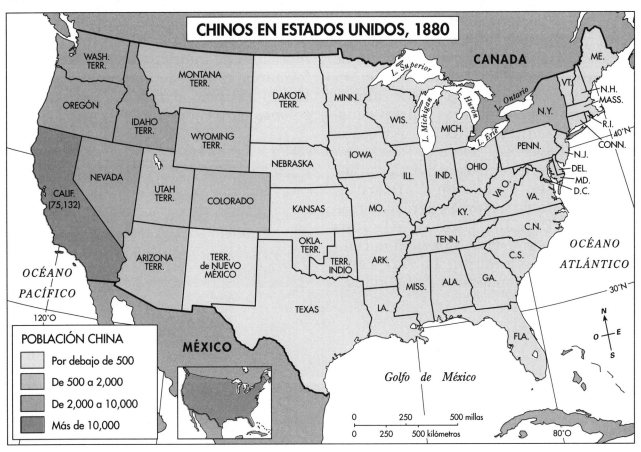

CHINOS EN ESTADOS UNIDOS, 1880

POBLACIÓN CHINA
- Por debajo de 500
- De 500 a 2,000
- De 2,000 a 10,000
- Más de 10,000

En esta foto de 1852 de un reclamo minero de oro aparecen mineros chinos y anglosajones. Cuando se descubrió oro en 1848, vinieron a los campos personas de todo el mundo.

Otras maneras de ganar dinero

Otros chinos que vinieron a San Francisco no tenían interés en excavar en busca de oro. Muchos decidieron convertirse en comerciantes. Vendían a los mineros comida, herramientas, ropa y otras provisiones. Otra oportunidad de trabajo estaba en la construcción. Florecían poblados cerca de los campos mineros. Los carpinteros chinos construyeron cientos de casas en estas aldeas.

Los granjeros chinos convirtieron los pantanos en fincas en California. Crearon una de las áreas agricolas más ricas de Estados Unidos. Algunos abrieron lavanderías o pequeñas tiendas. Otros se ganaron la vida como **buhoneros**, o vendedores ambulantes.

En la medida que más y más chinos llegaron a California, creció el barrio chino en San Francisco. Se lo llegó a conocer como "Chinatown". Para los años de 1850, contenía decenas de tiendas, restaurantes, pensiones y carnicerías. Los inmigrantes en Chinatown formaron grupos de familia y de barrio. Estos grupos, o *fongs*, mantenían salones para reuniones y fiestas.

1. ¿Por qué fueron a California los jóvenes chinos?
2. ¿Cuáles fueron tres formas de ganarse la vida de los inmigrantes chinos?

3 Los Recién Llegados no Son Bienvenidos.

¿Por qué tenían prejuicios contra los extranjeros algunos americanos?

Estados Unidos era la tierra prometida para los inmigrantes de Europa y Asia. Sin embargo, los extranjeros sufrían discriminación. ¿Por qué les desagradaban los inmigrantes a los americanos **de nacimiento**, o sea a los nacidos en Estados Unidos? Algunos pensaban que los nuevos inmigrantes eran extraños. Otros afirmaban que los inmigrantes estaban quitando trabajos a los americanos de nacimiento.

Los inmigrantes también sufrían prejuicios por su religión y su origen. La mayoría de los irlandeses y algunos alemanes eran católicos. Los católicos irlandeses y alemanes sufrían prejuicio religioso. En algunos lugares, los dueños de negocios que pedían trabajadores colgaban letreros que decían: "Los irlandeses no se molestan en presentarse". Los asiáticos sufrían prejuicios étnicos. No podían atestiguar en los tribunales contra una persona blanca.

El prejuicio contra los asiáticos fue peor en California. Hubo turbas contra los chinos y los japoneses. Algunas muchedumbres mataron a personas inocentes. Las leyes prohibían a los asiáticos convertirse en ciudadanos americanos. Ni siquiera podían tener propiedades.

El partido Sabe Nada   En los años 1850, se formó un nuevo partido político integrado por personas a quienes les desagradaban los inmigrantes. El partido se conocía como el **partido Sabe Nada**. Los "sabe nada" recibieron este apodo porque los miembros del partido

Las caricaturas en los periódicos americanos mostraban prejuicios contra los nuevos inmigrantes. Esta, impresa en 1848, muestra los prejuicios contra dos grupos. ¿Cuáles son esos dos grupos?

habían jurado mantenerse en secreto. Cuando les preguntaban acerca del partido, respondían: "Yo no sé nada".

El partido Sabe Nada no duró mucho tiempo. Sin embargo, el movimiento mostró que, en el fondo, existía miedo a los extranjeros. Este temor continuaría en Estados Unidos por muchos años.

Aun así, Estados Unidos no pudo haber progresado sin inmigrantes. Su trabajo ayudó al crecimiento de las ciudades. Sus culturas hicieron de éstas lugares interesantes para vivir. Hicieron de Estados Unidos la nación más variada del mundo.

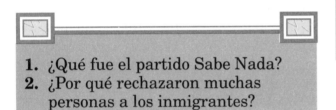

1. ¿Qué fue el partido Sabe Nada?
2. ¿Por qué rechazaron muchas personas a los inmigrantes?

ORIGENES DE LOS INMIGRANTES A ESTADOS UNIDOS, 1840-1860

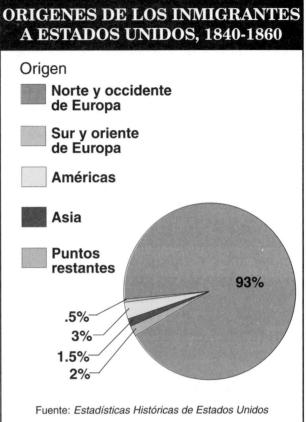

Origen

- Norte y occidente de Europa
- Sur y oriente de Europa
- Américas
- Asia
- Puntos restantes

93%

.5%
3%
1.5%
2%

Fuente: *Estadísticas Históricas de Estados Unidos*

Leer una Gráfica. ¿De dónde vinieron la mayoría de los inmigrantes a EE.UU. entre 1840 y 1860?

CAPÍTULO 22
IDEAS CLAVE

- A mediados de los años 1800, inmigraron a Estados Unidos millones de personas de Irlanda, Alemania y otros países europeos.

- Muchos inmigrantes chinos vinieron a California después de que se descubrió oro en 1848. Algunos buscaron oro, mientras que otros se convirtieron en comerciantes o granjeros.

- Los inmigrantes de Europa y Asia sufrieron discriminación en Estados Unidos. El partido Sabe Nada fue formado por personas que aborrecían a los inmigrantes.

REPASO DEL CAPÍTULO 22

I. Repasar el Vocabulario

Une cada palabra a la izquierda con la definición correcta.

1. barrio bajo
2. hambruna
3. inmigrante
4. emigrar

    a. época en que no hay suficiente comida para la población
    b. dejar su tierra natal para radicarse en un nuevo país
    c. una zona pobre de una ciudad
    d. alguien que deja su tierra natal para radicarse en un nuevo país

II. Entender el Capítulo

1. ¿Qué efectos tuvo la gran hambruna sobre Irlanda?
2. ¿Por qué se radicaron muchos inmigrantes irlandeses en las ciudades?
3. ¿Por qué vinieron muchos alemanes a Estados Unidos entre 1848 y 1860?
4. ¿A qué región de Estados Unidos inmigró la mayoría de los chinos? ¿Por qué?

III. Desarrollo de Habilidades: Analizar Fuentes Primarias

Una balada es un poema o canción que muchas veces cuenta una historia. Más adelante encontrarás la traducción de una balada escrita por inmigrantes irlandeses. Lee la balada y contesta las preguntas.

> *Cuando me acuesto a dormir, los bichos feos merodean cerca de mí.*
>
> *Tan mal que apenas puedo dormir.*
>
> *Mientras trabajo en el ferrocarril.*

1. ¿Qué te dice esta balada acerca de las condiciones de trabajo de los trabajadores del ferrocarril?
2. En una hoja de papel, escribe otros tres renglones para esta balada que describa la vida de inmigrantes en Estados Unidos.

IV. Escribir Acerca de la Historia

1. Imagínate que eres una mujer irlandesa que trabaja en una fábrica o en la casa de alguien. Escribe una carta a casa describiendo tu trabajo. También comenta a tu familia y amigos tu nueva sensación de independencia.
2. **¿Qué hubieras hecho?** Si te hubieran invitado a afiliarte al partido Sabe Nada, ¿qué hubieras hecho? Explica.

V. Trabajar Juntos

Del Pasado al Presente Personas de muchos lugares diferentes vinieron a Estados Unidos a mediados de los años 1800. Con un grupo, discute por qué vino cada grupo. Después investiguen a las personas que viven en su comunidad. Averigüen por qué vinieron a este país ellos o su familia. Informen sus hallazgos a la clase.

LA LUCHA DE LA MUJER POR LA REFORMA. (1820-1860)

CAPÍTULO 23

¿Cómo luchó la mujer por la reforma en los años 1800?

A principios de los años 1800, Victoria Woodhull defendió sin éxito los derechos de la mujer frente a aburridos legisladores en el Congreso.

Buscando los Términos Clave

- Los derechos de la mujer • convención de Seneca Falls
- Declaración de sentimientos • Movimiento de abolición
- Movimiento de templanza

Buscando las Palabras Clave

- **reforma:** cambio, mejora
- **sufragio:** derecho a votar
- **feminista:** alguien que apoya el movimiento de los derechos de la mujer

SUGERENCIA DE

Elabora una lista de todos los personajes mencionados en este capítulo. Escribe una breve frase explicando por qué cada persona fue importante.

ESTUDIO

Durante los años 1800, mujeres como Elizabeth Cady Stanton y Susan B. Anthony empezaron a trabajar a favor de los **derechos de la mujer**. Las mujeres no podían votar. En muchos estados, no podían ser dueñas de tierras. Otras mujeres se dieron cuenta de que asuntos como la esclavitud y la educación necesitaban una **reforma**, o cambio. Entre 1820 y 1860, muchas mujeres se unieron para luchar por la reforma.

1 Las Mujeres Organizan una Reunión en Seneca Falls.

¿Cómo empezó el movimiento por los derechos para la mujer?

La joven Elizabeth escuchaba silenciosamente mientras su padre, un juez, dictaminaba acerca de un caso. El juez Cady le decía a una mujer que no tenía derecho a la propiedad que sus padres le habían regalado. De acuerdo con la ley, ella no podía ser dueña de una propiedad. La propiedad pertenecía a su esposo. Indignada, Elizabeth se prometió a sí misma que iba a cambiar las cosas. Algún día, la ley sería diferente.

Seneca Falls   Elizabeth Cady Stanton cumplió su promesa. Se convirtió en una de las líderes en la lucha por los derechos de la mujer. Stanton fue una de las principales organizadoras de la **convención de Seneca Falls** en 1848.

El propósito de la convención de Seneca Falls fue discutir los derechos de la mujer. Asistieron mujeres de todas las regiones. La reunión marcó el empiezo de un movimiento organizado por los derechos de la mujer.

Declaración de sentimientos   El objetivo principal de la convención de Seneca Falls fue cambiar las leyes injustas. La convención aprobó un documento llamado la **Declaración de sentimientos**. Este contenía frases de la Declaración de independencia:

> Sostenemos estas verdades como evidentes por sí mismas: que todos los hombres y las mujeres fueron creados de la misma manera.... Insistimos en que las mujeres reciban todos los derechos y privilegios que les corresponden como ciudadanas de Estados Unidos.

El derecho de voto   Stanton insitió en que las mujeres demandaran el **sufragio**, o derecho a votar. Sin el derecho a votar, las mujeres tenían pocas posibilidades de influir sobre los hombres que redactaban las leyes. No podían votar para remover a los hombres de sus cargos públicos. Sólo sus hijos, esposos y los amigos hombres de éstos podían hacerlo.

Un pequeño grupo de mujeres dedicó sus vidas a la causa de los derechos de la mujer. Estas personas fueron llamadas **feministas**. Tenían dos tareas importantes. Una era persuadir a otras mujeres—y a hombres—de apoyar el movimiento. La otra era persuadir a los hombres de cambiar las leyes.

Las feministas tuvieron que soportar grandes agresiones en su contra. Susan B. Anthony fue de puerta en puerta informando a las mujeres acerca del movimiento. Con frecuencia, las mujeres le cerraban la puerta en la cara.

Pero algunas mujeres la recibieron. Anthony recogió historias acerca del maltrato a las mujeres. Otra feminista, Lucy Stone, pronunciaba discursos de pueblo en pueblo. Con frecuencia, niños y hombres trataban de interrumpir las reuniones. Una vez, alguien le arrojó un libro que le pegó en la cabeza.

Muchas feministas fueron miembros activos del movimiento para acabar con la esclavitud. La lucha para acabar con la esclavitud se llamaba **movimiento de abolición**. Podrás leer más acerca de esto en el capítulo siguiente.

1. ¿Por qué fue importante la convención de Seneca Falls?
2. ¿Qué derechos demandaban las feministas?

Lucretia Mott enfrentó a un grupo de hombres airados, hablando a favor de los derechos de la mujer, y tuvo que ser protegida cuando se iba después de su discurso.

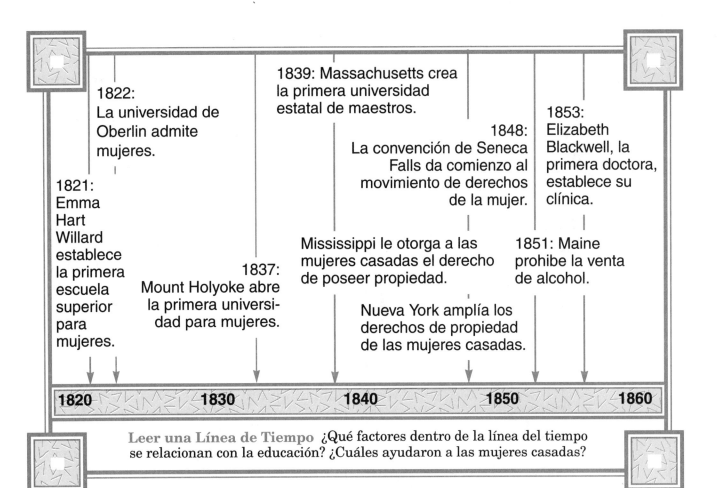

1821: Emma Hart Willard establece la primera escuela superior para mujeres.

1822: La universidad de Oberlin admite mujeres.

1837: Mount Holyoke abre la primera universidad para mujeres.

1839: Massachusetts crea la primera universidad estatal de maestros.

1848: La convención de Seneca Falls da comienzo al movimiento de derechos de la mujer.

Mississippi le otorga a las mujeres casadas el derecho de poseer propiedad.

Nueva York amplía los derechos de propiedad de las mujeres casadas.

1851: Maine prohibe la venta de alcohol.

1853: Elizabeth Blackwell, la primera doctora, establece su clínica.

| 1820 | 1830 | 1840 | 1850 | 1860 |

Leer una Línea de Tiempo ¿Qué factores dentro de la línea del tiempo se relacionan con la educación? ¿Cuáles ayudaron a las mujeres casadas?

2 Las Mujeres Obtienen Derechos Limitados.

¿Qué derechos ganó el movimiento de la mujer?

Para 1860 el movimiento de la mujer empezaba a avanzar. Gradualmente, muchos estados dieron más derechos a las mujeres. En 1839, Mississippi concedió el derecho a controlar sus propiedades a las mujeres casadas. Nueva York hizo lo mismo en 1848.

Insatisfecha con estos limitados avances, Elizabeth Cady Stanton dio un paso audaz. Habló ante a un comité de legisladores de Nueva York. Ninguna mujer había hecho eso antes. Stanton pidió cortésmente a los legisladores que modificaran más leyes. Su discurso recibió un gran aplauso, pero no logró ninguna nueva ley.

Seis años después, Stanton se dirigió nuevamente al comité; esta vez, Nueva York aprobó nuevas leyes. Concedió el derecho de conservar el dinero obtenido por su trabajo a las mujeres casadas. También permitió que pudieran demandar en los tribunales sus derechos. La asamblea legislativa también otorgó a las mujeres igualdad de derechos en la tenencia legal de sus hijos.

Mujeres americanas africanas
Muchas de estas leyes eran sólo válidas para mujeres blancas. A las mujeres americanas africanas libres se les negaron muchos de los derechos de las mujeres blancas. Las que eran esclavas no tenían derecho alguno.

Sojourner Truth fue una esclava que obtuvo la libertad. Trabajó para liberar a los esclavos y en favor de los derechos

Sojourner Truth no sabía ni leer ni escribir. Pero habló enérgicamente a favor de la igualdad de derechos y para abolir la esclavitud.

Mujeres con derechos especiales

En algunas partes del país, las mujeres tenían más derechos. California se convirtió en estado en 1850. Tenía leyes basadas en tradiciones españolas. Daba más derechos sobre las propiedades a las mujeres que otros estados.

Más oportunidades de trabajo

Las mujeres empezaron a buscar nuevas oportunidades de trabajo. Las mujeres educadas se dedicaron a enseñar. Algunas mujeres se convirtieron en abogadas o médicas.

Elizabeth Blackwell fue la primera mujer médica en el país. En la facultad de medicina, al principio los profesores no la dejaban estudiar el cuerpo humano junto con los estudiantes hombres. Aun así, terminó siendo la primera estudiante de su promoción. Se le rehusó el derecho a practicar en hospitales, por lo que abrió una clínica para gente pobre en Nueva York en 1853.

Maria Mitchell fue astrónoma, una persona que estudia las estrellas y los planetas. Desde el techo de su casa descubrió un cometa desconocido en 1847. Los científicos lo llamaron el cometa Mitchell. También admitieron a Mitchell en la Academia de Artes y Ciencias.

de la mujer. Truth pronunció discursos en muchas convenciones de derechos de la mujer. Negó la debilidad de las mujeres afirmada por muchos hombres. Le dijo a un grupo: "Ese hombre allá dice que las mujeres tienen que ser ayudadas para subir a las carretas y llevadas en andas sobre las acequias. Nadie me ayuda nunca a subirme a las carretas o a pasar charcos. ¡Vean mi brazo! He arado y plantado, y ningún hombre podría hacerlo mejor que yo, ¿y qué, no soy una mujer?".

1. ¿Cuáles eran los avances obtenidos por las mujeres en 1860?
2. ¿Qué derechos tenían las mujeres en California que las mujeres en otros estados no tenían?

3 Las Mujeres Reformadoras Logran el Cambio.

¿Qué cambios trataban de conseguir las mujeres?

Muchas mujeres querían reformar, o mejorar, tanto a los individuos como a la sociedad. La mayoría de las reformadoras eran miembros de la clase media. Estas reformadoras tenían dos importantes metas. Querían reformar la sociedad para que funcionara mejor. También querían reformar a los individuos para que se convirtieran en personas mejores.

Los presos y los enfermos mentales

Una experiencia conmovedora hizo que Dorothea Dix se convirtiera en reformadora. Un domingo fue a una prisión a impartir clases a mujeres presas. Descubrió que algunas mujeres no habían cometido crimen alguno. Estaban allí por enfermedades mentales. Dix las encontró apiladas en un sótano oscuro sin calefacción.

Dix creía que las personas con enfermedades mentales no debían estar en el mismo lugar que los criminales. Visitó prisiones y asilos en todo Massachusetts. A cada lugar llevaba un cuaderno. Tomaba notas acerca de lo que veía: gente desnuda, gente encadenada, gente golpeada. Comunicó esto a los legisladores. Ellos también se escandalizaron. El estado construyó nuevas instituciones para los enfermos mentales.

El movimiento de templanza

Otras reformadoras consideraban a la cerveza, el vino y las licores fuente de males. Muchas mujeres habían sufrido las consecuencias de vivir maltratadas por maridos borrachos. Mujeres y hombres formaron el **movimiento de templanza**. Algunos grupos de templanza promovieron la templanza, o moderación en el consumo de alcohol.

Otros se opusieron a cualquier consumo de alcohol. Trataron de suspender la venta del alcohol. Maine prohibió la venta de alcohol en 1851. Unos cuantos estados más intentaron aplicar leyes similares pero después las abandonaron.

Un tercer grupo de reformadoras trataron de obtener educación pública gratuita. Massachusetts había sido siempre líder en educación. En 1839, Massachusetts abrió la primera universidad estatal para maestros. Poco a poco, las mujeres empezaron a reemplazar a los hombres como maestras en las escuelas primarias.

Educación para mujeres

En estos tiempos, la mayoría de las univer-

Mary Edwards Walker trabajó como cirujana en el ejército de la Unión durante la Guerra civil. Luchó durante mucho tiempo en favor de los derechos de la mujer.

sidades no admitía mujeres. Era ya un logro seguir estudios superiores. En 1821, Emma Hart Willard fundó el seminario de Mujeres de Troy. Ubicado en Troy, Nueva York, era la primera escuela secundaria para mujeres. Willard creía que las mujeres debían aprender matemáticas y ciencias, las mismas materias que los hombres.

Catharine Beecher fundó escuelas donde se capacitaba a cientos de mujeres para ser maestras. Su escuela en Cincinnati mandó maestras a escuelas de todo el oeste de Estados Unidos.

Oberlin, en Ohio, fue la primera universidad en admitir tanto a hombres como a mujeres. Lo hizo en 1833. Sin embargo, hombres y mujeres no eran iguales en Oberlin. Cuando Lucy Stone asistió a Oberlin en los años 1840, luchó por obtener más igualdad. Los profesores la seleccionaron junto a otros alumnos destacados para preparar los discursos de las ceremonias de graduación. Sólo los estudiantes hombres podían leer en voz alta estos discursos. No era "correcto", le decían a Stone, que una mujer hablara en público. Un hombre leería su discurso. En protesta, Stone se rehusó a escribir su discurso.

1. ¿Qué condiciones ayudó a reformar Dorothea Dix?
2. ¿Qué otras reformas buscaban las mujeres?

CAPÍTULO 23
IDEAS CLAVE

- La convención de Seneca Falls empezó la lucha por los derechos de la mujer.
- Para 1860, las mujeres habían obtenido algunos derechos. Sin embargo, todavía tenían un largo camino que recorrer antes de obtener la igualdad.
- Las mujeres lucharon para mejorar el tratamiento de los enfermos mentales, por la templanza y por la educación.

REPASO DEL CAPÍTULO 23

I. Repasar el Vocabulario

Une la palabra de la izquierda con la definición correcta de la derecha.

1. sufragio
2. feminista
3. reforma
4. movimiento de templanza

a. derecho a votar
b. esfuerzo para cambiar los hábitos de bebida de la gente
c. cambio, mejora
d. alguien que apoya el movimiento por los derechos de la mujer

II. Entender el Capítulo

1. ¿Qué obstáculos enfrentaron las feministas en la lucha por obtener más derechos para las mujeres?
2. Describe los derechos que tenían las mujeres americanas en 1860. ¿Qué había cambiado desde 1820?
3. ¿Cómo habían mejorado las oportunidades para las mujeres en la educación entre 1820 y 1860?
4. ¿Cuáles fueron los logros importantes de Elizabeth Blackwell?

III. Desarrollo de Habilidades: Generalizando

Lee el fragmento del discurso de Sojourner Truth en la página 198. Escribe dos títulos para el discurso. Di por qué cada uno de los títulos es una buena generalización del contenido del discurso.

IV. Escribir Acerca de la Historia

1. **¿Qué hubieras hecho?** Imagínate que eres una mujer en 1855. Susan B. Anthony viene a informarte acerca del movimiento de los derechos de la mujer. ¿Qué preguntas le harías?
2. Suponte que eres una feminista de los años 1850 que visita Seneca. Estás impresionado por la importante posición que ocupan las mujeres en la sociedad de Seneca. Escríbele una carta a una amiga describiéndole tus experiencias.

V. Trabajar Juntos

Del Pasado al Presente Las mujeres, a mediados de 1800, trabajaron arduamente para mejorar la vida en Estados Unidos. Con un grupo, redacta una lista de todos los cambios que los reformadores querían hacer. Analiza qué te gustaría mejorar ahora. Escoge una reforma y crea un plan de acción. Presenta tus planes de acción a la clase.

La Lucha Contra la Esclavitud Gana Terreno. (1820-1860)

¿Cómo lucharon los opositores a la esclavitud para acabar con ella?

Varios años después de los hechos, Harriet Tubman, izquierda, posó con algunas de los cientos de personas que guió hacia la libertad.

Buscando los Términos Clave

- Osa mayor
- ferrocarril subterráneo (Underground Railroad)

Buscando las Palabras Clave

- **movimiento de abolición:** campaña para abolir la esclavitud

- **abolicionista:** alguien que luchó para acabar con la esclavitud

- **El Libertador:** un influyente periódico que abogó por acabar con la esclavitud.

SUGERENCIA DE

Mientras leas el capítulo, redacta una lista de las personas mencionadas. Después, escribe una descripción del papel que tuvo cada una de las personas involucradas en el movimiento de abolición.

ESTUDIO

La lucha para acabar con la esclavitud fue uno de los movimientos más importantes en Estados Unidos a principios de los años 1800. **El movimiento de abolición**, o campaña para acabar con la esclavitud, tuvo su auge en los años de 1830. En ese tiempo el debate entre los que apoyaban la esclavitud y los **abolicionistas**, o personas que trataban de acabar con la esclavitud, se volvió violento.

1 Algunos Americanos Luchan Contra la Esclavitud.

¿Cómo lucharon los abolicionistas para acabar con la esclavitud?

En 1831 William Lloyd Garrison, un hombre blanco de 26 años, empezó un periódico contra la esclavitud en Boston. Garrison llamó a este periódico *El Liberador*. Dijo que hablaría en contra de la esclavitud hasta que los esclavos fueran libres. Garrison escribió: "No retrocederé ni un centímetro Y SERÉ ESCUCHADO".

La mayoría de los lectores de Garrison eran americanos africanos. James Forten, quien era dueño de una fábrica productora de velas en Filadelfia, mandó $54 para 27 subscripciones. Al principio, sólo algunos blancos sabían del periódico. Después, una rebelión de esclavos en Virginia convirtió a Garrison en una figura nacional.

La rebelión de Nat Turner Nat Turner era un esclavo que vivía en una plantación. Creía que Dios le había dicho en una visión que tenía que matar a la gente blanca que esclavizaba a los americanos africanos. La sangrienta revuelta de Turner en agosto de 1831 llegó a las primeras planas de los diarios del país. Después del juicio, las autoridades colgaron a Turner y a otros 16 rebeldes.

Los blancos del sur le echaron la culpa de la revuelta a los abolicionistas. En particular, culparon a Garrison. Pero Garrison no tuvo nada que ver con la revuelta de esclavos. Sin embargo, los ataques en su contra lo ayudaron a tener más seguidores.

Una nueva organización Garrison fundó una nueva organización antiesclavos. Se llamaba la Sociedad Americana Anti-Esclavitud. La sociedad tuvo su primera convención en Filadelfia en 1833. Asistieron sesenta y tres delegados de 11 estados. Muchos americanos africanos estaban presentes. Uno de ellos era James Forten. Otro era James C. McCrummell, un dentista de Filadelfia.

La Sociedad Americana Anti-Esclavitud pedía acabar de inmediato con la esclavitud. Para 1838, contaba con 250,000 miembros. La mayoría eran blancos, pero un buen número eran americanos africanos.

Mujeres abolicionistas Angelina Grimké y su hermana Sarah fueron activistas del movimiento. Las dos eran de Carolina del Sur. Se mudaron al norte para luchar contra la esclavitud. Angelina decidió pronunciar discursos en reuniones de abolición en las que había hombres y mujeres presentes. La idea de que una mujer hablara en público sorprendía a mucha gente. En 1837, Sarah escribió un pequeño libro defendiendo los discursos de Angelina.

Lucretia Mott y Elizabeth Cady Stanton (ver página 195) fueron abolicionistas antes de ser feministas. Ambas se conocieron en una convención mundial en contra de la esclavitud en Londres en 1840. La convención no permitía que las mujeres participaran plenamente. Las mujeres tenían que sentarse entre el público y observar. Esa experiencia enfadó a Mott y a Stanton.

Diferentes enfoques Muchos abolicionistas admiraban a William Lloyd Garrison. Otros pensaban que era muy exagerado. Garrison estaba en desacuerdo con la Constitución de Estados Unidos porque permitía que se tratara a seres humanos como propiedad. Y hasta quemó una copia de la Constitución en público. La llamó "un documento manchado de sangre".

Ira contra los abolicionistas
Mucha gente odiaba a los abolicionistas. Los blancos del sur temían que los abolicionistas provocaran revueltas de esclavos. Incluso muchos blancos del sur que no eran dueños de esclavos estaban en desacuerdo con los ataques contra la esclavitud por parte de los abolicionistas.

También en el norte los abolicionistas enojaban a la gente. Muchos norteños temían que el movimiento de abolición dividiera al país. Muchos norteños de clase trabajadora también se oponían a los abolicionistas. Veían a los americanos africanos como competidores en

Frederick Douglass hablaba en su reunión en 1860 en Boston cuando irrumplió la policía. ¿Por qué piensas que la policía trató de impedir que Douglass hablara?

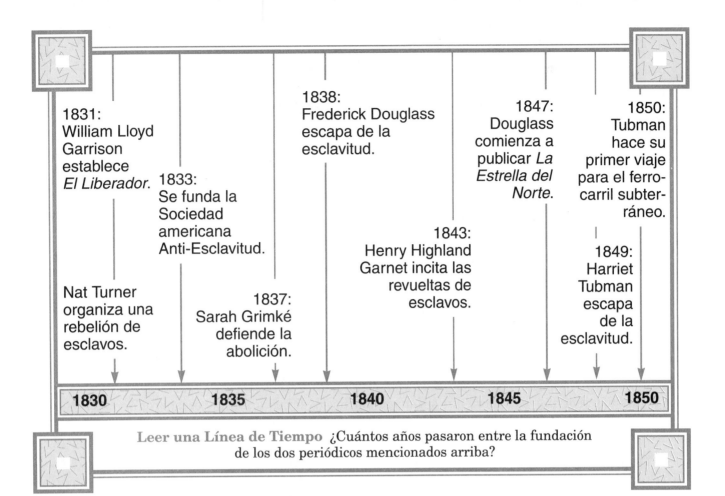

1831:
William Lloyd Garrison establece *El Liberador*.

Nat Turner organiza una rebelión de esclavos.

1833:
Se funda la Sociedad americana Anti-Esclavitud.

1837:
Sarah Grimké defiende la abolición.

1838:
Frederick Douglass escapa de la esclavitud.

1843:
Henry Highland Garnet incita las revueltas de esclavos.

1847:
Douglass comienza a publicar *La Estrella del Norte*.

1850:
Tubman hace su primer viaje para el ferro-carril subter-ráneo.

1849:
Harriet Tubman escapa de la esclavitud.

| 1830 | 1835 | 1840 | 1845 | 1850 |

Leer una Línea de Tiempo ¿Cuántos años pasaron entre la fundación de los dos periódicos mencionados arriba?

sus trabajos. Pensaban que si se liberaba a los esclavos, éstos les podrían quitar oportunidades de trabajo. Grupos enardecidos atacaban frecuentemente a la gente que públicamente hablaba en contra de la esclavitud.

1. ¿Qué organización fundó Garrison?
2. ¿Cómo contribuyeron las mujeres al movimiento anti-esclavitud?

2 Los americanos africanos se Arriesgan para Conseguir su Libertad.

¿Cómo escaparon los esclavos americanos africanos del sur?

Muchos americanos africanos escla-vizados arriesgaron sus vidas tratando de escapar de su esclavitud. Los ameri-canos africanos y blancos abolicionistas ayudaron a miles de esclavos a con-seguir su libertad.

Siguiendo la Estrella del Norte
Escapar de sus amos, para los esclavos americanos africanos que huían, era el primer paso. El camino hacia la libertad era largo y peligroso.

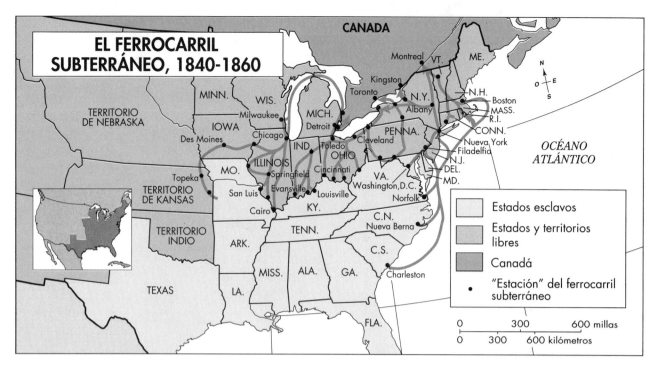

EL FERROCARRIL SUBTERRÁNEO, 1840-1860

CANADA

Montreal
VT
ME.
Kingston
Toronto
MINN.
WIS.
N.Y.
N.H.
Boston
MASS.
R.I.
TERRITORIO
DE NEBRASKA
Milwaukee
MICH.
Detroit
Albany
Des Moines
IOWA
Chicago
PENNA.
Cleveland
CONN.
Nueva York
OCÉANO
ATLÁNTICO
IND
Toledo
OHIO
Filadelfia
N.J.
ILLINOIS
Springfield
Cincinnati
DEL.
MD.
MO.
Topeka
San Luis
Evansville
Louisville
VA.
Washington, D.C.
TERRITORIO
DE KANSAS
Cairo
KY.
Norfolk
TERRITORIO
INDIO
TENN.
C.N.
Nueva Berna
ARK.
C.S.
MISS.
ALA.
GA.
Charleston
TEXAS
LA.
FLA.

Estados esclavos
Estados y territorios libres
Canadá
• "Estación" del ferrocarril subterráneo

0   300   600 millas
0   300   600 kilómetros

Leer un Mapa Menciona tres ciudades de Ohio que fueron "estaciones" del Ferrocarril Subterráneo. ¿Por qué decidieron irse a Canadá muchos de los esclavos que escaparon?

Primero, tenían que eludir la captura inmediata. Los dueños de esclavos a menudo utilizaban jaurías de perros para atrapar a los prófugos. Si los prófugos se rehusaban a detenerse, sus seguidores les podían disparar. Algunos esclavos prefirieron morir a ser recapturados.

Los prófugos buscaban en el cielo, por la noche, la constelación de la Osa mayor. Un extremo de la Osa mayor apunta hacia la estrella del norte. La estrella se convertía en su guía hacia el norte.

Una operación peligrosa Los abolicionistas ayudaban a los prófugos de muchas formas. Escondían a los esclavos en graneros o en cuartos secretos dentro de sus casas. Los escondían en montones de paja o los pasaban dentro de sus carretas para evadir la vigilancia en los caminos.

El Ferrocarril Subterráneo (Underground Railroad) La red clandestina de ayuda a los esclavos se convirtió en el llamado **Ferrocarril Subterráneo**. No era un ferrocarril, ni tampoco era subterráneo. Pero podría haberlo sido. Las "vías" de este ferrocarril eran caminos de campo traviesa y ríos. Sus "conductores" eran abolicionistas, tanto americanos africanos como blancos, que conducían a los esclavos hacia la libertad.

Harriet Tubman La conductora más famosa era una exesclava americana africana llamada Harriet Tubman. Nació en una plantación de Maryland en 1820. Cuando tenía 29 años, se escapó a Filadelfia. Sin embargo quería más que libertad para sí misma.

Tubman regresó al sur varias veces. Ayudó a otros a conseguir la libertad. En total, hizo 19 viajes al sur. Ayudó a más de 300 personas a llegar al norte. Trubman dijo orgullosamente que nunca permitió que "un ferrocarril se saliera de las vías". Eso significó que nunca perdió a ninguno de los esclavos que había rescatado.

Los amos de esclavos ofrecían una recompensa de $40,000 por capturar a Tubman. Durante la guerra civil, Tubman sirvió como espía para el ejército de la Unión. Vivió hasta los 92 años.

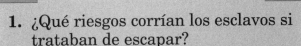

1. ¿Qué riesgos corrían los esclavos si trataban de escapar?
2. ¿Cómo funcionaba el Ferrocarril Subterráneo?

3 Americanos Africanos Libres Luchan en Contra de la Esclavitud.

¿Cómo luchaban contra la esclavitud los americanos africanos libres?

Muchos de los líderes abolicionistas eran americanos africanos. Algunos habían nacido libres. Otros habían escapado de la esclavitud. Sus discursos hicieron a la gente imaginarse el rigor de los latigazos y el pesar de las madres que veían como se vendía a sus propios hijos.

Frederick Douglass   El más famoso americano africano del movimiento de abolición era Frederick Douglass. Nacido esclavo, Douglass

Un esclavo americano africano, Henry "La Caja" Brown, escapó de la esclavitud en 1848 escondido en una caja que fue mandada al norte.

Frederick Douglass escapó de la esclavitud y se hizo mundialmente famoso en la lucha por la abolición.

Douglass publicó su propio periódico para promover la abolición. Se llamaba *La Estrella del Norte*. Los americanos africanos publicaron más de 12 periódicos durante la lucha contra la esclavitud.

Las iglesias americanas africanas

Las iglesias americanas africanas tuvieron un papel importante en la lucha contra la esclavitud. Muchas veces abrieron sus puertas a abolicionistas que no tenían permitido reunirse en otros lugares.

Los americanos africanos libres habían creado sus propias iglesias porque no se sentían bienvenidos en las iglesias de los blancos. En 1794, Richard Allen fundó el Episcopado Metodista Africano de la Madre de Bethel. Estaba en Filadelfia. Después, los americanos africanos fundaron iglesias bautistas y otras.

Las iglesias americanas africanas a menudo actuaban como estaciones del ferrocarril subterráneo. Una de esas estaciones era la Iglesia de la Madre Bethel de Allen. Allen escondió a prófugos allí hasta su muerte en 1831. La iglesia continuó ayudando a los prófugos hasta la guerra civil.

Las iglesias americanas africanas influyeron en mucha gente. Dieron a los americanos africanos fe para creer en un futuro mejor. Les enseñaron a la gente a defender lo correcto.

luchó para lograr su educación. De pequeño, se valía de trucos para que sus compañeros blancos le enseñaran el alfabeto.

A los 21 años, Douglass se fugó a Massachusetts. Cuando descubrió el periódico de Garrison, *El Liberador*, dijo: "Mi alma se encendió". Se dedicó de lleno a la lucha contra la esclavitud.

Douglass a menudo habló en reuniones de anti-esclavitud. Empezaba así: "Estoy parado frente a esta asamblea esta tarde como ladrón. Le robé esta cabeza, estos miembros, este cuerpo a mi amo y me escapé".

Merry Ann Shadd   Los abolicionistas americanos africanos llevaron su lucha más allá de las fronteras de Estados Unidos. Algunos fueron a Canadá. Allí, hombres de ascendencia africana podían votar y ser dueños de propiedades. Las mujeres podían vivir libres. Los niños podían ir a la escuela. Merry Ann Shadd fue uno de los 15,000 americanos africanos que se mudaron a Canadá durante los años de 1850. Abrió una escuela para esclavos fugitivos. También fundó un periódico.

Exitos y fracasos   Los americanos africanos libres tuvieron que luchar para sobrevivir en un mundo hostil. En el sur, vivían a la sombra de la esclavitud. En el norte, se encontraban con la abierta hostilidad de muchos blancos. La mayoría de los americanos africanos apenas sobrevivieron. Pero algunos lograron crear negocios exitosos.

En el sur, muchos americanos africanos libres se convirtieron en artesanos. En los años de 1850, los americanos africanos de Charleston incluían 122 carpinteros, 87 sastres y 30 zapateros. Un buen número de americanos africanos libres se volvieron ricos.

Los éxitos de los americanos africanos ayudaron a abrir los ojos de otros americanos. Les dieron una imagen nueva y positiva a los americanos africanos. En la lucha para acabar con la esclavitud los americanos africanos a la larga tendrían éxito. Sin embargo, sería una lucha larga y difícil.

1. ¿Cómo lucharon los americanos africanos contra la esclavitud?
2. ¿Qué papel tuvieron las iglesias americanas africanas en el movimiento de abolición?

CAPÍTULO 24
IDEAS CLAVE

- Desde los años 1830 en adelante, el movimiento de abolición luchó para acabar con la esclavitud. Tanto americanos africanos como blancos formaban parte de este movimiento.

- Los abolicionistas establecieron el ferrocarril subterráneo para ayudar a escapar a los esclavos fugitivos.

- Los americanos africanos libres tuvieron papeles clave en el movimiento de abolición. Las iglesias americanas africanas también fueron importantes.

I. Repasar el Vocabulario

Une cada palabra de la izquierda con la definición correcta.

1. abolicionista
2. movimiento de abolición
3. ferrocarril subterráneo
4. conductor

a. alguien que lucha para acabar con la esclavitud
b. red de gente que ayudaba a los esclavos prófugos
c. persona que guiaba a los esclavos hacia la libertad
d. campaña para acabar con la esclavitud

II. Entender el Capítulo

1. ¿Por qué tenía la gente diferentes puntos de vista acerca de William Lloyd Garrison?
2. ¿Por qué se opusieron muchos americanos a los abolicionistas?
3. ¿Qué riesgos tenían que enfrentar los esclavos prófugos y sus colaboradores en el ferrocarril subterráneo?
4. ¿Por qué podía un esclavo prófugo irse a Canadá? ¿Por qué podía un esclavo prófugo quedarse en Estados Unidos?

III. Desarrollo de Habilidades: Analizar un Mapa

Estudia el mapa de la página 206, y responde las siguientes preguntas:

1. ¿Qué estados con esclavos se muestran en el mapa?
2. Nombra tres "estaciones" en el sur.
3. Si fueras un esclavo que huye de Georgia, ¿qué ruta tomarías? ¿Por qué?

IV. Escribir Acerca de la Historia

1. **¿Qué hubieras hecho?** Imagina que vives en una comunidad cerca del ferrocarril subterráneo. Un vecino está ayudando a un grupo de esclavos prófugos y te pide que permitas a algunos dormir dentro de tu granero. ¿Qué dirás? ¿Por qué?
2. Escribe un reportaje para el periódico que describa una reunión abolicionista en donde hable Angelina Grimké. Escribe qué dijo Grimké y cómo reaccionó el público.

V. Trabajar Juntos

Del Pasado al Presente Con un grupo, discute las diferentes formas en que los abolicionistas lucharon contra la esclavitud. Después comenten qué éxito tendrían estos métodos ahora. Escriban uno o dos enunciados resumiendo la discusión.

LA ESCLAVITUD DIVIDE LA NACIÓN. (1820-1860)

¿Por qué había profundas diferencias entre el norte y el sur?

En los años 1850, hubo disturbios por la esclavitud en Kansas. Aquí aparecen fuerzas partidarias de la esclavitud camino a saquear un pueblo de Kansas.

Buscando los Términos Clave

- El acuerdo de Missouri • Tierra libre • acuerdo de 1850
- la ley de esclavos fugitivos • la ley de Nebraska-Kansas
- Kansas sangrienta • la decisión de Dred Scott

Buscando las Palabras Clave

- **fugitivo:** alguien que huye para escaparse de la ley; un esclavo prófugo

- **arsenal:** lugar donde se almacenan las armas

SUGERENCIA DE

Utiliza los títulos de la sección y los títulos de la subsección para hacer un esquema del capítulo. Para cada párrafo del capítulo, escribe una breve frase que lo resuma.

ESTUDIO

El debate sobre la esclavitud se volvió más y más enconado. Cada vez enfrentaba más al sur y al norte. La gente tenía miedo de que Estados Unidos se dividiera.

1 La Esclavitud se Extiende hacia el Oeste.

¿Cuál fue la razón de la expansión de la esclavitud?

Los colonizadores invadieron el oeste durante el principio de 1800. Para la mayoría de los propietarios de esclavos, las tierras del oeste eran buenas para la esclavitud. Las tierras desde el golfo de México hasta lo que hoy conocemos como Missouri eran perfectas para plantaciones. El clima era cálido y seco, perfecto para el algodón. Los amos de esclavos empezaron a plantar algodón, utilizando a los esclavos americanos africanos para hacer las tareas más pesadas.

Estados esclavos y estados libres
La esclavitud en el oeste planteó un asunto importante: el del equilibrio de poder entre el norte y el sur. En 1819, había 22 estados en Estados Unidos. Once eran estados de esclavos, o estados que permitían la esclavitud, y once eran estados libres, o sea estados que prohibían la esclavitud.

Missouri solicitó convertirse en el vigésimo tercer estado en 1819. Los pobladores de Missouri lo querían convertir en un estado de esclavos. Los del norte se opusieron. Missouri sería el primer estado de esclavos al oeste del río Mississippi. Los del norte querían acabar con la esclavitud en el Mississippi. La mayoría de los norteños no quería abolir la esclavitud. Solamente estaban en contra de la propagación de la esclavitud hacia nuevas regiones. Pero los sureños creían que ellos tenían el derecho de ser dueños de esclavos en cualquier parte.

El acuerdo de Missouri Después de meses de debatir, el senador Henry Clay de Kentucky propuso un acuerdo. El acuerdo de Clay se llamaba el **acuerdo de Missouri** de 1820. Tenía dos partes importantes. Primero, dos nuevos estados ingresaban a la Unión. Como quería el sur, Missouri se convirtió en un estado de esclavos. Maine entró como estado libre. El equilibrio entre estados libres y estados de esclavos se mantuvo.

Leer un Mapa ¿Cuáles fueron los dos estados admitidos a la Unión como resultado del acuerdo de Missouri?

EL ACUERDO DE MISSOURI, 1820

CANADA

R. Missouri

MAINE
admitido como estado libre

ME.

VT.
N.H.
N.Y.
MASS.
R.I.
CONN.
N.J.
DEL.
MD.

MISSOURI
admitido como estado esclavo

ILL. IND OHIO PENNA.

VA.

LÍNEAS DEL ACUERDO DE MISSOURI

MO.

KY.

Latitud
36°30'N

TENN.

N.C.

S.C.

OCÉANO
ATLÁNTICO

MISS. ALA. GA.

MEXICO

LA.

Compra de Luisiana, 1803

Estados libres

Territorios libres

Estados y territorios esclavos

0   300   600 millas
0 300 600 kilómetros

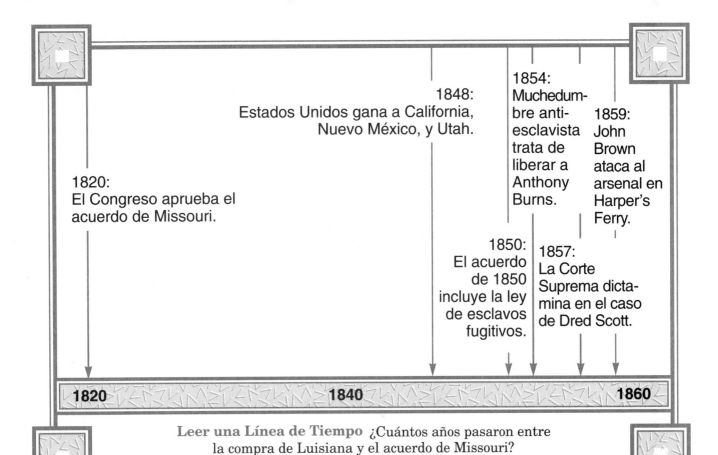

1820:
El Congreso aprueba el acuerdo de Missouri.

1848:
Estados Unidos gana a California, Nuevo México, y Utah.

1850:
El acuerdo de 1850 incluye la ley de esclavos fugitivos.

1854:
Muchedumbre anti-esclavista trata de liberar a Anthony Burns.

1857:
La Corte Suprema dicta-mina en el caso de Dred Scott.

1859:
John Brown ataca al arsenal en Harper's Ferry.

1820   1840   1860

Leer una Línea de Tiempo ¿Cuántos años pasaron entre la compra de Luisiana y el acuerdo de Missouri?

La segunda parte del acuerdo tenía que ver con la esclavitud en el resto del territorio adquirido como parte de la compra de Luisiana. El Congreso dibujó una línea imaginaria desde el oeste hasta la frontera sur de Missouri. Al norte de esa línea, el Congreso prohibió la esclavitud por completo, excepto en Missouri.

Muchos esperaban que el acuerdo de Missouri arreglara la cuestión de la esclavitud en los territorios, pero resultaron muy desilusionados.

1. ¿Por qué consideraban los dueños de esclavos a Missouri como un estado de esclavos?
2. ¿Qué era el acuerdo de Missouri?

2 El Debate de la Esclavitud se Vuelve Acalorado

¿Por qué fracasó el acuerdo sobre la esclavitud?

Después de la guerra con México (1846-1848), Estados Unidos se expandió. Los nuevos territorios no eran parte del acuerdo de Missouri. El Congreso tuvo que decidir si los nuevos territorios iban a ser libres o de esclavos. La opinión pública de Estados Unidos estaba dividida en tres partes en la cuestión de la esclavitud en los territorios. Muchos sureños creían que el Congreso no tenía derecho a prohibir la esclavitud en ninguno de los nuevos territorios.

El segundo grupo quería que la esclavitud no se permitiera en ninguno de los nuevos territorios. A la gente de este grupo se la conocía como quienes

LA ESCLAVITUD EN ESTADOS UNIDOS, 1850-1854

TERRITORIO DE WASHINGTON

TERRITORIO DE OREGÓN

TERRITORIO DE NEBRASKA

TERRITORIO DE MINNESOTA

CANADA

Grandes Lagos

MAINE

VT.

N.H.

MASS.

NUEVA YORK

R.I.

CONN.

40°N

WIS.

MICH.

IOWA

ILL.

IND.

OHIO

PENNA.

N.J.

DEL.

MD.

TERRITORIO DE UTAH

CALIFORNIA

TERRITORIO DE KANSAS

MO.

KY.

VIRGINIA

OCÉANO PACÍFICO

TERRITORIO DE NUEVO MÉXICO

TERRITORIO INDIO

ARK.

TENN.

N.C.

S.C.

OCÉANO ATLÁNTICO

TEXAS

LA.

MISS.

ALA.

GA.

FLA.

R. Ohio

R. Missouri

R. Mississippi

Río Grande

MÉXICO

Golfo de México

90°O

CUBA

80°O

30°N

120°O

100°O

Estados y territorios libres

Estados y territorios de esclavos

Abierto a la esclavitud por voto popular, Acuerdo de 1850

Abierto a la esclavitud por voto popular, ley de Kansas-Nebraska, 1854

0   250   500 millas
0   250   500 kilómetros

Leer un Mapa ¿Qué río era la línea divisoria entre los estados de esclavos y los libres en el Medio Oeste de EE.UU.?

apoyaban una **tierra libre**. Los abolicionistas apoyaban esta posición.

Un tercer grupo quería dejar que el pueblo decidiera. Argumentaba que el Congreso debería permitir a los pobladores de cada territorio escoger por ellos mismos si permitirían la esclavitud.

Acuerdo de 1850   Una vez más los ánimos se exaltaron en el Congreso al debatirse el tema. Henry Clay de Kentucky elaboró otro acuerdo. Pero a la larga, su acuerdo complació a tanta gente como a la que enfadó.

El **acuerdo de 1850** hizo de California el décimo sexto estado libre. Esto afectó el equilibrio, ya que sólo había 15 estados esclavistas. El acuerdo creó dos nuevos territorios, Nuevo México y Utah. Allí, los colonos votarían si permitirían o prohibirían la esclavitud. Además, el acuerdo terminó con el comercio de esclavos en la capital de la nación. Esto complació a los abolicionistas.

Para complacer al sur, una ley federal nueva y más estricta hizo más fácil que los dueños de esclavos prófugos los reclamaran. Fue la **ley de esclavos fugitivos de 1850**. Un **fugitivo** es alguien que ha escapado. La ley decía que los jueces debían creer en la palabra del dueño de un esclavo que reclamara un americano africano como su esclavo o esclava. Los americanos africanos ya no tendrían oportunidad de contar su versión de la historia.

Enfado en el Norte Anthony Burns era un americano africano esclavizado en Virginia. Escapó a Boston. Sin embargo, un día, en 1854, Burns fue capturado. Las autoridades lo llevaron ante una corte federal.

Los abolicionistas americanos africanos y blancos trataron de liberar a Burns. Irrumpieron en el juzgado con revólveres. Hubo un disparo. Un oficial de justicia cayó muerto. Pero otros funcionarios repelieron el ataque. El intento de rescate fracasó.

Soldados americanos hicieron guardia alrededor del juzgado en Boston. Finalmente, 1,500 soldados escoltaron a Burns. Los soldados pusieron a Burns en una cañonera de Estados Unidos y lo mandaron de regreso a Virginia.

Finalmente, Burns obtuvo su libertad. Un grupo de norteños lo compró y lo dejó en libertad. Burns se convirtió en pastor religioso y se mudó a Canadá.

Ira en el sur No eran sólo los abolicionistas quienes odiaban el acuerdo de 1850. Algunos sureños estaban igual de molestos. Desde su punto de vista, el gobierno no había podido proteger los derechos de los dueños de los esclavos, ya que eran controlados por el norte.

Kansas sangrienta Otro episodio de violencia ocurrió en 1854 debido a la esclavitud. El Congreso promulgó la **ley de Kansas-Nebraska**. Esta creó un territorio de Kansas y un territorio de Nebraska. (Ver el mapa en la página 214.) La ley permitió a los votantes en ambos territorios decidir si permitían la esclavitud o no.

Kansas se convirtió en un campo de batalla. Gente que se oponía a la esclavitud se apresuró a establecerse en

Kansas. Lo mismo hizo la gente que era dueña de esclavos. Cada bando quería tener el mayor número de votantes. Se produjeron varias batallas. Tanta violencia ocurrió en 1856 que el territorio fue llamado **Kansas sangrienta**.

1. ¿Por qué enojó a gente tanto del norte como del sur el acuerdo de 1850?
2. ¿Qué era la ley de Kansas-Nebraska?

3 Dos Hechos Separan Más al Norte del Sur.
¿Cómo respondió la nación a la decisión de Dred Scott y al ataque de John Brown?

En 1857, la Corte Suprema tomó una decisión importante acerca de la esclavitud. El fallo fue llamado **la decisión de Dred Scott**. El caso ante la corte tenía que ver con un americano africano esclavizado llamado Dred Scott. En 1833, el dueño de Scott lo había sacado de Missouri (un estado de esclavos) para llevarlo a Illinois (un estado libre). Finalmente, su dueño devolvió a Scott a Missouri.

En 1846, después de que su amo muriera, Scott acudió a la corte para reclamar su libertad. Scott argumentó que él era libre cuando su dueño lo llevó donde la esclavitud no estaba permitida.

La decisión de la Corte Finalmente, en 1857, la Corte Suprema deció la suerte de Dred Scott. La sentencia abarcaba tres puntos. En los tres, Scott perdió.

John Brown aparece aquí saliendo de la prisión para ir a la horca. ¿Cómo puedes darte cuenta de que el pintor está a favor de Brown?

Primero, la Corte dijo que Scott no tenía derecho a entablar juicio. Scott era descendiente de africanos, y por lo tanto, no era ciudadano americano. En segundo lugar, la Corte determinó que, como Scott era esclavo, era propiedad de su dueño. La gente tenía derecho de llevar su propiedad a cualquier lado.

Finalmente, la Corte decidió que la Constitución no le dio poder al Congreso para prohibir la esclavitud en los territorios de Estados Unidos. Si hiciera eso, sería como robarle a los dueños de esclavos su propiedad, que era protegida por la Constitución. La Corte dictaminó que el acuerdo de Missouri era anticonstitucional.

La mayoría de los sureños blancos recibieron felices esta sentencia. La decisión significaba que la gente podía llevar sus esclavos a todos los territorios de Estados Unidos. Pero, en el Norte, mucha gente se indignó. Sintieron que ya no tenían forma alguna de parar la expansión de la esclavitud.

El plan de John Brown Un ferviente abolicionista llamado John Brown decidió que era tiempo de atacar de frente el problema de la esclavitud. En Kansas, Brown había encabezado grupos de hombres armados en contra de la esclavitud.

Brown quería fomentar un levantamiento de esclavos. Su idea era apoderarse de tierras en las montañas de Virginia para establecer una nación de americanos africanos libres.

El Ataque a Harpers Ferry En la noche del 16 de octubre de 1859, Brown atacó un **arsenal** federal en Harpers Ferry, Virginia, con un grupo de 18 hombres. Un arsenal es un lugar donde se almacenan armas.

Aunque los hombres tomaron el arsenal y muchas armas, su ataque fracasó. No fueron apoyados por ningún esclavo. Después de dos días de batalla, los soldados capturaron a Brown y varios de sus hombres.

Reacción El ataque de Brown conmovió al país. En el norte, muchos abolicionistas vieron a Brown como un hombre valiente. Admiraron la manera en que defendió sus creencias en el juicio. Brown fue declarado culpable y lo colgaron. Para muchos abolicionistas, era un héroe de la lucha contra la esclavitud.

Los blancos sureños estaban indignados; primero por el ataque, y después por los elogios que Brown recibió por parte del norte. ¿Cómo podría continuar el sur viviendo con el norte? Cada vez más gente creía que era tiempo de que el sur se separara del norte.

1. ¿Cómo reaccionaron los norteños a la decisión de Dred Scott?
2. ¿Cómo reaccionaron los sureños al ataque de John Brown?

CAPÍTULO 25

IDEAS CLAVE

- La expansión de la esclavitud dentro de los territorios de Estados Unidos provocó la tensión entre el norte y el sur.
- El Congreso trató de solucionar el problema de la esclavitud con acuerdos. Sin embargo, ninguno de ellos solucionó el problema.
- La decisión de la Corte Suprema sobre el caso de Dred Scott en 1857, alarmó al norte.
- El ataque de John Brown a Harpers Ferry, en 1859, alarmó al sur.

I. Repasar el Vocabulario

Une cada palabra de la izquierda con la definición correcta.

1. fugitivo
2. abolicionista
3. acuerdo
4. arsenal

   a. alguien que quería acabar con la esclavitud
   b. lugar donde se almacenan las armas
   c. prófugo
   d. convenio que da a cada parte algo de lo que quiere

II. Entender el Capítulo

1. ¿Por qué querían los sureños tener el mismo número de estados de esclavos que de estados libres?
2. ¿Cuál era la diferencia entre los abolicionistas y quienes apoyaban la tierra libre?
3. ¿Qué parte del acuerdo de 1850 enojó más a los norteños? ¿Por qué?
4. ¿Cómo hicieron la decisión sobre el caso Dred Scott y el ataque de John Brown que se separaran más el norte y el sur?

III. Desarrollo de Habilidades: Pronosticar

Pronostica el resultado de cada una de los siguientes acontecimientos.

1. El acuerdo de Missouri se aplicaba sólo a la compra de Luisiana. Estados Unidos gana nuevos territorios en la guerra contra México. El sur y el norte defendían fuertemente su punto de vista acerca de la esclavitud en los territorios de Estados Unidos.

IV. Escribir Acerca de la Historia

1. **¿Qué hubieras hecho?** Imagínate que hubieras visto a la gente atacando el juzgado donde Anthony Burns estaba preso. ¿Qué hubieras hecho? ¿Por qué?
2. Supón que eres el asistente de un juez de la Corte Suprema. Escribe una nota para ayudarle a decidir el caso de Dred Scott. Explica los pros y los contras de cada recomendación que hagas.

V. Trabajar Juntos

Del Pasado Hasta el Presente Con un grupo, comenta los acuerdos que se hicieron de 1820 a 1860. Después hablen acerca de las situaciones que existen en su escuela, comunidad, estado o país. Sugieran acuerdos que puedan ayudar a solucionar el problema.

Comienza la Guerra Civil. (1860-1863)

¿Cuáles eran las metas del norte y del sur cuando empezó la Guerra civil?

Los disparos que desencadenaron la Guerra civil ocurrieron en el puerto de Charleston y en el fuerte Sumter de la Unión.

Buscando los Términos Clave

Confederación • Guerra civil

Buscando las Palabras Clave

- **derechos de los estados:** el derecho de los estados a decidir ciertas situaciones sin la intervención del gobierno federal.
- **separarse:** apartarse de algo

- **bloqueo:** cuando se cierran los puertos al comercio
- **conscripción:** ley que obliga a los ciudadanos a cumplir el servicio militar

1 Comienza la Guerra.

¿Cómo empezó la Guerra civil?

La esclavitud fue el tema más importante en la elección de 1860. Mucha gente en el norte creía que debía haber límites a la esclavitud. Creían que al menos no debía existir en los nuevos territorios. La mayoría de los sureños blancos creían que tenían el derecho de ser dueños de esclavos y de llevarlos donde ellos quisieran.

Se divide la Unión   El republicano Abraham Lincoln ganó la elección. Pero todos sus votos vinieron de los estados del norte y del oeste. Ni siquiera estaba en las boletas de votación en diez estados sureños.

Lincoln creía que la esclavitud era incorrecta. Pero sabía que iba a ser difícil acabar con la esclavitud en los estados que la permitían. Por ello, quería acabar con la expansión de la esclavitud a más estados.

Sin embargo, la mayoría de los blancos sureños estaban seguros de que Lincoln y los republicanos en el Congreso querrían acabar con la esclavitud en todos lados. Pensaban que estas decisiones deberían formar parte de los **derechos de los estados**. Derechos de los estados son aquellos por los cuales los estados y no el gobierno federal tienen poder para decidir.

La situación llevó a algunos blancos sureños a **separarse**, o apartarse de la Unión. El 20 de diciembre de 1860, Carolina del Sur fue el primer estado que se separó. Para cuando Lincoln se convirtió en presidente, ya se habían separado siete estados.

La Confederación   Los siete estados sureños que se separaron decidieron

Cuando Lincoln tomó posesión en marzo de 1861, Estados Unidos era más pequeño porque siete estados se habían separado para formar su propia nación, la Confederación.

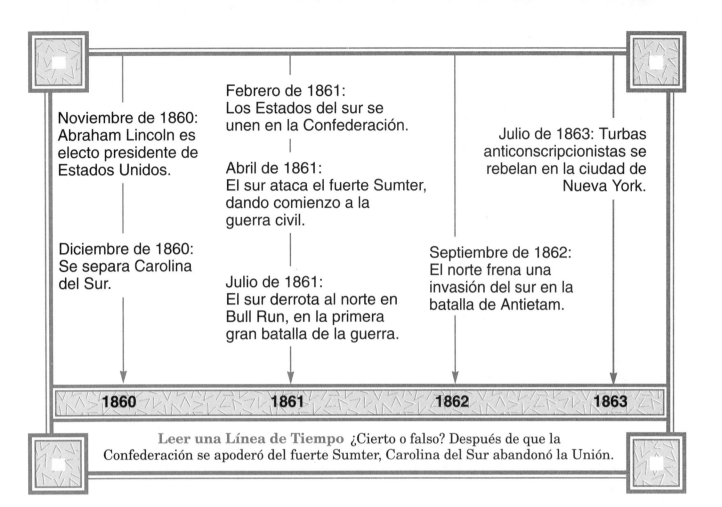

Noviembre de 1860: Abraham Lincoln es electo presidente de Estados Unidos.

Febrero de 1861: Los Estados del sur se unen en la Confederación.

Julio de 1863: Turbas anticonscripcionistas se rebelan en la ciudad de Nueva York.

Abril de 1861: El sur ataca el fuerte Sumter, dando comienzo a la guerra civil.

Diciembre de 1860: Se separa Carolina del Sur.

Julio de 1861: El sur derrota al norte en Bull Run, en la primera gran batalla de la guerra.

Septiembre de 1862: El norte frena una invasión del sur en la batalla de Antietam.

1860   1861   1862   1863

Leer una Línea de Tiempo ¿Cierto o falso? Después de que la Confederación se apoderó del fuerte Sumter, Carolina del Sur abandonó la Unión.

formar una nueva nación. Delegados de esos estados se reunieron en Montgomery, Alabama, en febrero de 1861. Ahí, crearon un nuevo plan de gobierno para su nación. Llamaron a su nación los Estados Confederados de América, también conocida como la **Confederación**. Los delegados escogieron a Jefferson Davis de Mississippi como presidente.

El camino hacia la guerra Abraham Lincoln se convirtió en presidente de Estados Unidos el 4 de marzo de 1861. Cuando Lincoln tomó posesión, dijo a los estados sureños: "No somos enemigos, sino amigos. No debemos ser enemigos". Pero también les advirtió que él defendería la Unión.

Los estados del sur empezaron a apoderarse de los fuertes militares, las oficinas de correos y los edificios federales dentro de sus fronteras. Para abril, la Unión tenía sólo cuatro fuertes militares en el sur.

El fuerte Sumter El fuerte Sumter era una de esas cuatro fortalezas de la Unión. Los confederados necesitaban el fuerte Sumter para proteger Charleston. Exigieron que el fuerte se rindiera. A las 4:30 de la mañana del 12 de abril, se iluminó el cielo sobre el puerto de Charleston. Los confederados habían comenzado a dispararle al fuerte Sumter. Por casi cuarenta horas, las balas de los confederados llovieron sobre el fuerte. El comandante de la

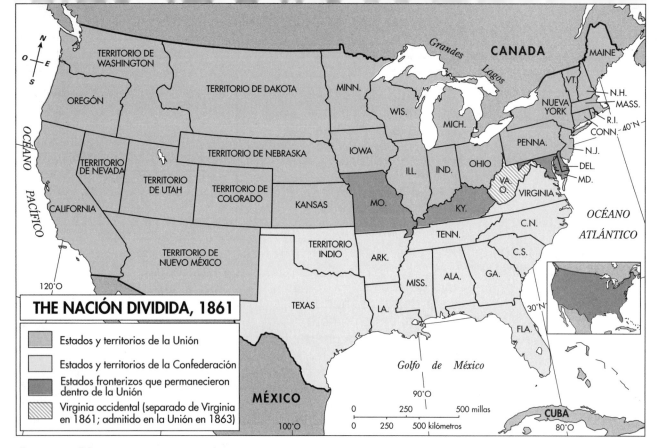

THE NACIÓN DIVIDIDA, 1861

- Estados y territorios de la Unión
- Estados y territorios de la Confederación
- Estados fronterizos que permanecieron dentro de la Unión
- Virginia occidental (separado de Virginia en 1861; admitido en la Unión en 1863)

Leer un Mapa. ¿Cuántos estados se unieron a la Confederación durante la Guerra civil? ¿Qué estados de la frontera se quedaron en la Unión? ¿Qué territorios no dejaron la Unión?

Unión se rindió en la tarde del 13 de abril. Los confederados ganaron fácilmente, pero habían empezado una guerra. Esa guerra se llama **la Guerra Civil**.

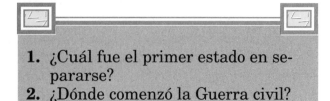

1. ¿Cuál fue el primer estado en separarse?
2. ¿Dónde comenzó la Guerra civil?

2 Muchos Grupos Luchan por Cada Lado.

¿Cómo fue que la Guerra civil fue una guerra de varios tipos de americanos?

Las noticias sobre el ataque al fuerte Sumter provocaron excitación en el norte y en el sur. Cuatro estados de esclavos más se unieron a la Confederación. Ambos lados se prepararon para la guerra.

El Norte El norte parecía tener la mayoría de las ventajas. Tenía 22 millones de personas. Había en ellos casi dos y medio veces más gente que en el Sur. El norte también tenía la mayoría de las fábricas de la nación. Finalmente, el norte tenía la mayoría de los barcos de la nación. Esto significaba que la marina de la Unión controlaba los mares.

El Sur El sur tenía aproximadamente 8 millones de personas. Cerca de un tercio de éstos eran americanos africanos esclavizados. El sur no quería que estos americanos africanos pertenecieran a sus fuerzas armadas.

Aun teniendo poca gente, el sur tenía algunas ventajas. Muchos de los sureños habían crecido en el campo. Sabían montar y disparar. Además, muchos de los mejores oficiales del ejército de Estados Unidos eran sureños. Cuando estalló la guerra, la mayoría de ellos se unieron al ejército confederado.

Los blancos sureños luchaban, además, por su forma de vida. El norte tenía que invadir el sur y ganarle a sus ejércitos en su propio territorio para ganar la guerra. Los sureños sólo tenían que defenderse.

Reclutamiento   Cuando estalló la guerra, hubo voluntarios que se unieron a las fuerzas armadas en ambos bandos. Provenían de diferentes grupos que habían poblado Estados Unidos. La brigada irlandesa era famosa en el ejército del norte del Potomac. Los americanos alemanes formaron varios regimientos en el ejército de la Unión.

Los latinos lucharon en ambos bandos en la guerra. Las tropas confederadas bajo el mando del coronel Santos Benavides expulsaron a las fuerzas de la Unión de Laredo, Texas. Más al este, el capitán Federico Fernández Cavada se enroló en el ejército de la Unión. Cavada sobrevoló los frentes de batalla en globos aerostáticos. Desde éstos dibujó mapas que mostraban los movimientos de las tropas enemigas.

Los americanos africanos   Hubo un grupo que especialmente ayudó a la Unión. Eran los americanos africanos. Más de 200,000 americanos africanos sirvieron en las fuerzas de la Unión. Muchos habían escapado de la esclavitud para luchar por la libertad.

Los americanos africanos que luchaban por la Unión corrían graves peligros en combate. Si los capturaban lo más probable era que los mataran. En el ejército de la Unión, les tocaban los trabajos más difíciles y sucios. Además, tenían que demostrar su valentía.

Un grupo que hizo eso fue el Regmiento 54 de Voluntarios de Infantería de Massachusetts. Era un regimiento de americanos africanos del ejército de la Unión. El 10 de julio de 1863, el 54 atacó un fuerte militar que estaba protegiendo Charleston, en Carolina del Sur. Balas y proyectiles de cañón de los confederados llovieron sobre los soldados. El 54 pagó un precio muy alto por el ataque. Casi la mitad de los soldados murieron. Sin embargo, demostraron que los soldados americanos africanos resistían con valentía el fuego enemigo.

Los americanos africanos sirvieron con honor. Veinte americanos africanos ganaron la medalla de Honor del Congreso por su valentía. Casi 40,000 murieron en la guerra.

Las mujeres y la guerra   Las mujeres eran importantes para ambos bandos. Muchas ayudaron a los ejércitos como enfermeras.

Clara Barton se dio a conocer como "el ángel del campo de batalla" del norte. Trató de curar a los heridos "en cualquier lugar entre la bala y el hospital". Más tarde Barton fundó la Cruz Roja Americana. Harriet Tubman era enfermera en el hospital para americanos africanos de la Unión.

Algunas mujeres se enrolaron en los ejércitos. Loreta Velázquez se disfrazó de hombre para luchar a favor del sur.

Cuando los oficiales descubrieron que era una mujer, fue expulsada del ejército. Velázquez se unió otra vez al ejército. En la batalla de Shiloh la alcanzó un balazo. Los médicos la descubrieron una vez más. Turo que dejar el ejército, esta vez para siempre. Después Velázquez se convirtió en espía para el sur en Washington, D.C.

Aun lejos de los campos de batalla, las mujeres ayudaban en la guerra. Fabricaban ropa y provisiones para mandar a las tropas. Se encargaban de las fincas y los negocios cuando sus esposos e hijos estaban en la guerra. Comenzaron a trabajar en las fábricas. Allí fabricaban armas y provisiones vitales. Otras empezaron a trabajar de empleadas en las oficinas del gobierno.

1. ¿Qué parte tenía más ventajas en la Guerra civil?
2. ¿Qué fue el Regimiento 54 de Voluntarios de Infantería de Massachusetts?

3 Ambos Bandos Con Victorias y Derrotas.

¿Por qué obtuvo ventaja primero el sur en la guerra?

El norte tenía un plan de tres partes para ganar la guerra. Primero, quería controlar el río Mississippi. Esto separaría a Arkansas, Luisiana y Texas del resto del sur.

Estos soldados del Regimiento 4 de Color de la Infantería de Estados Unidos ayudaron a defender Washington, D.C. Aproximadamente 200,000 soldados americanos africanos lucharon en la guerra, y aproximadamente 40,000 de ellos murieron en batalla.

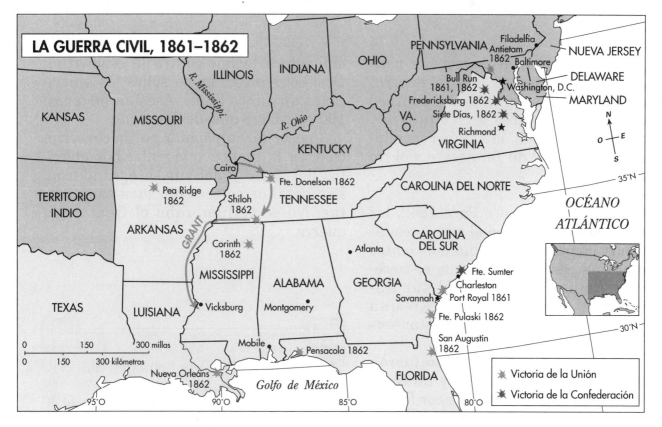

LA GUERRA CIVIL, 1861–1862

Leer un Mapa. ¿Cuál era la capital de la Unión? ¿Cuál era la capital de la Confederación? Nombra dos victorias de la Unión y dos victorias de la Confederación.

En segundo lugar, el norte quería dominar Richmond, Virginia. Esa ciudad era la capital de los Confederados.

En tercer lugar, la marina de la Unión haría un **bloqueo**, o cerraría los puertos del sur al comercio. El dinero del sur venía de la venta de algodón a Europa. Si sus puertos estaban cerrados, no llegarían ni dinero ni provisiones.

El plan del sur era simplemente resistir los ataques del norte. Si lo lograba, la gente del norte probablemente se cansaría de la guerra y aceptaría la Confederación.

Las campañas en el este   En los primeros años de la guerra el ejército de la Unión en el este pasó momentos difíciles. Los soldados de la Unión eran valientes. Sin embargo, no tenían buenos generales. El sur, mientras

tanto, había encontrado un excelente general. Robert E. Lee, de Virginia, se hizo cargo de las tropas de la Confederación en el este en 1862.

El norte trató de apoderarse de Richmond. Una y otra vez los generales de la Unión movieron sus tropas hacia el sur. Todas las veces, Lee encontró una forma de vencerlos.

Lee tuvo tanto éxito que decidió invadir el norte. En septiembre de 1862 el general de la Unión George McClellan se enteró de los planes de Lee por accidente. Decidió enfrentar de inmediato a Lee.

Los dos ejércitos se encontraron en Antietam Creek en Maryland. Fue el día más sangriento de la guerra. En total, ambos bandos perdieron más de 26,000 hombres. McClellan paró la invasión de Lee, pero el ejército de éste sobrevivió y pudo luchar de nuevo.

En el oeste las cosas iban mejor para la Unión. En febrero de 1862, el general de la Unión Ulysses S. Grant capturó dos fuertes militares en Tennessee. Para finales de 1862, la Unión controlaba una gran parte de Tennessee y el río Mississippi.

Una larga guerra   Para 1862, los ejércitos en el norte y en el sur necesitaban más hombres. No había suficientes voluntarios para cubrir lo que se necesitaba. Ambos, el norte y el sur llamaron a la **conscripción**. En una conscripción, la ley obliga a prestar servicio en las fuerzas armadas.

Las leyes de conscripción no fueron populares. En el norte, la ley de conscripción causó disturbios. El peor fue en la ciudad de Nueva York en 1863. Muchos blancos pensaban que se los obligada a luchar contra la esclavitud. Desahogaron su enojo sobre los americanos africanos libres. Asesinaron a casi 100 en cuatro días de distubios.

A pesar la ira popular por la conscripción, se la mantuvo vigente. Los ejércitos del norte y del sur se agrandaron. Las batallas se hicieron más sangrientas. No se vislumbraba el final de la guerra.

1. ¿Cuál era la meta principal del ejército de la Unión en el este?
2. ¿Cómo consiguieron el norte y el sur soldados para sus ejércitos?

CAPÍTULO 26
IDEAS CLAVE

- Después de que el republicano Abraham Lincoln fue electo Presidente en 1860, los estados sureños formaron una nueva nación llamada los Estados Confederados de América.

- Cuando la guerra comenzó, el norte tenía las ventajas de tener más gente y más fábricas. Sin embargo, el sur tenía mejores jefes militares y luchaba para proteger su propio territorio.

- Diferentes grupos de personas, entre ellos americanos africanos, latinos, nativos americanos y mujeres, ayudaron al norte y al sur.

- Después de que empezó la lucha, el norte trató de dividir la Confederación en dos. Proyectó invadir su capital Richmond, Virginia, y bloquear sus puertos.

I. Repasar el Vocabulario

Une cada palabra de la izquierda con la definición correcta.

1. bloqueo
2. separar
3. derechos de los estados
4. conscripción

a. apartarse de algo
b. cerrar los puertos de una nación al comercio
c. el derecho de los estados a decidir ciertas situaciones por sí mismos
d. ley que exige a los ciudadanos hacer el servicio militar

II. Entender el Capítulo

1. ¿Por qué la elección de Abraham Lincoln como presidente molestó a muchos blancos sureños?
2. ¿Cómo ayudaron las mujeres en la guerra a ambas partes, fuera de los campos de batalla?
3. ¿Cómo esperaba el sur vencer al norte en la Guerra civil?
4. ¿Por qué tuvo el norte tantas contrariedades en el este en los primeros años de la guerra?

III. Desarrollo de Habilidades: Resumen

En una hoja de papel, escribe dos o tres frases que resuman cada uno de los siguientes temas.

1. La actitud de Lincoln hacia la esclavitud.
2. El papel de las mujeres en la Guerra civil.
3. Las ventajas del norte en la Guerra civil.

IV. Escribir Acerca de la Historia

1. Imagina que vas a hablar frente a un grupo de mujeres en un pequeño pueblo americano en 1861. El tema será: "Cómo pueden ayudar las mujeres en la guerra". Escribe el discurso que pronunciarás.
2. **Qué hubieras hecho**? Imagina que eres un africano americano libre que vive en la ciudad de Nueva York en 1862. ¿Te unirías al ejército de la Unión o evitarías combatir? Explica.

V. Trabajar Juntos

Del Pasado al Presente Durante la Guerra civil, cada bando tenía normas acerca de quién podía pertenecer a su ejército. Algunas personas no podían combatir. Fíjate en las normas de las fuerzas armadas actuales. ¿Cuál es la diferencia? ¿Son más justas?

SE SALVA LA UNIÓN. (1863-1865)

¿Cuáles fueron algunos de los resultados de la victoria de la Unión en la Guerra civil?

El Regimiento 54 de Massachusetts perdió aproximadamente la mitad de sus hombres atacando el fuerte Wagner, en Carolina del Sur, en 1863.

Buscando los Términos Clave

- La proclama de la emancipación
- el discurso de Gettysburg

Buscando las Palabras Clave

- **estado fronterizo:** estado de esclavos que permaneció leal a la Unión
- **emancipar:** liberar de la esclavitud

- **guerra total:** guerra en la cual un ejército trata de destruir todo lo que pueda ser útil para el ejército enemigo
- **asesinato:** matar a una persona de notoriedad pública

SUGERENCIA DE

Repasa los capítulos 26 y 27. Mientras lo haces, redacta una lista de los cinco hechos más importantes en la Guerra civil. Elabora un pequeño resumen de por qué cada hecho figura en tu lista.

ESTUDIO

Abraham Lincoln tenía una meta importante en la Guerra civil. Quería salvar la Unión. Pero para el verano de 1862, la guerra no favorecía al norte. Lincoln necesitaba debilitar al sur. También necesitaba inspirar a los norteños para continuar con la lucha.

1 Muchos Americanos Africanos Esclavizados Consiguen la Libertad.

¿Por qué acabó Lincoln con la esclavitud en el sur?

Desde el principio de la guerra, los americanos africanos libres le habían suplicado a Lincoln que acabara con la esclavitud. Sin embargo, Lincoln se resistía.

Lincoln estaba preocupado por los **estados fronterizos**. Eran los cuatro estados de esclavos (Missouri, Kentucky, Maryland y Delaware) que habían permanecido en la Unión. Lincoln temía que si acababa con la esclavitud, los estados fronterizos abandonarían la Unión.

Aun así, Lincoln tomó ciertas medidas para limitar la esclavitud. En junio de 1862, Lincoln promulgó una ley que prohibió la esclavitud en los territorios.

Una nueva meta   A mediados del verano, Lincoln decidió promulgar una orden de **emancipar**, o liberar, a los esclavos en el sur. La orden alentaría a los americanos africanos esclavizados a escapar de sus dueños.

Lincoln sabía que el sur estaba tratando de conseguir ayuda de Gran Bretaña y Francia. Pensaba que esas naciones no querrían ayudar al sur si la guerra se llevaba a cabo para acabar con la esclavitud.

La proclama de la emancipación
Después de la victoria de la Unión en Antietam (ver página 225), Lincoln anunció que publicaría una proclama, u orden, sobre la esclavitud. El 1° de enero de 1863, publicó la **proclama de la emancipación**. La proclama liberó a los esclavos en aquellas zonas que estaban en rebelión contra Estados Unidos. Eso significaba que los americanos africanos esclavizados en la Confederación serían libres.

La orden no liberó a los americanos africanos esclavizados en los estados fronterizos. Tampoco liberó a los esclavos en las regiones del Sur donde había tropas de la Unión.

Un momento de alegría   Aun así, los americanos africanos recibieron con gusto esta orden. Era un paso muy grande para terminar con la esclavitud. Cuando la orden se puso en vigencia, hubo grandes celebraciones en las ciudades del norte. En Washington, D.C., los blancos y americanos africanos llenaron las calles. Se dieron la mano y cantaron juntos. Marcharon hacia la Casa Blanca para aplaudir al presidente Lincoln.

2 Acaba la Guerra.

¿Cómo ganó el norte la Guerra civil?

Para 1863, las ventajas del norte empezaron poco a poco a darle la superioridad. La marina de la Unión, bajo el mando de un almirante latino llamado David Farragut, tuvo un papel muy importante. En 1862, los barcos de Farragut tomaron Nueva Orleáns.

1. ¿Qué estados de esclavos permanecieron leales a la Unión?
2. ¿Cómo creía Lincoln que la proclama de la emancipación dañaría al sur?

Después navegaron por el Mississippi, y pusieron gran parte del río bajo el control de la Unión.

Mientras tanto, el ejército de la Unión al mando del general Ulysses S. Grant luchó en el sur de Tennessee. Las tropas de Grant llegaron al estado de Mississippi a finales de 1862. Fueron detenidos por una fuerza de la Confederación en Vicksburg.

Durante meses, la Unión bombardeó la ciudad. Los soldados de la Unión le cortaron los abastecimientos. Finalmente, en julio de 1863, Vicksburg se rindió. Para entonces la Unión controlaba todo el río Mississippi. El sur había sido dividido en dos.

Las batallas en el este Las tropas de la Unión tuvieron menos éxito en el este. Los generales de la Unión se propusieron tomar Richmond, pero Lee continuó ganando batallas contra ejércitos más poderosos.

Estas victorias dieron confianza a Lee. Decidió invadir el norte otra vez. Esperaba que si el sur obtenía una victoria allí, el norte se rendiría.

Gettysburg El ejército de Lee llegó a Pennsylvania antes de que las tropas de la Unión lo alcanzaran. Los dos ejércitos se encontraron en un pequeño pueblo llamado Gettysburg el 1° de julio de 1863. Hubo tres días de lucha continua.

En el primer día, los confederados dominaron a las tropas de la Unión, pero en los dos días siguientes, la Unión rechazó todos los ataques. El 3 de julio, Lee mandó 13,000 soldados a las líneas de la Unión. Casi la mitad de ellos murieron. Al día siguiente el ejército de Lee emprendió su regreso al sur.

Estos americanos africanos escapan de la esclavitud tras las líneas de la Unión. Mientras los ejércitos de la Unión avanzaban, los americanos africanos corrían grandes riesgos para escapar de la esclavitud.

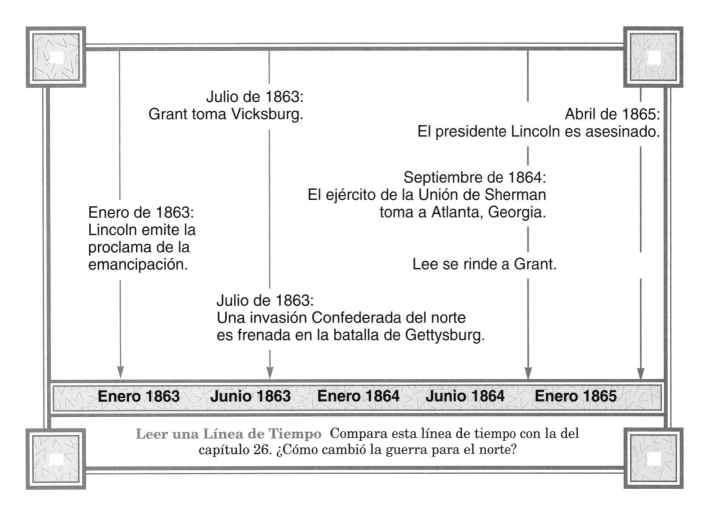

Julio de 1863:
Grant toma Vicksburg.

Abril de 1865:
El presidente Lincoln es asesinado.

Septiembre de 1864:
El ejército de la Unión de Sherman
toma a Atlanta, Georgia.

Enero de 1863:
Lincoln emite la
proclama de la
emancipación.

Lee se rinde a Grant.

Julio de 1863:
Una invasión Confederada del norte
es frenada en la batalla de Gettysburg.

| Enero 1863 | Junio 1863 | Enero 1864 | Junio 1864 | Enero 1865 |

Leer una Línea de Tiempo Compara esta línea de tiempo con la del capítulo 26. ¿Cómo cambió la guerra para el norte?

Lee había perdido la batalla de Gettysburg. Su derrota acabó con las mejores esperanzas que tenía el sur de ganar la guerra.

Cuatro meses después, el presidente Lincoln fue a Gettysburg. En un corto discurso, alabó a los soldados que habían luchado ahí. En su discurso, llamado **el discurso de Gettysburg**, utilizó palabras simples para recordar por qué se libraba la guerra:

"Declaramos solemnemente aquí...que este país, con Dios, verá renacer la libertad, y que el gobierno del pueblo, por el pueblo y para el pueblo no perecerá en esta tierra".

El comienzo del fin Después de Vicksburg, Grant movió su ejército hacia el este, adentrándose en Tennessee. Después de ganar dos batallas cerca de Chattanooga, el ejército de la Unión se preparó para entrar a Georgia.

El presidente Lincoln designó a Grant jefe de todos los ejércitos de la Unión. Grant se encargó del ejército de la Unión en el este. Planificó un nuevo ataque a Richmond.

Grant puso al general William Sherman a cargo del ejército de la Unión en el oeste. Sherman dirigió su ejército hacia Atlanta. Después de batallar todo el verano, dominó la ciudad

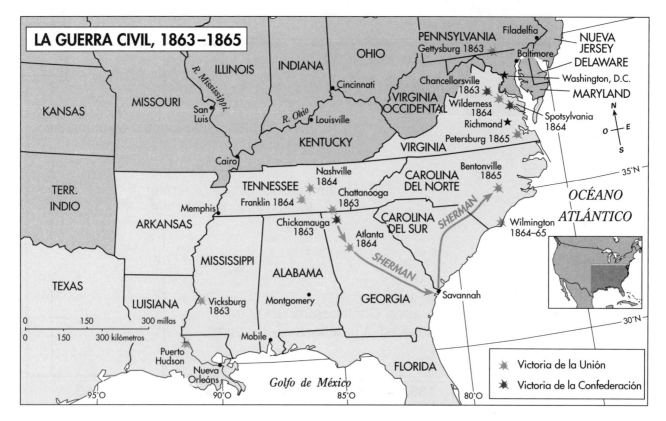

LA GUERRA CIVIL, 1863–1865

Victoria de la Unión
Victoria de la Confederación

Leer un Mapa Cuando la guerra se acercaba al final, ¿qué bando ganó más batallas? ¿Qué ciudades atacó el general Sherman después de la batalla de Chickamauga?

de Atlanta en septiembre de 1864. Luego, Sherman dirigió sus tropas hacia la costa.

Durante semanas, el ejército de la Unión marchó a través de Georgia. Los soldados de Sherman quemaron granjas y destruyeron cosechas. Libraron una **guerra total**. En la guerra total, un ejército destruye todo aquello que el ejército enemigo podría usar en su provecho.

Camino a la victoria En la primavera de 1864, Grant empezó a moverse hacia Richmond. El ejército de la Unión sufrió grandes pérdidas en las batallas de Virginia. Pero Grant no

pararía. Para este momento, el ejército de Lee estaba debilitado. A principios de abril, Grant tomó Richmond.

Después persiguió al ejército de Lee hacia el oeste, dentro de Virginia. Los soldados de la Unión alcanzaron a los confederados cerca de un pequeño pueblo llamado la Corte de Appomattox. Lee sabía que seguir luchando significaría más matanzas sin sentido. El 9 de abril de 1865, Lee se rindió a Grant.

Cuando las tropas de Grant se enteraron de que Lee se había rendido, empezaron a festejar. Grant ordenó a sus soldados que se callaran. Les dijo: "La guerra ha terminado, y los rebeldes son nuevamente nuestros compatriotas".

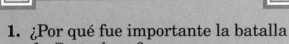

1. ¿Por qué fue importante la batalla de Gettysburg?
2. ¿Cómo acabó la Guerra civil?

3 El Gran Costo de La Guerra

¿Cómo afectó la Guerra civil al norte y al sur?

La Guerra civil se había acabado. Pero el costo de la guerra había sido muy alto para el Norte y el Sur. La nación sufriría las consecuencias por muchos años.

La muerte de Lincoln   La noticia de que Lee se había rendido provocó felicidad en todo el norte. Pero esta felicidad no duró mucho. El 14 de abril de 1865, el presidente Lincoln y su esposa Mary fueron al teatro en Washington. Mientras veían una obra, un actor llamado John Wilkes Booth apareció por detrás. Apuntó una pistola a la cabeza del presidente y disparó. Lincoln murió pocas horas después. El **asesinato** de Lincoln, la muerte del presidente, demostró que la rivalidad entre el norte y el sur no acabaría pronto.

Consecuencias en el sur   El costo de la guerra había sido especialmente alto en el sur. Aproximadamente 260,000 soldados confederados habían muerto. Gran parte del sur estaba en ruinas, incluso las grandes ciudades. Los ejércitos de la Unión habían quemado granjas y plantaciones. Habían destruido vías de tren y fábricas. La antigua forma de vida del sur había desaparecido.

Americanos africanos liberados
La guerra había liberado cuatro millones de americanos africanos esclavizados. De todos los sureños, ellos eran los que más razón tenían para celebrar. Al principio, lo hicieron.

Después empezaron a pensar en su futuro. Sin la esclavitud, los americanos africanos comenzaron una nueva vida. Tenían que encontrar trabajo y lugares para vivir. El futuro era incierto, pero al fin estaban libres.

Consecuencias en el norte   El norte no tuvo tantos daños como el sur. Pero la guerra también había provocado grandes sufrimientos. El costo en vidas era mucho más alto en el norte. Aproximadamente 360,000 soldados de la Unión habían muerto.

En Appomattox, Robert E. Lee se rindió ante Ulysses S. Grant. ¿Cómo ve el artista a los hombres? ¿Como héroes o como villanos?

	NORTE	SUR
Número de vidas perdidas durante la guerra	360,000	260,000
Diferencia en riqueza, 1860-1870	73% de incremento	48% de decremento
Diferencia en agricultura, 1860-1870	• maíz: 22% de incremento • trigo: 52% de incremento • forraje: 24% de incremento	• algodón: 50% de decremento • maíz: 44% de decremento • forraje: 64% de decremento

Source: "The Economic Incidence of the Civil War in the South," Ralph Andreano, *The Economic Impact of the American Civil War*, 1967.

Leer una Gráfica. ¿Qué bando perdió más vidas durante la Guerra civil? ¿Por qué ganó la guerra ese bando?

La guerra trajo cambios en la economía del norte. Preparó el camino para una nueva economía basada en la industria y en los grandes negocios.

Durante la guerra, el gobierno federal había empezado a tener un papel importante en la economía nacional. Por ejemplo, el Congreso promulgó una ley para dar tierras públicas gratis a los granjeros. También apoyó la construcción de un ferrocarril que llegaría a la costa del Pacífico.

La guerra dejó al gobierno una nueva tarea: tenía que reunificar una nación dividida. Cuando leas el capítulo siguiente te darás cuenta de que fue el trabajo más difícil para el gobierno.

1. ¿Qué lado perdió más soldados en la guerra?
2. ¿Cómo perjudicó al sur la guerra?

CAPÍTULO 27
IDEAS CLAVE

- La proclama de la emancipación de 1863 liberó a esclavos en partes del sur que estaban dominadas por el ejército de la Confederación.

- Mientras la guerra seguía su transcurso, las ventajas del norte tanto en hombres como en provisiones, le ayudaron a vencer al sur.

- La rendición de Lee ante Grant en la Corte de Appomattox, Virginia, el 9 de abril de 1865, marcó el final de la Guerra civil.

- Como resultado de la Guerra civil, la esclavitud se había acabado y la nación se había reunificado. Sin embargo, la guerra dejó más de 645,000 soldados muertos.

I. Repasar el Vocabulario

Une cada palabra de la izquierda con la definición correcta de la derecha.

1. emancipar
2. guerra total
3. estado fronterizo
4. asesinato

a. zona que permitía la esclavitud pero que permaneció leal a la Unión
b. liberar de la esclavitud
c. dar muerte a una persona de notoriedad pública
d. destruir todo lo que pueda servir al enemigo

II. Entender el Capítulo

1. ¿Por qué titubeó Lincoln al principio para acabar con la esclavitud?
2. ¿Cuáles fueron algunos de los límites de la proclama de emancipación?
3. ¿Cómo dividió el ejército de la Unión a la Confederación en dos partes?
4. ¿Por qué decidió rendirse el general Lee?

III. Desarrollo de Habilidades: Generalizar

Lee las generalizaciones en la lista siguiente. Encuentra información en el capítulo para apoyar cada generalización. Escribe esa información en una hoja de papel.

1. Los americanos africanos en el sur tuvieron pérdidas y ganancias como resultado de la Guerra civil.
2. El gobierno federal tuvo un papel más importante en los asuntos nacionales gracias a la Guerra civil.
3. Ambos bandos, el norte y el sur, pagaron un alto precio por la Guerra civil.

IV. Escribir Acerca de la Historia

1. **¿Qué hubieras hecho?** Imagina que eres un senador de Estados Unidos de un estado fronterizo. Lincoln acaba de anunciar la proclama de emancipación. ¿Le dirías a los votantes que te eligieron que estás de acuerdo o en contra de la proclama? Explica tu respuesta.
2. Imagínate que eres el director de un periódico en una ciudad del sur o del norte. Escribe un comentario expresando tu reacción ante el asesinato de Lincoln.

V. Trabajar Juntos

Del Pasado al Presente Con un grupo, discute el costo de la Guerra civil para la gente del norte y del sur. Hablen acerca de cómo los efectos de la Guerra civil se pueden comparar con los efectos de una guerra actual. Enumera aquellos que pienses que sean similares. Después enumera los que sean diferentes.

LA RECONSTRUCCIÓN DE LA NACIÓN. (1865-1877)

¿Cuáles fueron las ganancias y las pérdidas para los americanos africanos después de la Guerra civil?

¿Qué te dice esta escena acerca del deseo de los americanos africanos libres de educarse?

Buscando los Términos Clave

- Oficina de los libertos • la décimo tercera enmienda
- Reconstrucción • códigos para negros
- la décima cuarta enmienda • la décima quinta enmienda

Buscando las Palabras Clave

- **libertos:** americanos africanos esclavizados que fueron liberados durante la Guerra civil
- **encausar:** acusar formalmente al presidente o a otro funcionario de infringir la ley

- *carpetbagger:* norteño que se mudó al sur después de la Guerra civil
- **arrendatario:** granjero que paga una parte de su cosecha al dueño de la tierra como renta
- **linchar:** matanza ejecutada por una turba

El norte y el sur fueron enemigos durante cuatro años sangrientos. ¿Cómo se convertirían en una sola nación otra vez? ¿Qué les pasaría a los cuatro millones de americanos africanos libres en el sur? Durante los 12 años siguientes a la Guerra civil, hubo grandes cambios en Estados Unidos. Estos cambios fueron especialmente favorables para los americanos africanos.

1 Los Americanos Africanos Luchan para Construir Nuevas Vidas.

¿Cómo era la vida de los americanos africanos en el sur inmediatamente después de la Guerra civil?

Los hombres, mujeres y niños americanos africanos, que ya no eran esclavos, eran llamados **libertos**. Antes de la guerra, las leyes del sur y los dueños de esclavos del sur habían controlado sus vidas. Después de la guerra, los libertos se dedicaron a reconstruir sus vidas.

Durante la esclavitud, miles de familias americanas africanas se habían separado. Esposos, esposas y niños eran frecuentemente vendidos a propietarios en lugares lejanos. Con la libertad, muchos americanos africanos empezaron a viajar. Iban en busca de sus familias. Un liberto caminó más de 600 millas buscando a su esposa y sus hijos.

Nuevas iglesias   Después de la guerra, aparecieron nuevas iglesias americanas africanas. Estas iglesias se convirtieron en el centro de la vida americana africana. Los fieles se reunían en ellas para planificar campañas políticas. Se hacían fiestas. Las iglesias abrieron escuelas en sus edificios.

Educación   Después de la guerra, los americanos africanos querían educación para ellos y para sus hijos. Un liberto de Carolina del Norte expresó sus sentimientos. Dijo que tener una escuela sería "la primera prueba de una verdadera independencia". Los americanos africanos juntaron dinero para comprar tierras, construir escuelas y pagar a los maestros.

Nuevo trabajo   Los americanos africanos tenían la oportunidad de trabajar donde quisieran y ganar un salario. Un liberto dijo que se sentía el hombre más rico del mundo después de haber recibido un dólar por trabajar en el ferrocarril. Sin embargo, ganarse la vida en el sur arruinado resultó ser muy difícil.

Ayuda del gobierno de EE.UU. Antes de que la guerra terminara, el gobierno de los EE.UU. empezó a ayudar a los americanos africanos. Fundó la **Oficina de libertos** en 1863. La Oficina ayudó a los antiguos esclavos a encontrar trabajo y vivienda. También les ayudó a buscar a los miembros dispersos de sus familias.

La Oficina tuvo un papel importante en la educación de los libertos. Para 1867, había establecido casi 4,500 escuelas. Aproximadamente 250,000 estudiantes asistieron a estas escuelas.

Después de la Guerra civil, el Congreso proyectó la **Reconstrucción.**

El propósito de la Reconstrucción era unir nuevamente a Estados Unidos. Para hacer eso, los estados del sur tenían que reintegrarse a la Unión. El presidente Lincoln había querido facilitar esto.

En 1865, el Congreso promulgó la décimo tercera enmienda. La enmienda prohibía la esclavitud en EE.UU., pero los estados sureños no querían dar toda la libertad a los americanos africanos. Los gobiernos del sur empezaron a aprobar **códigos para negros**. Eran leyes que les quitaban muchos derechos a los libertos. Con los códigos para negros, los americanos africanos no podían votar. Era un crimen para un

Como otras ciudades sureñas, Charleston, Carolina del Sur, yacía en ruinas después del fin de la Guerra civil.

africano americano no tener trabajo. Al mismo tiempo, los códigos establecían que los libertos solamente podían tener trabajo como sirvientes o granjeros.

Los códigos enfadaron a los americanos africanos y a mucha gente en el norte. La Unión acababa de pelear en una guerra para acabar con la esclavitud. Ahora parecía que los estados sureños estaban usando los códigos para negros para establecer un nuevo tipo de esclavitud.

1. ¿Qué agencia de los EE.UU. se estableció para ayudar a los antiguos esclavos a ajustarse a la libertad?
2. ¿Cómo pretendieron controlar a los libertos los gobiernos del sur?

2 Los Americanos Africanos Participan en los Gobiernos de Reconstrucción.

¿Qué papel tuvieron los americanos africanos en los gobiernos de los estados sureños?

Los republicanos del norte controlaban el Congreso de EE.UU. Muchos creían que el sur tenía que ser castigado por haber empezado la Guerra civil. Tampoco querían ver que los confederados obtuvieran nuevamente el poder en el sur.

El Congreso en acción El Congreso trató de garantizar los derechos de los libertos. Redactó una nueva enmienda para la Constitución. Esta **décimo cuarta enmienda** decía que los nacidos en EE.UU. eran ciudadanos.

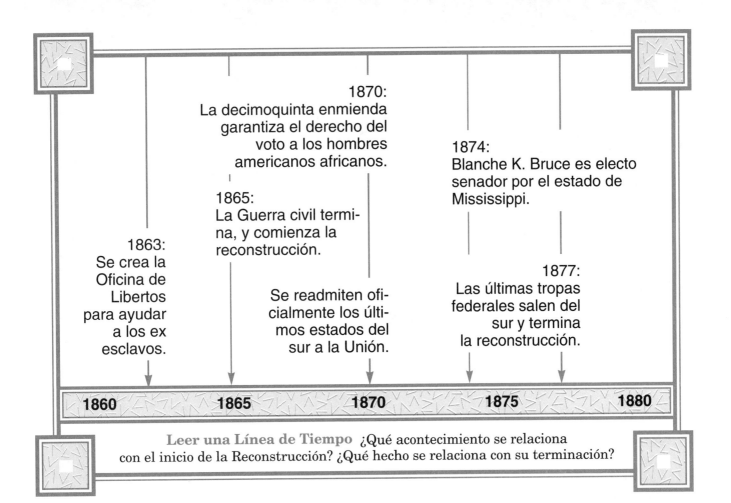

1863:
Se crea la Oficina de Libertos para ayudar a los ex esclavos.

1865:
La Guerra civil termina, y comienza la reconstrucción.

Se readmiten oficialmente los últimos estados del sur a la Unión.

1870:
La decimoquinta enmienda garantiza el derecho del voto a los hombres americanos africanos.

1874:
Blanche K. Bruce es electo senador por el estado de Mississippi.

1877:
Las últimas tropas federales salen del sur y termina la reconstrucción.

1860   1865   1870   1875   1880

Leer una Línea de Tiempo ¿Qué acontecimiento se relaciona con el inicio de la Reconstrucción? ¿Qué hecho se relaciona con su terminación?

Con esta medida, los libertos tenían los mismos derechos que todos los ciudadanos.

El sur continuó ignorando los derechos de los americanos africanos. En noviembre de 1866, se llevaron a cabo elecciones en el sur. En ellas, la mayoría de los libertos se abstuvieron de votar. Grandes números de ex confederados ganaron cargos públicos en el sur.

Los republicanos del Congreso, enojados, crearon un nuevo plan de Reconstrucción en 1867. Este plan formó cinco distritos en el sur. El ejército de EE.UU. gobernaba esos distritos.

Antes de que un estado confederado pudiera reunirse a la Unión, tenía que garantizar el voto a los hombres americanos africanos. También tenía que prohibir que los oficiales confederados obtuvieran puestos públicos. El estado también tenía que aprobar la décima cuarta enmienda.

El juicio al presidente Johnson
El presidente Andrew Johnson vetó el plan del Congreso. El Congreso promulgó la ley superando su veto. Este no era su primer veto. Johnson había vetado varios proyectos de ley anteriormente.

En 1868, intentaron deshacerse de Johnson. La Cámara de representantes lo **encausó**. Encausar con juicio político significa acusar de crímenes a un funcionario. La Cámara dijo que el crimen de Johnson había sido no promulgar las leyes aprobadas por el Congreso. Entonces el Senado hizo juicio político a Johnson.

Los tres hombres que muestra este grabado de 1881 son los senadores Blanche K. Bruce y Hiram Revels de Mississippi, con Frederick Douglass en el medio.

Johnson se salvó de ser declarado culpable por un voto. Sin embargo, ya no tenía ningún poder político. En las elecciones de 1868, los votantes eligieron al héroe de la guerra Ulysses S. Grant para presidente.

Más de 600 americanos africanos sirvieron en los gobiernos de los estados sureños durante la Reconstrucción. Algunos tenían puestos tan altos como los de vicegobernador o secretario. En Luisiana, P.B.S. Pinchback tomó posesión cuando un gobernador blanco fue encausado con juicio político. Pinchback fue el primer gobernador americano africano en la historia de EE.UU.

Nuevos programas   Por primera vez, gobiernos de los estados del sur le prestaron atención a las necesidades de los americanos africanos. Algunos programas brindaron nuevos servicios a los libertos. Se abrieron escuelas públicas y hospitales en todo el sur. En Carolina del Sur, un nuevo plan llevó servicio médico a los necesitados. En todos los estados, los códigos para negros fueron derogados.

Los nuevos gobiernos también aprobaron una nueva enmienda a la Constitución de EE.UU. en 1870. Esta **décimo quinta enmienda** establecía que el derecho a voto no podía serle negado a los americanos africanos en ningún estado.

Libertos en el gobierno federal
Durante la Reconstrucción, los americanos africanos obtuvieron por primera vez puestos federales. Veinte fueron elegidos a la Cámara de representantes. Hiram Revels, de Mississippi, fue el primer americano africano que obtuvo una banca en el Senado de EE.UU.

Blanche K. Bruce de Mississippi, también llegó al Senado.

Bruce era un esclavo que escapó a la libertad. Trabajó como empleado en una imprenta y fue a la universidad en el norte. Después de la guerra, Bruce se mudó al sur, a Mississippi. Fue electo para el Senado en 1874.

Quejas Los nuevos gobiernos estatales no complacieron a todos los sureños. Muchos blancos se quejaron de que los norteños tenían un papel demasiado importante en ellos. Llamaban a los norteños que iban al sur después de la guerra ***carpetbaggers***. Este nombre viene de un tipo de maleta utilizado por los viajeros.

Por lo que los sureños blancos estaban verdaderamente preocupados era por la posibilidad de otro cambio. No querían compartir el poder con los libertos.

1. ¿Qué leyes hicieron ciudadanos a los americanos africanos?
2. ¿Por qué trató el Congreso de remover al presidente Johnson?

3 La Reconstrucción Deja Muchos Problemas sin Resolver.

¿Por qué desilusionó la Reconstrucción a los americanos africanos?

La Reconstrucción trajo muchos cambios a las vidas de los americanos africanos. Al terminar esa época, sin

Muchos arrendatarios no tenían dinero para comprar animales que trabajaran sus tierras. Ellos empujaban los arados con la fuerza de su propio cuerpo.

Miembros del Ku Klux Klan utilizaban el terror para impedirle ejercer sus derechos a los americanos africanos.

cuidaba la tierra de otra persona. Como arriendo, le daba una parte de la cosecha al dueño.

A menudo, los arrendatarios no tenían dinero para comprar semillas, animales o herramientas. Los propietarios les prestaban dinero para eso a cambio de una parte más grande de la cosecha. A menudo las cosechas eran demasiado pequeñas para pagar lo que el arrendatario debía. Los arrendatarios se endeudaban fuertemente.

Tiempo de terror Poco después de la Guerra, nuevas organizaciones de blancos se formaron en el sur. Entre esos grupos estaban algunos como el Ku Klux Klan. Afirmaban que querían poner a los libertos "en su lugar". Esto lo conseguirían por medio del terror, la violencia y la muerte.

Estos grupos quemaban casas, iglesias y escuelas americanas africanas. Un liberto dijo: "El gobierno construyó escuelas, y el Ku Klux Klan las quemó". Esos grupos terroristas trataron de impedir que los libertos votaran.

El contraataque Los americanos africanos pelearon contra esos jinetes enmascarados de la noche. Algunos formaron grupos de milicias. Otros lucharon individualmente contra ellos. Una muchedumbre en Marianna, Florida, atacó a un maestro blanco en una escuela americana africana. Los libertos acudieron rápidamente a ayudarlo. La muchedumbre huyó. A la noche siguiente la turba regresó. Cuarenta libertos armados lo defendieron una vez más.

Al final, los americanos africanos ya no podían detener los ataques. Tenían

embargo, la mayoría de los libertos se encontró con que las promesas que les habían hecho no se habían cumplido.

Muchos libertos soñaron con tener granjas propias. Sin embargo, no tuvieron ni tierras ni mulas. De hecho, las leyes en muchos estados prohibían que los americanos africanos fueran propietarios de tierras.

Arrendatarios Para sobrevivir, muchos libertos se convirtieron en **arrendatarios**. Un arrendatario

pocas armas. Tenían poco dinero. Tenían escasa protección por parte del gobierno. Los americanos africanos que seguían luchando eran golpeados o flagelados. Muchos eran **linchados**, o calgados por muchedumbres.

El final de la Reconstrucción Por miedo a la muerte, los americanos africanos se alejaron de las urnas. Sin el apoyo de los americanos africanos, los republicanos no podían ganar las elecciones. Los ganaron demócratas blancos. Los gobiernos de la Reconstrucción se desintegraron. Para 1877, los demócratas blancos tenían el poder en todos los que alguna vez fueron estados confederados. Las últimas tropas de EE.UU. fueron sacadas del sur. La Reconstrucción había terminado.

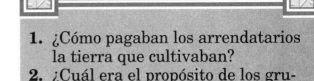

1. ¿Cómo pagaban los arrendatarios la tierra que cultivaban?
2. ¿Cuál era el propósito de los grupos como el Ku Klux Klan?

CAPÍTULO 28
IDEAS CLAVE

- Los años de 1865 a 1877 se conocen como la Reconstrucción. Los americanos africanos liberados de la esclavitud lucharon para reconstruir sus vidas.

- La Oficina de los libertos ayudó a éstos en su lucha.

- Los republicanos del Congreso se enfadaron con los esfuerzos de los sureños blancos para limitar los derechos de los libertos. Hicieron un plan estricto de Reconstrucción.

- En la Reconstrucción, los americanos africanos en el sur participaron activamente en el gobierno. Ocuparon puestos estatales y nacionales.

- Los blancos sureños formaron grupos terroristas como el Ku Klux Klan para evitar que los americanos africanos ejercieran sus derechos.

- Para 1877, la Reconstrucción había terminado. Los blancos habían obtenido de nuevo el control de todos los gobiernos estatales en el sur.

REPASO DEL CAPÍTULO 28

I. Repasar el Vocabulario

Une cada palabra de la izquierda con la definición correcta de la derecha.

1. arrendatario

2. libertos

3. encausar

4. linchar

a. matanza llevada a cabo por una muchedumbre

b. granjero que paga parte de su cosecha al dueño de la tierra como alquiler

c. acusar a un funcionario de un crimen

d. esclavo americano africano liberado

II. Entender el Capítulo

1. ¿Cómo ayudó la Oficina de los libertos a los americanos africanos después de la Guerra civil?

2. ¿Cuáles fueron las partes clave del plan del Congreso para la Reconstrucción?

3. ¿Por qué trataban de impedir grupos como el Ku Klux Klan que votaran los libertos?

4. ¿Cómo acabó la era de la Reconstrucción?

III. Desarrollo de Habilidades: Revisión del Tiempo

1. ¿Qué ocurrió primero, la elección de Ulysses S. Grant o la residencia de Andrew Johnson? ¿Cómo lo sabes?

2. ¿Qué ocurrió primero, los códigos para negros o el plan de Reconstrucción del Congreso? Da fechas para apoyar tu respuesta.

IV. Escribir Acerca de la Historia

1. **¿Qué hubieras hecho?** Imagina que eres un arrendatario americano africano en un estado del sur en 1870. Te acabas de enterar de que el Ku Klux Klan quemó la casa de un amigo tuyo. Las elecciones serán las próximas semanas. ¿Votarás? Explica tu decisión.

2. Imagínate que trabajas para un periódico en el norte. Escribe un comentario dando tu opinión acerca de los códigos para negros que hay en los estados del sur.

V. Trabajar Juntos

Del Pasado al Presente El aumento de impuestos por los gobiernos de Reconstrucción enfadó a muchos sureños. Discute con tu grupo cómo se sienten hoy en día los votantes acerca de los impuestos. Escriban un párrafo que explique si el dinero de los impuestos está bien aprovechado o si éstos se deberían reducir.

Unidad 6
Retos, Oportunidades y Logros (1876-1900)

Capítulos

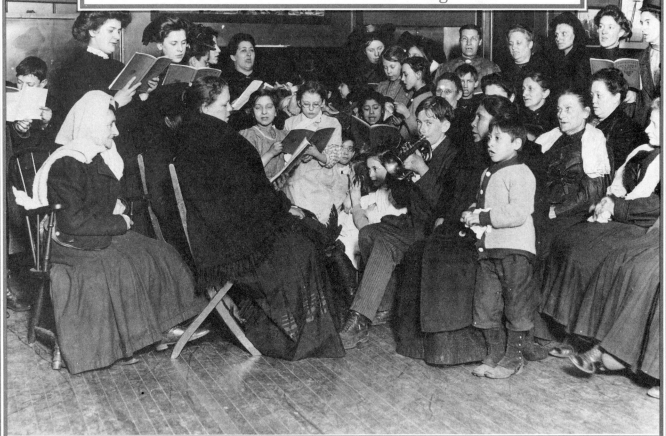

LOS AMERICANOS AFRICANOS SE ENFRENTAN A UN MUNDO HOSTIL. (1877-1900)

¿Cómo perdieron sus derechos los americanos africanos en el sur después de la Reconstrucción?

Un pastor protestante americano africano visita a una familia sureña. Los pastores eran altamente respetados por los miembros de sus comunidades.

Buscando Términos Clave

- Jim Crow
- *Plessy* vs. *Ferguson*

Buscando las Palabras Clave

- **segregar:** separar a la gente por razas

- **derechos civiles:** derechos otorgados a todos los ciudadanos por la Constitución

SUGERENCIA DE

Mientras lees, toma notas que te ayudarán a contestar la pregunta al principio de este capítulo. Lee los títulos para más información que complemente tus apuntes.

ESTUDIO

En 1884, un escritor americano africano que vivía en el norte se preocupó por el sur. T. Thomas Fortune vio cómo vivían allí los americanos africanos. Y le contó al mundo acerca de esas vidas.

Fortune escribió que los americanos africanos estaban más "bajo el control de los sureños blancos que con el sistema de esclavitud". Durante la Reconstrucciónse les había prometido derechos a los americanos africanos. ¿Qué había salido mal?

1 Las Leyes de Jim Crow Atacan a los Americanos Africanos.

¿Cómo le quitaron las nuevas leyes del sur sus derechos a los americanos africanos?

Grupos como el Ku Klux Klan utilizaron el terror para impedir que votaran los americanos africanos. Impidieron que muchos americanos africanos concurrieran a las mesas electorales. Aun así, algunos americanos africanos no se intimidaron. Continuaron eligiendo a otros americanos africanos para puestos gubernamentales. Por ejemplo, en Carolina del Norte, 104 americanos africanos tenían puestos estatales entre 1876 y 1895.

A los legisladores blancos del sur se les ocurrió otra idea. Estos legisladores sabían que el gobierno federal había perdido interés en proteger a los americanos africanos. El gobierno federal no intervendría si los estados del sur promulgaban leyes para limitar los derechos de los americanos africanos. En los años 1880, los estados del sur empezaron a promulgar esas leyes.

Ninguna de las nuevas leyes decía que los americanos africanos no podían votar. Después de todo, la décimo quinta enmienda decía que ningún estado podía impedir a los americanos africanos que votaran. Pero las nuevas leyes dieron a las autoridades otros modos de impedir la votación de los americanos africanos. La siguiente tabla muestra algunas de esas leyes.

Las nuevas leyes dieron. A medida que disminuía la cantidad de votantes, los funcionarios americanos africanos electos desaparecieron del sur.

Leer una Gráfica. ¿Por qué creó estas barreras el sur blanco? ¿Por qué no dijeron simplemente que los americanos africanos no podían votar?

BARRERAS DE LOS ESTADOS A LOS VOTOS DE LOS AMERICANOS AFRICANOS

Impuesto de casilla	Un votante libre debe pagar por el privilegio de votar; en efecto un impuesto sobre el voto que muchos americanos africanos eran demasiado pobres para pagar
Prueba de propiedad	Requerimientos de que un hombre debía ser dueño de un cierto monto de propiedad antes de poder votar; una prueba que pocos americanos africanos y blancos pobres podían pasar
Prueba de alfabetismo	Requerimiento que para votar, un hombre debía tener la capacidad de leer; secretarios de elección blancos decidían quién aprobaba el examen
Cláusula de antigüedad	Renuncia de las pruebas de alfabetismo y propiedad para aquellos hombres que habían sido elegibles para votar antes de la Guerra civil; una prueba que pocos americanos africanos podían pasar
Elecciones primarias blancas	Elecciones primarias, o de nominación, de las cuales los demócratas blancos podían excluir a los americanos africanos ya que tales elecciones no estaban cubiertas por la décimo quinta enmienda, la cual le había otorgado el derecho de voto a los americanos africanos

Jim Crow   Las leyes de votación hicieron que los americanos africanos no se presentaran a las mesas electorales. Pero los legisladores blancos en el sur querían impedir a los americanos africanos muchas cosas más. Promulgaron leyes para **segregar** a los blancos de los americanos africanos. Segregar significa separar por razas.

Según esas leyes, los americanos africanos tenían que viajar en vagones de tren diferentes a los de los blancos. Tenían que sentarse en sectores distintos en el teatro. No se podían alojar en los mismos hoteles. Sus hijos tenían que ir a escuelas diferentes.

El sistema que establecieron estas leyes se llamaba **Jim Crow**. El nombre proviene de una canción popular que se burlaba de los americanos africanos.

Protestas contra el Jim Crow

Los americanos africanos odiaban el Jim Crow. Muchos de ellos protestaron contra esas leyes. Una de estas personas fue Homer Plessy.

En un viaje de tren en Luisiana, Plessy se sentó en un vagón para blancos. Un conductor le dijo que tenía que cambiarse de lugar. Plessy se rehusó y fue arrestado. Una corte de Luisiana declaró a Plessy culpable de incumplimiento de la ley. Plessy continuó el caso hasta llegar a la Corte Suprema.

En 1896, la Corte Suprema dictó sentencia. Falló contra Plessy en el caso conocido como ***Plessy vs. Ferguson***. La Corte dijo que la segregación era legal si los americanos africanos y los blancos disfrutaban de iguales servicios.

La sentencia de la Corte apoyó la segregación por más de 50 años. Escuelas, parques y cementerios de americanos africanos y blancos abundaban en el sur. Eran lugares separados, y en pocos casos daban servicios iguales. Los lugares para los blancos eran casi siempre mucho mejores que los de los americanos africanos.

La ley de linchamientos   Los americanos africanos que protestaban

Leer una Gráfica. ¿Cuáles fueron las dos décadas más importantes para las leyes Jim Crow? ¿Cómo piensas que sería la vida con las leyes Jim Crow?

ALGUNAS LEYES JIM CROW, 1870-1965

Fecha/Lugar		Intención de la ley	Fecha/Lugar		Intención de la ley
1870	Georgia	escuelas separadas	1915	Oklahoma	casillas de teléfonos separadas
1891	Georgia	asientos separados en vagones de tren	1915	Carolina del S.	gasto disigual para la educación
1900	Carolina del S.	vagones separados	1922	Mississippi	taxis separados
1905	Georgia	parques separados	1932	Atlanta	campos de béisbol separados
1906	Alabama	tranvías separados	1935	Oklahoma	prohibición de pescar embarcarse juntos
1910	Baltimore	manzanas residenciales separadas	1937	Arkansas	segregación en los hipódromos
1914	Luisiana	entradas y asientos separados en los circos	1944	Virginia	salas de espera separadas en los aeropuertos
1915	Carolina del S.	entradas y áreas de trabajo separadas en las fábricas	1965	Luisiana	negación de dinero estatal para las escuelas no segregadas

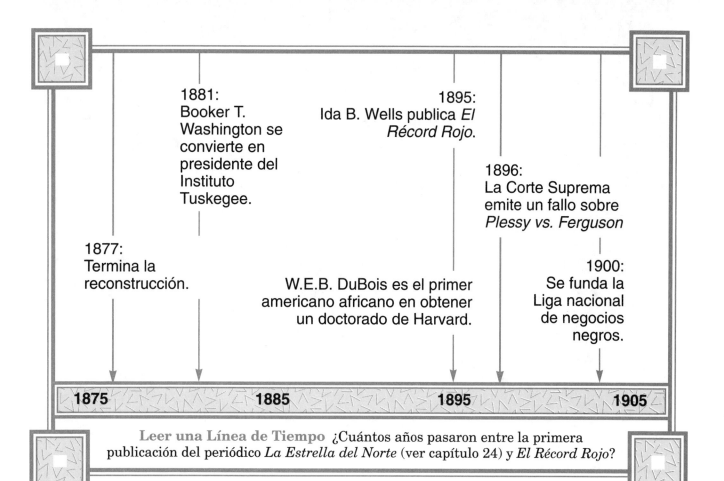

1881:
Booker T. Washington se convierte en presidente del Instituto Tuskegee.

1895:
Ida B. Wells publica *El Récord Rojo.*

1896:
La Corte Suprema emite un fallo sobre *Plessy vs. Ferguson*

1877:
Termina la reconstrucción.

W.E.B. DuBois es el primer americano africano en obtener un doctorado de Harvard.

1900:
Se funda la Liga nacional de negocios negros.

| 1875 | 1885 | 1895 | 1905 |

Leer una Línea de Tiempo ¿Cuántos años pasaron entre la primera publicación del periódico *La Estrella del Norte* (ver capítulo 24) y *El Récord Rojo*?

contra esas leyes arriesgaban la vida. Los asesinatos se volvieron comunes en el sur. Miles de americanos africanos fueron linchados a finales de los años 1800. Algunos sureños blancos creían que el terror era la mejor manera de hacer que los americanos africanos actuaran como ellos querían.

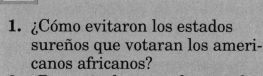

1. ¿Cómo evitaron los estados sureños que votaran los americanos africanos?
2. ¿Por qué adoptaron los estados sureños las leyes Jim Crow?

2 Los Americanos Africanos Luchan Contra Jim Crow.

¿Cómo trataron de superar los americanos africanos las leyes Jim Crow?

Los clubes de americanos africanos se opusieron al Jim Crow. Pidieron al Congreso de EE.UU. que protegiera los **derechos civiles** de los americanos africanos. Los derechos civiles son derechos otorgados a todos los ciudadanos de EE.UU. por la Constitución.

Estos grupos lograron algunos éxitos. Quince estados del norte pusieron en vigor leyes de derechos civiles. Sin embargo, el Jim Crow seguía en vigor en el sur.

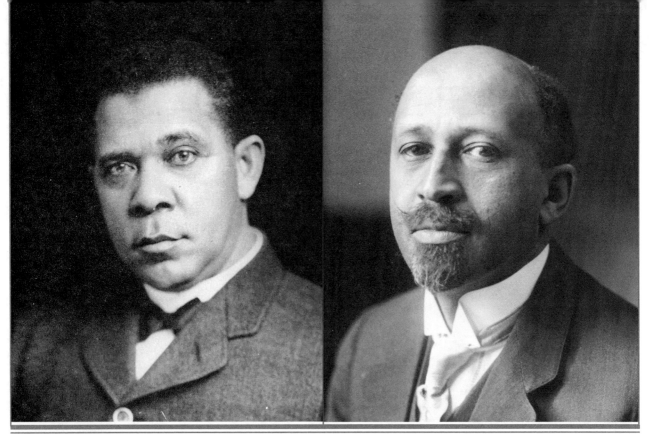

Booker T. Washington, a la izquierda, y W.E.B. DuBois difieren en la forma en que los americanos africanos debían de obtener sus derechos. Washington creía que la educación estaba primero. DuBois decía que la igualdad de derechos era lo primero.

Acción directa   Otros americanos africanos decidieron boicotear los lugares donde se practicaba la segregación. En más de 20 ciudades sureñas, los americanos africanos boicotearon compañías de transporte que mantenían tranvías segregados.

Algunos americanos africanos lucharon contra el terror de los linchamientos. Uno de ellos era Ida B. Wells.

Wells nació esclava en Mississippi. Después de la guerra era maestra en una escuela. En 1891, se convirtió en editora y socia de un periódico en Memphis, Tennessee.

Wells atacó los linchamientos en las páginas de su periódico. Blancos enfadados destruyeron su imprenta. La amenazaron con colgarla. Wells tuvo que huir. Se estableció en Chicago. Allí continuó su lucha. Quería que toda la nación se enterara de los linchamientos.

Un líder nacional   No todos los americanos africanos protestaron contra las leyes Jim Crow en público. Booker T. Washington fue uno de los que actuó en contra de otra forma.

En 1881, Washington consiguió un trabajo como director de una nueva escuela para americanos africanos en Alabama. La escuela se llamaba el Instituto Tuskegee. Capacitaba a americanos africanos para trabajar en granjas e industrias.

Washington transformó Tuskegee en la escuela líder para americanos africanos de la nación. Al hacerlo, se convirtió en el líder nacional de los americanos africanos.

Washington no estaba en favor de las protestas públicas contra las leyes Jim Crow. Creía que primero los americanos africanos tenían que recibir educación y luego obtener trabajos.

Otro punto de vista El punto de vista de Washington enfadó a algunos americanos africanos. Consideraban que sin igualdad de derechos, no tendrían nunca la oportunidad de buena educación o buenos trabajos.

W.E.B. DuBois fue una de las personas que se preocupó por el tema. DuBois fue un brillante estudiante, el primer americano africano que consiguió un doctorado en la Universidad de Harvard. Dio clases de historia y escribió varios libros.

DuBois dijo que los americanos africanos no podían esperar a que les llegara la igualdad de derechos. ¡Tenían que tomar medidas de inmediato! Deberían resistir las leyes Jim Crow de forma pacífica pero con firmeza. Tenían que exigir el derecho al voto. También debían procurarse educación universitaria.

1. ¿Cómo luchó Ida B. Wells contra el linchamiento?
2. Según Booker T. Washington, ¿cuál debía de ser la meta principal de los americanos africanos?

3 Americanos Africanos Tienen Éxito en los Negocios.

¿Cómo tuvieron éxito en los negocios los americanos africanos a pesar de las leyes Jim Crow?

Booker T. Washington y W.E.B. DuBois estaban de acuerdo en algunas cosas. Ambos creían que ser dueños de negocios era importante para los americanos africanos. Cuanto más dueños de negocios hubiera, más podrían ayudar a mejorar la situación de los americanos africanos.

Los negocios de los americanos africanos Después de la Guerra civil, los americanos africanos abrieron muchas pequeñas industrias en el sur. Tenían tiendas de abarrotes, farmacias y tabaquerías. Eran dueños de restaurantes, barberías y peluquerías. La mayoría de estos lugares se encontraban en los barrios americanos africanos de las ciudades y los pueblos.

Los americanos africanos también eran dueños de medianas industrias. Bancos de americanos africanos se fueron inaugurando a lo largo del sur. Para 1900, había 50 bancos. Los americanos africanos también eran dueños de compañías de seguros. La compañía de seguros Mutual Life en Carolina del

La señora C.J. Walker estableció un negocio exitoso para sus productos de belleza. Para 1910, su compañía vendía productos en todo el mundo.

Norte fue el negocio más grande del país que perteneció a americanos africanos.

Problemas y oportunidades

Dificultades como la falta de dinero y la mala ubicación de los locales hicieron más difíciles los negocios de los americanos africanos. A pesar de esos problemas siguieron luchando.

De aquellos dueños de negocios surgió una clase media de americanos africanos. Esa clase media quería mejores escuelas para sus hijos. También quería igualdad para competir en condiciones iguales con los negocios de los blancos. Para principios de 1900, los miembros de esta clase media apoyarían a nuevos grupos que luchaban por la igualdad de derechos.

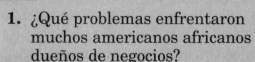

1. ¿Qué problemas enfrentaron muchos americanos africanos dueños de negocios?
2. ¿Por qué trató de promover el crecimiento de negocios americanos africanos Booker T. Washington?

CAPÍTULO 29

IDEAS CLAVE

- Los blancos del sur trataron de controlar las vidas de los americanos africanos libres por medio de las leyes Jim Crow y el terror.
- Los americanos africanos lucharon contra las leyes Jim Crow y el linchamiento. Se organizaron políticamente e hicieron boicots.
- Muchos americanos africanos superaron grandes dificultades en el sur para abrir sus propios negocios.

I. Repasar el Vocabulario

Une cada palabra de la izquierda con la definición correcta de la derecha.

1. segregar

2. Jim Crow

3. boicot

4. derechos civiles

a. rehusarse a comprar provisiones o usar servicios, como protesta

b. derechos garantizados por la Constitución a los ciudadanos de EE.UU.

c. separar a la gente por su raza

d. sistema que apartó a los americanos africanos de los blancos

II. Entender el Capítulo

1. ¿Cómo impidieron las leyes del sur que votaran los americanos africanos?

2. ¿Cuál era el propósito de las leyes Jim Crow?

3. ¿Cuál era la diferencia principal entre los puntos de vista de Washington y DuBois acerca de los derechos civiles de los americanos africanos?

4. ¿Por qué fueron importantes los dueños de los negocios americanos africanos para la comunidad americana africana en EE.UU.?

III. Desarrollo de Habilidades: Causa y Efecto

Para cada causa, menciona por lo menos un efecto.

1. A pesar de los esfuerzos de grupos como el Ku Klux Klan, los americanos africanos en el sur continúan votando.

2. La Corte Suprema anuncia su decisión en el caso de *Plessy vs. Ferguson*.

IV. Escribir Acerca de la Historia

1. Imagina que eres un americano africano en 1896. Acabas de escuchar la decisión en el caso *Plessy vs. Ferguson*. Escríbele una carta al director de un periódico expresando tu reacción ante la decisión.

2. ¿Qué hubieras hecho? Si fueras un americano africano en 1895, ¿con quién estarías de acuerdo: con Booker T. Washington o con W.E.B. DuBois? Explica.

V. Trabajar Juntos

Del Pasado al Presente Las leyes Jim Crow impidieron que votaran los americanos africanos. Con un grupo, discute las razones por las cuales algunas personas no votan actualmente.

Los Americanos se Establecen en las Grandes Planicies. (1865-1900)

¿Cómo cambiaron la forma de vida en las Grandes planicies los colonos de EE.UU.?

Una foto de 1879 muestra a "Exodusters" americanos africanos que salen de Nashville, Tennessee, en barcos de vapor hacia las planicies de Kansas.

Buscando los Términos Clave

- Ley del terrateniente • emigrantes
- reino del ganado • la ley de Dawes

Buscando las Palabras Clave

- **transcontinental:** algo que cruza el continente
- **terrateniente:** persona que obtuvo tierra del gobierno gratis para construir una granja
- **tepetate:** capa superior de tierra dura endurecida por raíces de pasto
- **vaquero:** palabra española para denominar a la persona que arrea el ganado
- **cuatrero:** ladrón de ganado
- **reservación:** terreno reservado para americanos nativos

SUGERENCIA DE

Al leer el capítulo, toma notas de la información más importante en el capítulo. También busca las ideas principales que unen el material de sección en sección.

ESTUDIO

Willianna Hickman se asomó a la ventana mientras el tren caminaba. Ante ella aparecía un mundo muy diferente al de su casa en las colinas y los árboles de Kentucky. De allí habían venido Willianna y su familia.

Ahora esta familia americana africana se dirigía hacia un nuevo hogar en Kansas. El tren los llevó por millas y millas de tierra plana cubierta de pastos altos. Willianna no podía ver ni un árbol. Como sería la vida aquí, se preguntaba. ¿Cómo vivirían?

Muchos otros americanos se hacían las mismas preguntas después de la guerra civil. En esos años, miles de personas se mudaban a !as grandes planicies. Allí, ellos construyeron una nueva vida. Pero también acabaron con algunas viejas tradiciones.

1 Los Colonos Establecen Granjas en las Grandes Planicies.

¿A qué desafíos se enfrentaron los colonos en las grandes planicies?

Durante la guerra civil, el gobierno federal subsidió la construcción del tren a California. Los trabajos de las vías empezaron en 1863. Cuadrillas de trabajadores principalmente irlandeses se dirigieron al oeste desde Nebraska. Cuadrillas compuestas principalmente de chinos trabajaron hacia el este desde California. En 1869, las cuadrillas se encontraron en Utah. Este primer tren **transcontinental** unió las costas del Atlántico y del Pacífico. Transcontinental significa algo que cruza el continente.

Los trenes hicieron más fáciles los trayectos hacia el oeste. La gente podía llegar a sus hogares en las grandes planicies más rápidamente. Los trenes podían también llevar las cosechas de los nuevos colonos al mercado.

Tierra libre El gobierno federal ayudó a la colonización en otra forma. En 1862, aprobó la **ley del terrateniente**. La ley otorgó 160 acres (65 hectáreas) de tierra libre a quien pudiera trabajar una granja por cinco años. Miles de personas aceptaron la oferta. Se llamaron **terratenientes**.

Los terratenientes venían de todas partes de Estados Unidos. Algunos hasta viajaron desde Noruega, Suecia y Alemania.

Dejando el sur Willianna Hickman y su familia eran parte de un grupo especial. Como leíste en el capítulo 29, los americanos africanos en el sur pasaron tiempos duros al final de la reconstrucción. Cuando aparecieron las leyes Jim Crow, muchos americanos africanos abandonaron el sur.

Muchos se dirigieron al oeste. Los americanos africanos formaron grupos y compañías. Construyeron pueblos y colonias en las planicies. Unos 80,000 americanos africanos se dirigieron hacia las planicies a finales de 1870. Este movimiento se llamó el éxodo de 1879. Ese nombre se sacó de una historia de la Biblia. En ella, los hebreos dejaron la esclavitud de Egipto y buscaron la libertad en Israel. A los americanos africanos que se dirigieron al oeste se les llamó **"Exodusters"**.

Una vida dura Los nuevos colonos enfrentaron un mundo duro en las planicies. El sol caliente quemaba las planicies en el verano. En el invierno, las tormentas acumulaban nieve sobre los techos.

El pasto crecía por doquier. Esto ofrecía mucha comida para los animales

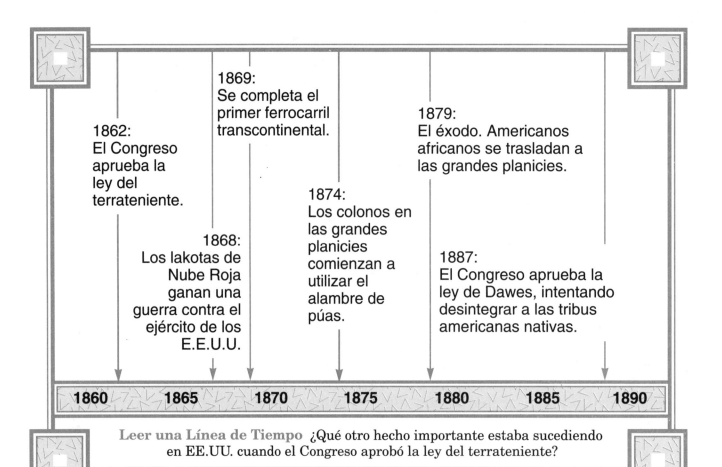

1862:
El Congreso aprueba la ley del terrateniente.

1868:
Los lakotas de Nube Roja ganan una guerra contra el ejército de los E.E.U.U.

1869:
Se completa el primer ferrocarril transcontinental.

1874:
Los colonos en las grandes planicies comienzan a utilizar el alambre de púas.

1879:
El éxodo. Americanos africanos se trasladan a las grandes planicies.

1887:
El Congreso aprueba la ley de Dawes, intentando desintegrar a las tribus americanas nativas.

| 1860 | 1865 | 1870 | 1875 | 1880 | 1885 | 1890 |

Leer una Línea de Tiempo ¿Qué otro hecho importante estaba sucediendo en EE.UU. cuando el Congreso aprobó la ley del terrateniente?

de granja. Pero las raíces de este pasto formaba una capa dura de tierra llamada **tepetate**. Esta capa de tierra hacía difícil la siembra.

Sin embargo, los colonos se quedaron. Aprendieron a usar arados de acero para cortar este tepetate. También aprendieron a cortarlo en forma de ladrillos. Con éstos, construyeron refugios llamados casas de terrón. Las lluvias eran escasas.

1. ¿Cuáles fueron las dos formas utilizadas por el gobierno para fomentar la colonización en las grandes planicies?
2. ¿Por qué muchos americanos africanos se dirigieron hacia las grandes planicies a fines de 1870?

No obstante estos obstáculos siguieron adelante. Lentamente construyeron sus granjas, arando más y más tierra. Hacia el año 1900, las granjas de las grandes planicies alimentaban gran parte del mundo.

2 Los Hacendados Prosperan en el Oeste.

¿Cómo ayudó la ganadería al desarrollo del oeste?

Los primeros vaqueros que cabalgaron las planicies fueron latinos. Se les llamó **vaqueros**. Los vaqueros criaban ganado en Texas en los años 1700, cuando éste pertenecía a España.

En los años 1800, el negocio de las haciendas se había desarrollado mucho. Las personas de las florecientes ciudades del este y del medio oeste querían comprar carne de res de Texas. El tren resolvió este problema. Pero, ¿cómo podrían los hacendados llevar el ganado al tren?

Los viajes largos   La respuesta fue el **arreo de ganado** por los vaqueros. Una tercera parte de los vaqueros eran americanos africanos o americanos mexicanos. Los vaqueros juntaban el ganado y lo llevaban al norte hacia los florecientes pueblos con estación de tren. Desde estos pueblos, los trenes llevaban el ganado al mercado.

El arreo de ganado era un trabajo pesado. El ganado a veces debía ser transladado por más de 1,000 millas. Con frecuencia, el viaje era aburrido. Y con frecuencia también era peligroso. Los ríos se podían desbordar. Las tormentas podían espantar el ganado. **Los cuatreros**, o ladrones de ganado, podían robar y dispersar el ganado.

Las haciendas de ganado fueron un éxito. La demanda de carne de res creció. Algunos rancheros se volvieron ricos. Más personas decidieron entrar en el negocio. En 1880, aproximadamente 4.5 millones de cabezas de ganado pastaban de Kansas a Montana. A las grandes planicies se las conoció como **el reino del ganado**.

Un negocio cambiante   Mientras el negocio crecía, también se transformaba. Más líneas de tren cruzaron las planicies. Cada vez había menos necesidad de trasladar al ganado por largas distancias.

Mientras tanto, más y más personas criaban ganado. Había tanto ganado que el precio de la carne bajó repentina-

mente. En 1890, los grandes días del reino del ganado habían terminado.

3 Los Americanos Nativos Defienden su Tierra.

¿Cómo cambió la vida de los americanos nativos en las planicies?

Los trenes, haciendas, minas y granjas en el oeste de EE.UU. cambiaron la vida de mucha gente. Pero más que nada, cambiaron la vida de los americanos nativos.

La gente del búfalo   Mucho antes de que llegaran los primeros blancos, los americanos nativos tenían una forma

Muchos de los vaqueros en el oeste de los EE.UU., como éstos en una hacienda de Nuevo México, eran latinos.

1. ¿Quiénes fueron los primeros vaqueros?
2. ¿Por qué empezaron a usar el arreo de ganado los rancheros en Texas?

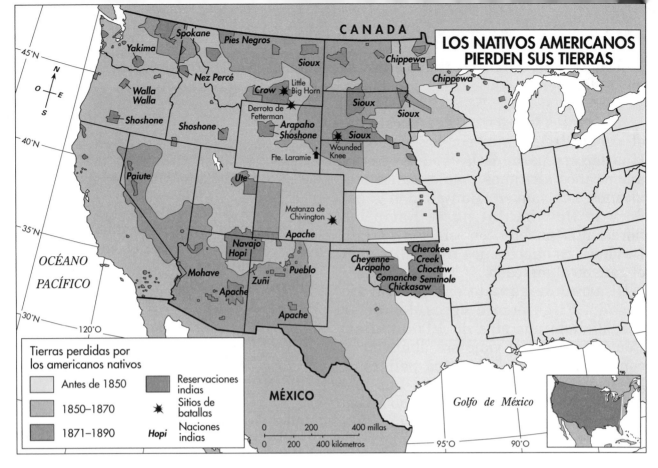

LOS NATIVOS AMERICANOS PIERDEN SUS TIERRAS

Tierras perdidas por los americanos nativos

Antes de 1850

1850–1870

1871–1890

Reservaciones indias

★ Sitios de batallas

Hopi Naciones indias

Leer un mapa. Nombra dos grupos de americanos nativos que todavía poseen tierra en el actual estado de Montana. Nombra dos grupos que poseen tierra hoy en día en Oklahoma.

especial de vida en las planicies. Esa forma especial se basaba en el búfalo. Millones de estos enormes animales pastaban en las planicies en ese entonces. Desde la primavera hasta el otoño, grupos de americanos nativos seguían a las manadas de búfalos, cazándolos montados a caballo. Las pieles de búfalo se convertían en refugio o ropa. Los huesos podían transformarse en armas y herramientas.

A los habitantes de las planicies se les conocía como las "naciones a caballo". Estaban formadas por los pies negros, cheyenes, lakotas y comanches. A finales del 1700 ellos eran dueños de las planicies.

La presión de la colonización de EE.UU. En los años de 1840, el gobierno de EE.UU. quería hacer de las planicies una gran **reservación,** terreno reservado para americanos nativos. En muchos tratados, el gobierno prometió a los americanos nativos que tierra sería de ellos "mientras creciera pasto y corriera agua en ella".

Hacia los años de 1860, más y más trenes cruzaban las planicies. Más hacendados criaban ganado. Más granjeros araban la tierra. Todos estos recién llegados tomaron tierras de los americanos nativos. Los americanos nativos protestaron. El gobierno de EE.UU. no detuvo a los nuevos colonizadores. En cambio, presionó a los americanos nativos a vivir en reservaciones cada vez más pequeñas.

Guerras en las planicies Con frecuencia, los americanos nativos prefirieron luchar. En 1866, los lakotas fueron a la guerra para proteger sus tierras de los buscadores de oro. Bajo el mando de su líder Nube Roja, pelearon durante dos años. En 1868, el gobierno de EE.UU. se dio por vencido. La guerra de Nube Roja fue la única guerra que los americanos nativos ganaron contra el gobierno de EE.UU.

En los veinte años siguientes, los americanos nativos a lo largo del oeste pelearon para defender su tierra. Los comanches pelearon en las planicies del sur. Los apaches lucharon en Nuevo México y Arizona. Los cheyenes y lakotas fueron a la guerra en las planicies del norte.

Los americanos nativos ganaron algunas batallas. En 1876, los guerreros lakotas y cheyenes se reunieron cerca del río Little Bighorn, donde ahora se encuentra Montana. Bajo el mando de Toro Sentado y Caballo Loco, derrotaron a las fuerzas del ejército de

El cuerpo congelado de un jefe lakota yace en el campo de guerra cubierto de nieve en Wounded Knee, Dakota del Sur. Los lakotas fueron víctimas de una matanza cometida por el ejército de EE.UU. en 1890.

EE.UU. dirigidas por George Armstrong Custer.

Derrota   Estas victorias fueron raras para los americanos nativos . El ejército de EE.UU. tenía más soldados. También tenía más y mejores armas.

El ejército de EE.UU. también tuvo ayuda inesperada. Los cazadores que trabajaban para los ferrocarriles empezaron a disparar a los búfalos para dar de comer a los trabajadores. A principios de 1800 había más de 60 millones de búfalos. Alrededor de 1880, ya casi todos habían muerto.

Sin búfalos, los pueblos de las planicies perdieron su fuente principal de comida. Uno después de otro, los pueblos de las planicies fueron obligados a rendirse.

Alrededor de los años de 1880, la mayoría de los americanos nativos vivían en reservaciones. En 1887, el Congreso aprobó la **ley de Dawes**. Esto dividió a las reservaciones en pequeños pedazos de tierra. Cada familia obtuvo 160 acres (65 hectáreas) de tierra para vivir en ella. Toda la tierra que sobraba se vendió. Debido a esta ley, los americanos nativos perdieron 83 millones de acres de tierra (33.6 millones de hectáreas).

Un estilo de vida había terminado en el oeste. Ahora, los recursos de la región ayudarían a construir otro nuevo. Este nuevo estilo de vida tomaría forma en las ciudades de la nación.

1. ¿Por qué era importante el búfalo para los americanos nativos en las grandes planicies?
2. ¿Cómo afectó la ley de Dawes a las tierras de los americanos nativos en el oeste?

CAPÍTULO 30
IDEAS CLAVE

- Los colonos superaron muchos problemas, como la falta de agua, para construir granjas en las grandes planicies.
- La demanda de carne en las ciudades del este llevó a los rancheros a construir un reino de ganado en las grandes planicies a fines de los años 1800.
- Mientras más colonos de EE.UU. llegaban al oeste, los americanos nativos peleaban allí una batalla perdida para mantener sus tierras y sus formas de vida.
- Hacia los años 1880, la mayoría de los americanos nativos fueron obligados a vivir en las reservaciones. Posteriormente, el gobierno de EE.UU. trató de disolver estas reservaciones con la ley Dawes.

I. Repasar el Vocabulario

Une cada palabra de la izquierda con la definición correcta de la derecha.

1. terrateniente
2. vaquero
3. reservación
4. cuatrero

a. ladrón de ganado
b. tierra apartada para los americanos nativos
c. persona que construyó una granja en terreno donado por el gobierno
d. uno de los primeros arrieros de ganado en las planicies

II. Entender el Capítulo

1. ¿Qué hizo la ley del terrateniente?
2. ¿Cómo hicieron los colonos para superar los obstáculos y construir sus granjas en las planicies?
3. ¿Cuáles fueron los factores que influyeron en la finalización del reino del ganado?
4. ¿Por qué fueron a la guerra a finales de los años 1800 los americanos nativos de las planicies?

III. Desarrollo de Habilidades: Distinguir entre Hechos Opiniones

Decide si la oración de abajo establece un hecho o es una opinión.

1. El terreno de las grandes planicies era bueno para la agricultura.
2. Los vaqueros eran personas valientes.
3. El gobierno de EE.UU. cometió un error al aprobar la ley Dawes.

IV. Escribir Acerca de la Historia

1. Escribe una pequeña obra en la cual un hacendado de Kansas y un terrateniente discuten el plan del terrateniente para construir una cerca de alambre de púas alrededor de sus cultivos.
2. **¿Qué hubieras hecho?** Imagínate que tú eres un lakota en 1866. Te has enterado que el gobierno quiere construir un camino a través de la tierra lakota. ¿Qué les dirías a los representantes de EE.UU. para protestar por este plan?

V. Trabajar Juntos

Del Pasado al Presente Después de la guerra civil, muchos americanos se trasladaron hacia el oeste desde el sur y el este. Con un grupo, compara las razones de los colonos para mudarse al oeste con las razones de la gente de ahora para mudarse de una parte del país a otra. Hagan una tabla que muestre las similitudes y las diferencias.

ESTADOS UNIDOS SE CONVIERTE EN UNA NACIÓN INDUSTRIAL. (1865-1900)

¿Por qué creció rápidamente la industria en Estados Unidos?

Una planta de ensamble de automóviles, o como se llamaban entonces, "carruajes sin caballos". Fábricas como estas hicieron crecer la industria de EE.UU.

Buscando los Términos Clave

- Caballeros del trabajo • disturbios de Haymarket
- Federación Americana del Trabajo (AFL).

Buscando las Palabras Clave

- **producción en masa:** forma de producir rápido y barato grandes cantidades de un producto
- **corporación:** compañía que obtiene fondos vendiendo acciones en el mercado
- **acción:** una porción de la propiedad de una compañía
- **monopolio:** una compañía con el control casi completo de una industria
- **huelga:** cuando los trabajadores se rehúsan a trabajar hasta que sus demandas se tomen en cuenta

SUGERENCIA DE

Elabora un esquema con estos títulos: Nueva tecnología, nuevas formas para organizar negocios, nuevas ideas acerca del trabajo. Coloca las definiciones que leas debajo de cada encabezado.

ESTUDIO

Los nuevos ferrocarriles ayudaron al crecimiento de granjas, ranchos, y minas en el oeste. También ayudaron a crecer a los nuevos negocios e industrias en el este.

1 La Industria Avanza.

¿Qué papel cumplieron los ferrocarriles en el crecimiento de la industria?

El crecimiento de los ferrocarriles se dio después de la guerra civil. Antes de ella, muchas compañías pequeñas habían construido ferrocarriles. Después de la guerra, las adquirieron grandes empresarios. El ferrocarril de Pennsylvania. por ejemplo, se formó con 73 compañías pequeñas.

Las nuevas compañías grandes facilitaron los viajes por tierra y por mar. Ya no se tenía que cambiar los pasajeros y el cargamento de una línea de ferrocarril a otra. El costo de mandar cargamentos desde Chicago hasta Nueva York se había reducido a la mitad. Ahora un industrial de Nueva Jersey podía vender sus productos en todo el país.

Acero   La fabricación de acero se convirtió en una de las industrias más importantes de la nación. En los años de 1850, William Kelly en los EE.UU. y Henry Bessemer en Gran Bretaña habían encontrado una forma más barata de fabricar acero. Surgieron nuevas fundiciones de acero en el país. Pittsburgh, Pennsylvania, se convirtió en la ciudad productora de acero más importante de la nación. El acero se convirtió en el material más importante de construcción de muchas industrias.

Nuevas fuentes de energía
Nuevas fuentes de energía también ayudaron al crecimiento de las industrias. Nuevos inventos proporcionaron electricidad a muchas personas. Los motores eléctricos permitieron que grandes máquinas funcionaran en las fábricas. En 1879, Thomas Edison inventó la luz eléctrica. En las ciudades, los coches eléctricos y los ascensores se volvieron comunes.

El petróleo se convirtió en otra fuente de energía. A fines de los años 1800, los inventores habían creado nuevos motores. Estos pequeños y poderosos motores utilizaban otro tipo de combustible: la gasolina.

En 1897, Frank y Charles Duryea utilizaron un motor de gasolina para fabricar lo que ellos llamaban "un vagón motorizado". Ese fue el principio de la industria automotriz en EE.UU., la que se convirtió muy pronto en la más grande del país.

La era de los inventos   Edison y los Duryea fueron sólo tres de los muchos inventores de EE.UU. a finales de los años 1800. Un funcionario dijo orgulloso: "Estados Unidos se ha hecho famoso como la casa de los inventos".

Aquí hay algunos ejemplos de todas las grandes invenciones de esos años. Edison inventó también el fonógrafo, el mimeógrafo y la pila; Alexander Graham Bell inventó el teléfono en 1876; Gustavus Swift desarrolló un vagón de ferrocarril refrigerado, lo que hizo posible el transporte de carne fresca a grandes distancias.

Americanos africanos como Jan Matzeliger y Elijah McCoy también participaron en la era de los inventos.

Matzeliger hizo una máquina que unía la cubierta de los zapatos con las suelas. Hasta entonces, los zapatos eran cosidos a mano. A partir de ese invento, las compañías fabricantes de zapatos podían producir miles de zapatos en poco tiempo. Elijah McCoy creó un instrumento para aceitar las partes móviles de un motor. Ese fue un invento valioso para los dueños de las fábricas.

1. ¿Cómo hicieron más fáciles y rápidos los viajes las compañías de ferrocarriles?
2. ¿Qué nuevas fuentes de energía se desarrollaron a fines de los años 1800?

2 Las Empresas Desarrollan Nuevos Métodos de Producción.

¿Cómo aumentaron su producción las industrias de los EE.UU. a fines de los años 1800?

En ese momento, los industriales buscaban formas de producir más. Antes de la guerra civil, la mayoría de los trabajadores habían sido empleados de pequeñas tiendas. Generalmente, tanto los dueños como los empleados eran maestros artesanos.

Un gran número de hombres trabajaban ahora en grandes fábricas. El proceso para hacer un producto se dividió en muchos pasos sencillos. Los trabajadores daban esos pasos una y otra vez. Se les indicaba cuánto y con qué rapidez tenían que trabajar. Este proceso se llama

Este viejo grabado muestra la estación de Omaha, Nebraska, a la llegada del tren diario. ¿Qué nos muestra que Omaha era una ciudad multicultural?

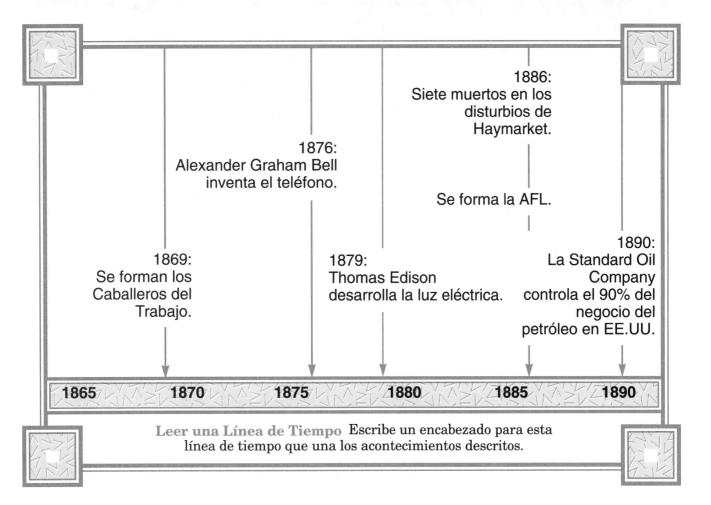

1886:
Siete muertos en los disturbios de Haymarket.

1876:
Alexander Graham Bell inventa el teléfono.

Se forma la AFL.

1890:
La Standard Oil Company controla el 90% del negocio del petróleo en EE.UU.

1869:
Se forman los Caballeros del Trabajo.

1879:
Thomas Edison desarrolla la luz eléctrica.

| 1865 | 1870 | 1875 | 1880 | 1885 | 1890 |

Leer una Línea de Tiempo Escribe un encabezado para esta línea de tiempo que una los acontecimientos descritos.

producción en masa. Era una forma barata y rápida de producir grandes cantidades.

Grandes negocios La producción en masa creaba productos a bajo costo. Pero organizar la producción en masa costaba dinero. Se necesitaban grandes edificios, maquinaria cara, y muchos trabajadores.

Los dueños de empresas buscaron nuevas maneras de recaudar dinero. Muchos de ellos lo lograron formando **corporaciones**. Las corporaciones son empresas que recaudan dinero al vender partes de su propiedad, llamadas **acciones**. La gente que compra las acciones obtiene una parte de las ganancias de la compañía a cambio de esa compra.

Nuevos empresarios Algunos empresarios obtuvieron el control completo de sus industrias. En los años 1870, Andrew Carnegie construyó una acería cerca de Pittsburgh. Compró minas de hierro y de carbón que se usaban en la producción del metal. Después compró barcos para transportar el hierro y el carbón hacia su acería. Compró ferrocarriles para transportar el acero al mercado.

Así, Carnegie controlaba todas las etapas del negocio del acero. Ello le permitió mantener los precios bajos. Llevó a la quiebra a muchos de sus competidores. Hacia 1900, la compañía de Carnegie producía más acero que todas las empresas de Gran Bretaña.

Una compañía como la U.S. Steel de Carnegie es un **monopolio**. Un monopolio es una compañía que tiene casi todo el control de un producto o servicio. Al no tener rivales en el mismo campo, un monopolio puede aumentar los precios de sus productos. Hacia 1900, grandes corporaciones controlaban las industrias de petróleo, acero y carne.

La creciente importancia de las mujeres en el trabajo en EE.UU. se demuestra por el número de mujeres delegadas en la convención de 1886 de los Caballeros del Trabajo.

1. ¿Cómo juntaron dinero muchos negocios para iniciar la producción en masa?
2. ¿Cómo mantuvo bajos los precios Andrew Carnegie en la producción de acero?

3 Los Trabajadores Buscan Mejoras en las Condiciones de Trabajo

¿Qué hicieron los sindicatos para mejorar las condiciones de los trabajadores?

A finales de 1800 las empresas dedicaban poca atención al bienestar de sus trabajadores. Pagaban salarios muy bajos.

Muchos trabajadores Una razón por la cual las empresas podían mantener el salario bajo era porque había muchos trabajadores. Los americanos blancos empezaron a dejar las granjas para buscar trabajos en las ciudades. Los americanos africanos se estaban yendo al norte para escapar de las leyes de Jim Crow. Mucha gente emigraba hacia Estados Unidos.

Esa gente necesitaba trabajo. Aceptaba cualquier horario y salario que se les ofreciera. A menudo, la jornada de trabajo era de 10 o a veces de 12 horas. Comúnmente los empleados trabajaban seis o hasta siete días a la semana.

Los trabajadores con habilidades podían ganar $12 a la semana. Los trabajadores sin experiencia tenían suerte si ganaban $6. Las mujeres ganaban menos que los hombres. Los americanos africanos ganaban menos que los blancos.

Condiciones Los empresarios gastaban poco dinero en la seguridad y comodidad de los trabajadores. La mayoría de los trabajadores no tenían vacaciones pagadas. Podían ser despedidos en cualquier momento. No tenía ningún seguro en caso de perder su trabajo o de accidente laboral.

Los accidentes en el trabajo eran muy comunes. Las fábricas, minas y acerías eran lugares oscuros y peligrosos. Los trabajadores de las grandes máquinas podían perder sus miembros o hasta sus vidas.

La organización   El escaso salario y las condiciones de trabajo hicieron que muchos trabajadores se afiliaran a los sindicatos. Los trabajadores del sindicato tenían un arma poderosa: la **huelga**. En una huelga, los empleados se rehusan a trabajar hasta que sus demandas sean tomadas en cuenta.

Una unión nacional   En 1869 se formó un nuevo sindicato de carácter nacional. Se llamó los **Caballeros del Trabajo**. La mayoría de los sindicatos anteriores solo tomaban trabajadores capacitados como miembros. El sindicato tomó tanto trabajadores capacitados

como no capacitados. Tambíen aceptaban mujeres, americanos africanos, e inmigrantes.

Violencia   En 1886, los Caballeros organizaron una reunión popular en la plaza Haymarket en Chicago. Durante la reunión, alguien hizo estallar una bomba. La explosión mató a siete policías e hirió a muchos más. El número de miembros de los Caballeros disminuyó después de los **disturbios de Haymarket**.

La violencia tardó el crecimiento de los sindicatos. Sin embargo, no desaparecieron. Los trabajadores necesitaban mejorar sus condiciones de vida. Los sindicatos eran la única esperanza.

Nuevos sindicatos   A finales de los años 1800, surgió el sindicato de la **Federación Americana del Trabajo** (AFL, su sigla en inglés). La AFL luchó por aumentar los salarios, disminuir las horas y lograr más seguridad en los lugares de trabajo. Hacia 1900, la AFL tenía más de un millón de miembros.

Leer una Gráfica Nombra cuatro ocupaciones en las cuales el promedio salarial anual para los hombres era más del doble que el salario anual de las mujeres.

SALARIO PROMEDIO DE HOMBRES, MUJERES Y NIÑOS EN CIERTAS OCUPACIONES LOS AÑOS 1870

Ocupación	Promedio de salarios diarios			Promedio de salarios anuales		
	Hombres	Mujeres	Niños	Hombres	Mujeres	Niños
Trabajadores de campo	$1.58	$1.00	$0.50	$328	$200	$100
Domésticos		1.00			300	
Trabajadores de tienda	2.00	1.25	.20	600	375	60
Zapateros	3.50	1.50	.75	625	375	188
Fabricantes de botones	2.37	.92		711	276	
Trabajadores del algodón	1.67	1.05	.55	501	315	165
Trabajadores de la lana	1.57	1.04	.58	471	312	174
Torcedores de puros	3.00	1.25		900	375	
Alfareros	2.50	.92		750	276	
Sopladores de vidrio	2.00	.75	.67	600	225	201
Encuadernadores	3.00	1.00		750	250	
Fabricantes de fieltro	2.00	.83	.70	600	249	210
Fabricantes de sillas	2.25	.87	.37	675	261	111
Trabajadoras de la seda	2.50	1.15	.75	750	336	225
Sastres	3.50	1.25		875	313	

Muchos sindicatos seguían sin aceptar a las mujeres y a las minorías como miembros. A menudo, éstos tenían que formar sus propios sindicatos. En 1903, un grupo de mujeres capacitadas formaron la Liga Nacional de Mujeres. Los torcedores de puros americanos cubanos fundaron un sindicato en Florida a finales de 1800. Mineros americanos mexicanos se unieron a los sindicatos en el sudoeste.

Los sindicatos ayudaron a algunos trabajadores a tener mejores salarios y menos horas de trabajo. Sin embargo, menos del 10% de los trabajadores pertenecían a los sindicatos. Los trabajadores aún tenían un largo camino por andar.

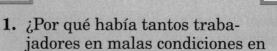

1. ¿Por qué había tantos trabajadores en malas condiciones en los años 1800?
2. ¿Qué suceso perjudicó a los Caballeros del trabajo, en 1886?

CAPÍTULO 31
IDEAS CLAVE

- A finales de los años 1800 nuevos ferrocarriles y nuevas fuentes de energía ayudaron al crecimiento de la industria de EE.UU.
- Los inventores de EE.UU a finales de los años 1800 crearon muchos nuevos productos. Los inventos abrieron camino a nuevos negocios.
- A finales de los años 1800 grandes corporaciones controlaban muchas industrias.
- Los trabajadores de EE.UU. sufrían mientras los empresarios trataban de disminuir costos laborales.
- Un número creciente de trabajadores de EE.UU. se unió a los sindicatos para lograr mejores salarios y mejores condiciones de trabajo.

I. Repasar el Vocabulario

Une cada palabra de la izquierda con la definición correcta de la derecha.

1. monopolio
2. huelga
3. corporación
4. producción en masa

a. un negocio perteneciente a muchas personas
b. herramienta utilizada por los sindicatos para que se escuchen sus demandas
c. control casi completo de una industria
d. producir rápido y barato grandes cantidades de un producto

II. Entender el Capítulo

1. ¿Cómo ayudaron los ferrocarriles al crecimiento de los negocios en EE.UU.?
2. ¿Estás de acuerdo o en desacuerdo con el funcionario que a finales de los años 1800 dijo: "Estados Unidos se ha hecho famoso como la casa de los inventos"? Explica.
3. ¿Por qué se formaron nuevas corporaciones a finales de los años 1800?
4. ¿Qué problemas enfrentaron los trabajadores en EE.UU. a finales de los años 1800?

III. Desarrollo de Habilidades: Identificar el punto de vista

Lee los siguientes enunciados. ¿Cuáles de ellos fueron posiblemente dichos por el dueño de una fábrica? ¿Cuáles por un trabajador? Escribe tus respuestas en una hoja aparte.

1. Estoy feliz de ver que tantos inmigrantes estén llegando a los EE.UU.
2. En la próxima elección, votaré por un candidato que apoye las jornadas de trabajo de 8 horas.
3. Si el alumbrado de aquel rincón de la fábrica se mantiene bajo, habrá un ahorro de 4,000 dólares anuales.

IV. Escribir Acerca de la Historia

1. **¿Qué hubieras hecho?** Imagina que eres un trabajador sin capacitación en una acería en 1878. Un compañero de trabajo te dice que va a haber una reunión para organizar un sindicato en la acería. Tú sabes que los dueños de la compañía no están de acuerdo con los sindicatos. ¿Irías a la reunión? Explica.
2. Escribe un artículo para una revista explicando, lo qué piensas que fue más importante para el crecimiento de los negocios en EE.UU. a fines de los años 1800: los ferrocarriles, la industria del acero, nuevas fuentes de energía.

V. Trabajar Juntos

Del Pasado al Presente A fines de los años 1800, los nuevos inventos cambiaron la forma de vida de la gente. Con un grupo, discute los cambios que se dieron. Después piensen acerca de los inventos que han cambiado la vida en los últimos 25 años. Elaboren una lista de cinco inventos modernos y los cambios que han producido en la vida.

LOS INMIGRANTES AYUDAN A CONSTRUIR EE.UU. (1865-1900)

¿Cómo fue afectado EE.UU. por la inmigración a fines de los años 1800?

Millones de inmigrantes llegaron en barcos a EE.UU. en los últimos años de 1800.

Buscando los Términos Clave

- nuevos inmigrantes
- ley de exclusión de los chinos.

Buscando las Palabras Clave

- **pogrom:** una matanza organizada contra un grupo étnico, especialmente los judíos
- **estereotipo:** una idea acerca de un grupo que probablemente no es verdadera
- **inquilinato:** un edificio de barrios pobres con pequeños departamentos
- **asimilar:** adoptar las costumbres de un país o cultura.

Millones de inmigrantes llegaron a EE.UU. a fines de los años 1800. Entre 1869 y 1900, 13 millones de personas llegaron de Europa, Asia y otras partes de América. Los inmigrantes creían que EE.UU. era la "tierra prometida". Esperaban que aquí sus sueños se hicieran realidad.

1 Los Inmigrantes Llegan del Este y Sur de Europa.

¿Qué diferencia había entre los nuevos grupos de inmigrantes y los que habían llegado antes?

Los inmigrantes que llegaron de Europa después de 1885 eran diferentes a los que habían llegado antes. Los inmigrantes que habían llegado antes eran en su mayoría del norte y oeste de Europa. Venían de lugares como Inglaterra, Irlanda y Alemania. Esa gente era llamada "los viejos inmigrantes".

Después de 1885, llegaron más inmigrantes del este y sur de Europa. Venían de lugares como Italia, Grecia, Rusia y Polonia. Esta gente era llamada los **nuevos inmigrantes**.

Si hubieras estado parado en el puerto cuando llegaban los "nuevos" inmigrantes, hubieras escuchado muchos idiomas diferentes. Algunas personas hablaban italiano o griego. Los judíos de Polonia y Rusia hablaban yiddish. Otros hablaban croata, checo o eslovaco.

Por qué vinieron   ¿Qué produjo el cambio de los viejos a los nuevos inmigrantes? Los tiempos eran difíciles para los pequeños granjeros de países como Italia y Grecia. Las máquinas estaban desplazando al trabajo manual en las granjas. La gente rica compraba tierras y obligaba a que los pequeños granjeros se mudaran.

Los judíos tenían sus propias razones para buscar nuevos hogares. Cinco millones de judíos vivían bajo la dictadura rusa en Polonia y Rusia. Los líderes de Rusia incitaban el odio contra los judíos. Los gobernantes rusos culpaban a los judíos, no a ellos mismos, de los problemas de Rusia. Grupos de revoltosos quemaron casas judías. Las matanzas organizadas, llamadas **pogroms**, se extendieron en los años 1880. Miles y luego millones de judíos emigraron a los EE.UU.

Llegan a Estados Unidos   Los inmigrantes se llenaron de alegría y se maravillaron a su llegada a EE.UU. "Todos estaban en cubierta," recordaba una niña de 17 años. "Mi hermana y yo nos abrazábamos emocionadas mientras teníamos frente a nosotras la vista del puerto. La estatua de la Libertad emergió de entre la neblina. ¡Ah!, allí estaba ella, el símbolo de la esperanza, de la libertad, de la oportunidad."

Los inmigrantes a menudo vivían en grandes edificios de barrios pobres, o **inquilinatos** que estaban divididos en muchos apartamentos pequeños. A menudo dos o tres familias tenían que compartir un mismo cuarto. La mayoría de las viviendas no tenía agua, excepto un grifo en el patio central. Las ratas vivían en los montones de basura podrida que se iban apilando en las calles. Esas condiciones ayudaron a que las enfermedades se propagaran rápidamente.

Colonias de inmigrantes   Generalmente, los inmigrantes vivían en un barrio con gente de su mismo país. A pesar de las viviendas en mal estado, la gente de los barrios de inmigrantes se sentía bien acogida.

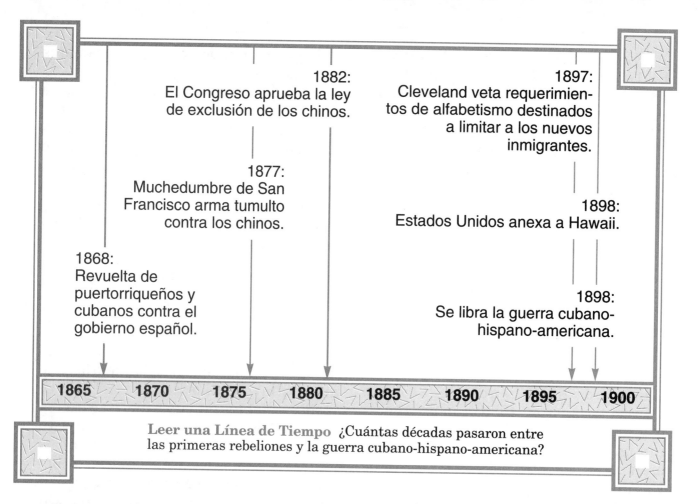

1882:
El Congreso aprueba la ley de exclusión de los chinos.

1897:
Cleveland veta requerimientos de alfabetismo destinados a limitar a los nuevos inmigrantes.

1877:
Muchedumbre de San Francisco arma tumulto contra los chinos.

1898:
Estados Unidos anexa a Hawaii.

1868:
Revuelta de puertorriqueños y cubanos contra el gobierno español.

1898:
Se libra la guerra cubano-hispano-americana.

| 1865 | 1870 | 1875 | 1880 | 1885 | 1890 | 1895 | 1900 |

Leer una Línea de Tiempo ¿Cuántas décadas pasaron entre las primeras rebeliones y la guerra cubano-hispano-americana?

Fuera de sus vecindarios, los inmigrantes no se sentían bienvenidos. Muchos americanos no confiaban en los inmigrantes por sus diferencias religiosas. Además, muchos americanos **estereotipaban** a los inmigrantes considerándolos "sucios" e "ignorantes". Un estereotipo es una idea que la gente tiene acerca de un grupo, que no necesariamente es verdad. Los americanos despreciaban a los inmigrantes que no sabían leer o escribir.

Los inmigrantes realizaban los trabajos más difíciles y sucios. Generalmente no podían obtener trabajos mejores. Trabajaban largas horas por bajos salarios. Los italianos a menudo cavaban zanjas o ayudaban a construir edificios. Los checos y polacos trabajaban en minas de carbón, acerías y plantas empacadoras de carne. Los judíos trabajaban en fábricas de ropa o cosían en sus propias casas.

Volverse americanos Los inmigrantes estaban deseosos de asimilarse a la sociedad americana. **Asimilarse** es adoptar las costumbres de otro lugar. En la escuela, los niños aprendieron rápidamente el inglés. También aprendieron nuevas formas de comportarse y de pensar. Los niños querían ser aceptados para convertirse en "verdaderos americanos".

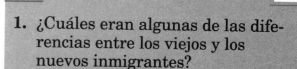

1. ¿Cuáles eran algunas de las diferencias entre los viejos y los nuevos inmigrantes?
2. ¿Por qué querían asimilarse los inmigrantes?

2 Los Inmigrantes de Asia se Establecen en el Oeste.

¿Qué problemas tuvieron los inmigrantes de Asia?

Inmigrantes de una parte diferente del mundo llegaron a la costa oeste. Eran de Asia, principalmente de China y Japón. Los asiáticos tuvieron muchos de los problemas que habían tenido los europeos, y otros más.

Como leíste en el capítulo 22, los inmigrantes chinos empezaron a llegar a California durante los años 1850. La mayoría de los chinos en EE.UU. eran hombres. Las pocas mujeres chinas que había trabajaban en las lavanderías o las tiendas de sus familias.

Mary Bong, quien vivía en el territorio de Alaska, era diferente. Ella y su esposo buscaban oro. Tenían una lechería. Cazaban animales salvajes con trampas. Después Mary Bong se convirtió en una pescadora de salmón. Se levantaba al amanecer, navegaba en su pequeño bote y pescaba todo el día. En las tardes regresaba a casa y vendía su pesca.

Sentimientos Antichinos   Muchos americanos veían a los chinos como una amenaza. Como los europeos recién llegados, los chinos tenían pocas oportunidades de trabajo. Les pagaban menos que a los americanos de nacimiento. Ello provocó la ira de los sindicatos."¿Cómo podemos competir contra gente que trabaja por menos?", se preguntaban los miembros del sindicato. Por supuesto, los sindicatos no permitían que los inmigrantes se afiliaran.

La exclusión de los chinos   El sentimiento anti-chino creció más en EE.UU. durante los años 1870. Grupos de gente atacaban a los chinos en muchos pueblos y ciudades del oeste. Los chinos tenían muy pocos derechos. No podían convertirse en ciudadanos .

Los legisladores no tardaron en proponer leyes para no permitir a los chinos la entrada a EE.UU. El Congreso aprobó la **ley de exclusión de los chinos** en 1882. Exclusión quiere decir dejar afuera. La ley decía que ningún trabajador chino podía entrar a EE.UU. en los próximos diez años.

La llegada de los japoneses Mientras los chinos eran excluidos, inmigrantes japoneses empezaron a llegar a EE.UU. Miles de japoneses fueron empleados en plantaciones de azúcar en

Leer una Gráfica Compara esta gráfica con la de la página 192. ¿En qué región creció más rápido la inmigración?

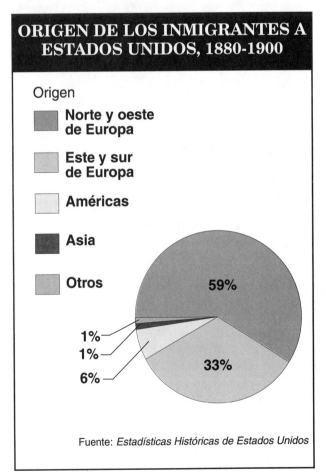

ORIGEN DE LOS INMIGRANTES A ESTADOS UNIDOS, 1880-1900

Origen

- Norte y oeste de Europa
- Este y sur de Europa
- Américas
- Asia
- Otros

59%

33%

1%

1%

6%

Fuente: *Estadísticas Históricas de Estados Unidos*

Hawaii. Estos inmigrantes firmaron contratos para trabajar en Hawaii. En 1898, Hawaii se convirtió en parte de EE.UU. Para entonces, 60,000 personas de una población hawaiana de 154,000, eran japoneses.

Cuando sus contratos vencieron, muchos japoneses se fueron de Hawaii hacia la costa oeste de EE.UU. La mayoría se establecieron en California. Otros viajaron directamente del Japón.

Para fines de los años 1800, los inmigrantes chinos podían encontrar comida y productos que les eran conocidos en el Chinatown de San Francisco.

Como ya tenían experiencia en el campo, la mayoría de los inmigrantes japoneses se convirtieron en granjeros. Algunos japoneses compraron granjas. Otros hicieron huertos frutales o viveros de árboles. Algunos establecieron sus propios negocios.

A medida que el número de japoneses aumentaba, aumentaba también la ira de algunos americanos. Después de 1900, los esfuerzos para restringir la inmigración japonesa tuvieron éxito.

1. ¿Cuál fue la ley de exclusión de los chinos de 1882?
2. ¿A qué lugar llegaron primero los japoneses que inmigraban a EE.UU.?

3 Los Inmigrantes de Latinoamérica Encuentran Hogar en EE.UU.

¿Qué hizo que los inmigrantes latinoamericanos llegaran a EE.UU. a fines de 1800?

Muchos inmigrantes a fines de los años 1800 llegaron a EE.UU. de lugares situados al sur del país: de Latinoamérica. Miles de mexicanos inmigraron a EE.UU. Cubanos y puertorriqueños, huyendo de las guerras y las injusticias, llegaron del Caribe a EE.UU.

Tiempos difíciles en México A fines de los años 1800, una nueva ley permitía a la gente rica de México comprar grandes cantidades de terrenos. Como resultado, muchos granjeros mexicanos tuvieron que trabajar para nuevos dueños. Elías Garza era un mexicano que perdió su tierra. "Los

Ybor City, Florida, fue construida por un cubano americano llamado Vicente Martínez para los cubanos que trabajaban en su fábrica de puros.

rancheros nos daban las semillas, los animales y la tierra", dijo Garza. "Pero cuando la cosecha estaba lista, no quedaba nada para nosotros." Como muchos de sus vecinos, Garza se mudó a California.

El flujo de inmigrantes de México trajo gente nueva al sudoeste de EE.UU. Los mexicanos empezaron a reemplazar a los chinos que trabajaban en los ferrocarriles. Los mexicanos trabajaban en las minas de cobre en Arizona. Recogían algodón en Texas. Después, los trabajadores mexicanos se fueron al norte para trabajar en las acerías de Chicago. En California, los mexicanos trabajaban junto a los japoneses en grandes fincas.

Puertorriqueños y cubanos
Muchos puertorriqueños y cubanos llegaron a EE.UU. como refugiados de guerra. Sus países eran colonias españolas. En 1868, ambas islas se rebelaron contra los españoles. Los españoles dominaron estas revueltas. Surgieron nuevas rebeliones. Muchos americanos apoyaban a los rebeldes. En 1898, EE.UU. comenzó una guerra contra España. Puerto Rico pasó a estar bajo el dominio de EE.UU., y Cuba se volvió independiente.

De los años 1870 a 1898, miles de puertorriqueños y cubanos fueron a vivir a EE.UU. Algunos eran gente educada y llegaron a establecerse en ciudades como Nueva York, Filadelfia y Boston.

Otros no tenían ni educación ni dinero. Muchos puertorriqueños pobres encontraron trabajo fabricando puros en Nueva York. Algunos se convirtieron en dueños de fábricas de puros. Los cubanos más pobres se fueron a Florida.

Muchos se dedicaron a fabricar puros en Key West y Tampa.

Sueños de su tierra La mayoría de los inmigrantes mexicanos tenían previsto regresar a México. Llegaron a EE.UU. porque aquí los peores trabajos eran mejor pagados que en México. Muchos puertorriqueños y cubanos también proyectaban regresar a casa una vez que se lograra la independencia de España. Después de la independencia de España en 1898, muchos volvieron. Sin embargo, otros se quedaron en Florida o en Nueva York. Consideraban esos lugares como sus nuevos hogares.

1. ¿Qué hizo que los agricultores mexicanos abandonaran sus hogares?
2. ¿Dónde se establecieron los puertorriqueños y cubanos en EE.UU.?

CAPÍTULO 32

IDEAS CLAVE

- Después de 1885, los nuevos inmigrantes llegaron principalmente del este y sur de Europa.
- Los inmigrantes de China y de Japón se establecieron en su mayoría en la costa oeste.
- Gente de México, Puerto Rico, y Cuba se sumó a los latinos que ya existían en EE.UU.
- Los inmigrantes tenían todo tipo de trabajo y ayudaron a construir las industrias de EE.UU.
- Muchos americanos tenían prejuicios contra los inmigrantes y éstos fueron mal recibidos.

I. Repasar el Vocabulario

Une cada palabra de la izquierda con la definición correcta de la derecha.

1. asimilar
2. vivienda
3. pogrom
4. estereotipo

a. matanza de gente o de un grupo, especialmente de los judíos
b. adoptar las costumbres de otro país
c. un edificio con muchos apartamentos pequeños
d. una generalización que no necesariamente es verdadera

II. Entender el Capítulo

1. ¿Por qué solían vivir los inmigrantes en barrios con otros inmigrantes de su mismo país?
2. ¿Por qué a veces los empleadores utilizaban a los inmigrantes para romper las huelgas?
3. ¿Qué condiciones impidieron que los inmigrantes chinos lucharan por sus derechos?
4. ¿De qué países llegaban la mayoría de los inmigrantes latinos? ¿Por qué dejaron sus países?

III. Desarrollo de Habilidades: Compara y Contrasta

Lee las secciones del capítulo que hablan de los inmigrantes de Europa y las que hablan de los inmigrantes de Asia. Elabora una lista de las experiencias que los inmigrantes de cada grupo podrían tener. ¿Qué experiencias son similares y cuáles son diferentes?

IV. Escribir Acerca de la Historia

1. Imagínate que es el año 1900 y tú y tu familia acaban de inmigrar a EE.UU. Escribe en las páginas de tu diario tus primeros momentos en una escuela americana. ¿Qué es nuevo y diferente? ¿Cómo te sientes con tu nueva vida?
2. **¿Qué hubieras hecho?** Tú eres legislador del Congreso. A muchos votantes en tu distrito no les agradan los inmigrantes. Un proyecto propone controlar el número de inmigrantes que entran al país. ¿Votarías a favor de ese documento? ¿Por qué o por qué no?

V. Trabajar Juntos

Del Pasado al Presente Los chinos y japoneses se vieron impedidos por las leyes de EE.UU. para inmigrar. Con un grupo, discute por qué sucedió esto. También habla acerca de los grupos que no tienen permitida la entrada a EE.UU. en nuestros días.

Estados Unidos se Convierte en una Nación de Ciudades. (1865-1900)

¿Cómo cambió la vida en los EE.UU. con el crecimiento de las ciudades?

Las ciudades en crecimiento en EE.UU. necesitaban mejores medios de transporte. Este dibujo muestra a trabajadores de la ciudad de Nueva York instalando vías de tren.

Buscando los Términos Clave

- industria pesada • rascacielos • teleférico
- tranvía • depósito de agua • Hull House

Buscando las Palabras Clave

- **tren elevado:** tren que circula por vías sobre el nivel de las calles
- **metro:** tren que funciona en túneles subterráneos
- **epidemia:** rápida propagación de una enfermedad
- **malversación:** utilización deshonesta de una posición gubernamental para obtener ganancia
- **casa de beneficencia:** organización formada para ayudar a la gente en barrios bajos

SUGERENCIA DE ESTUDIO

Elabora una tabla con dos columnas. En una columna, enumera las ventajas de la vida en la ciudad en los años 1900. En la otra, enumera los problemas de la vida en la ciudad.

Era el año 1871. Chicago era la ciudad de más rápido crecimiento en EE.UU. El 8 de octubre la Sra. O'Leary salió al cobertizo de atrás de su casa en la parte oeste de Chicago. Iba a ordeñar su vaca. Traía una linterna. Mientras ordeñaba a la vaca, ésta pateó la linterna. La linterna ocasionó que la paja se prendiera. Así, el cobertizo comenzó a incendiarse.

El incendio que empezó esa noche se dispersó rápidamente a otros edificios y después a otras cuadras. Cuando terminó el incendió en la tarde del día siguiente, había destruido casi todo Chicago.

1 Las Ciudades Crecen en Cantidad y Tamaño.
¿Cuál fue la razón del rápido crecimiento de las ciudades?

El gran incendio de Chicago dejó la ciudad en ruinas. Sin embargo, años después, la ciudad ya había sido reconstruida. Para 1890, un millón de personas la habitaban. Parecía que nada hubiera podido detener su crecimiento.

El crecimiento de la industria En los años posteriores a la guerra civil se vio un gran crecimiento de las ciudades de EE.UU. En 1860, había nueve ciudades con una población de por lo menos 100,000 habitantes. Para 1910 había 50 ciudades de esa magnitud.

La industria era la razón principal del crecimiento de las ciudades. La industria creció rápidamente después de la guerra civil. La **industria pesada**, la manufactura de trenes y máquinas para granjas, se volvió importante. La industria pesada dependía del acero. Por lo

tanto, la industria acerera también se desarrolló. Pittsburgh, Pennsylvania, y Birmingham, Alabama, se convirtieron en los centros aceraros más importantes.

Chicago se convirtió en la sede de la industria empacadora de carne. La carne se transportaba desde Chicago a lo largo del país en los nuevos vagones refrigerados de ferrocarril .

Había otras razones para el crecimiento de las ciudades. Los constructores desarrollaron una forma de utilizar el acero para hacer edificios. Al mismo tiempo, se inventó un ascensor seguro. Estos dos inventos hicieron posible la construcción de edificios mucho más altos que antes. Los nuevos edificios eran tan altos que la gente los llamó **rascacielos**.

Medios de transporte en las ciudades El mejoramiento de los medios de transporte también ayudó a que crecieran las ciudades. **Los tranvías** funcionaban gracias a la electricidad. Los coches estaban conectados a un cable eléctrico colgado de las calles. Los tranvías circulaban por las calles sobre vías.

Los tranvías, sin embargo, tenían que disminuir su velocidad por el tráfico. Para solucionar este problema, algunas ciudades construyeron trenes elevados. Los **trenes elevados** son trenes que circulan por vías sobre el nivel de las calles. Otro gran progreso fue la idea de poner vías en túneles subterráneos llamados **metros**. El primer metro de EE.UU. se inauguró en 1897 en Boston. Los trenes elevados y los metros permitieron que la gente se moviera por la ciudad rápidamente y a bajo costo.

Servicios de la ciudad Otros progresos ayudaron al crecimiento de las ciudades. Una ciudad grande requiere a diario grandes cantidades de agua potable. Las ciudades como Nueva York estaban localizadas a mucha distancia del agua fresca. Estas ciudades construyeron **depósitos de agua**, o lagos artificiales.

Cultura y entretenimiento Para mucha gente, las ciudades eran lugares agradables y excitantes. Había grandes tiendas por departamentos que ofrecían ropa, muebles, y muchos otros artículos a la venta. Había teatros y restaurantes para todo tipo de gusto. Las salas de concierto, las casas de ópera y los museos llevaron el arte a un nuevo público.

Los trabajadores Muchos habitantes de la ciudad veían poco de la belleza y la cultura urbanas. Eran los trabajadores. Muchos vivían en muy malas condiciones. Vivían en apartamentos sin calefacción y a veces sin agua. Pero muchos otros trabajadores tenían trabajos seguros. Vivían cómoda, aunque no lujosamente. Tenían comida en la mesa y un fuego en la chimenea.

La gente comúnmente vivía en barrios con otras personas que eran de la misma parte de EE.UU. o del mundo que ellos. En estos barrios, los clubes sociales y las organizaciones religiosas brindaban oportunidades a la gente para reunirse.

Una familia italiana en América La historia de Alfredo y Malvina Maggia es muy parecida a la de muchos habitantes de las ciudades. Alfredo partió de su casa en Italia en 1899 y navegó a EE.UU. Para entonces, él y Malvina aún no estaban casados. Decidieron esperar hasta que Alfredo encontrara trabajo.

Leer una Gráfica ¿Cuál era la segunda ciudad en tamaño en EE.UU. en 1880? ¿Cuál era la segunda ciudad en tamaño de EE.UU. en 1900?

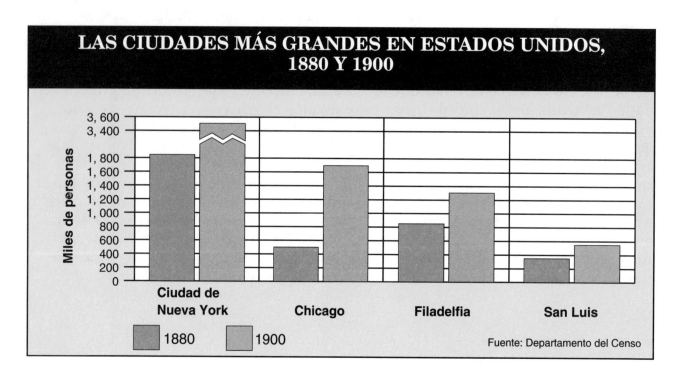

LAS CIUDADES MÁS GRANDES EN ESTADOS UNIDOS, 1880 Y 1900

Miles de personas

Ciudad de Nueva York • Chicago • Filadelfia • San Luis

■ 1880 ■ 1900

Fuente: Departamento del Censo

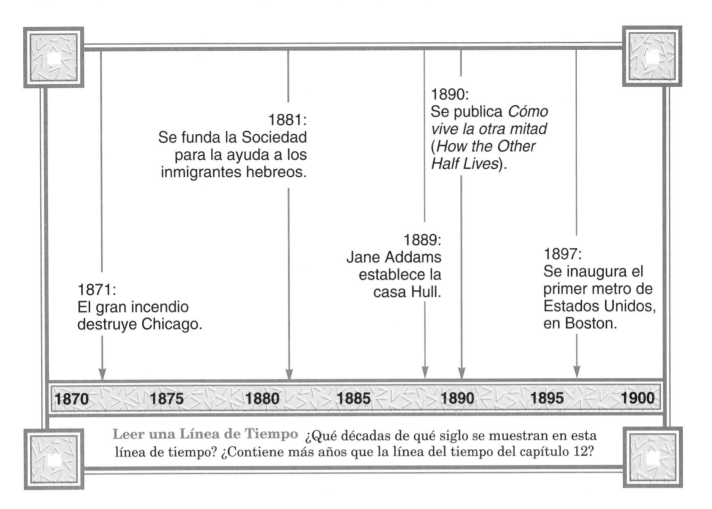

1881:
Se funda la Sociedad para la ayuda a los inmigrantes hebreos.

1890:
Se publica *Cómo vive la otra mitad* (*How the Other Half Lives*).

1889:
Jane Addams establece la casa Hull.

1897:
Se inaugura el primer metro de Estados Unidos, en Boston.

1871:
El gran incendio destruye Chicago.

| 1870 | 1875 | 1880 | 1885 | 1890 | 1895 | 1900 |

Leer una Línea de Tiempo ¿Qué décadas de qué siglo se muestran en esta línea de tiempo? ¿Contiene más años que la línea del tiempo del capítulo 12?

En la ciudad de Nueva York, Alfredo se fue a vivir a casa del hermano de Malvina, Carlo. Este tenía un negocio como carpintero en uno de los barrios italianos de la ciudad. Alfredo ayudaba a Carlo en su taller de carpintería. Al poco tiempo Alfredo aprendió suficiente inglés como para encontrar trabajo como mesero. Cuando ahorró suficiente dinero, mandó a traer a Malvina. Se casaron en 1906, y su hijo nació un año después.

Finalmente Alfredo ascendió a un puesto importante como gerente de restaurantes de hoteles. Su hijo fue a la universidad y se convirtió en ejecutivo de una gran corporación. Alfredo y Malvina vivieron hasta 1963, el mismo año en que su nieta se graduó de la universidad. Millones de familias americanas tienen historias similares.

1. ¿Por qué crecieron tan rápidamente las ciudades a fines de los años 1800?
2. ¿Cuáles eran algunos de los beneficios de la vida urbana?

2 Las Ciudades Enfrentan Problemas.

¿Qué retos tuvieron que enfrentar los habitantes de las ciudades?

Los edificios en la ciudad estaban muy pegados unos a otros. Había poco aire fresco y luz. Los servicios públicos no siempre estaban disponibles. Muchas calles no estaban pavimentadas. El alcantarillado no funcionaba. La basura se apilaba en las calles y los callejones. El agua no potable propagaba las enfermedades. De vez en cuando, una epidemia atacaba los barrios. Una **epidemia** es la rápida propagación de una enfermedad. Aparte de estas epidemias, existía la constante amenaza de la tuberculosis. La tuberculosis es una enfermedad que afecta especialmente los pulmones a que se contagia por el contacto con gente infectada. En ese entonces, no existía una cura para esa enfermedad. La mayoría de las víctimas perdían fuerza y finalmente morían.

Gradualmente los gobiernos hicieron las ciudades un poco más seguras. La recolección de basura mejoró. Se fundaron cuerpos de bomberos. Los gobiernos construyeron sistemas de abastecimiento de agua. Se pavimentaron las calles. Fueron construidos edificios públicos y parques.

Políticos deshonestos Algunos políticos utilizaron los nuevos proyectos para beneficiarse. Daban trabajo a sus amigos y familiares aunque no estuvieran capacitados para ello. Utilizar una posición gubernamental para beneficiarse se llama **malversación**.

Uno de los peores políticos fue William Tweed, llamado "Boss", o "Jefe" Tweed. Tuvo varios puestos públicos en Nueva York de 1851 a 1871. El ejemplo más conocido de sus malversaciones fue el "Juzgado o tribunal de Tweed".

Leer una Caricatura Esta caricatura se titula "¿Quién se robó el dinero del pueblo?" ¿Qué trata de mostrar el caricaturista? ¿Cómo hace que Boss Tweed, a la izquierda, se vea ridículo?

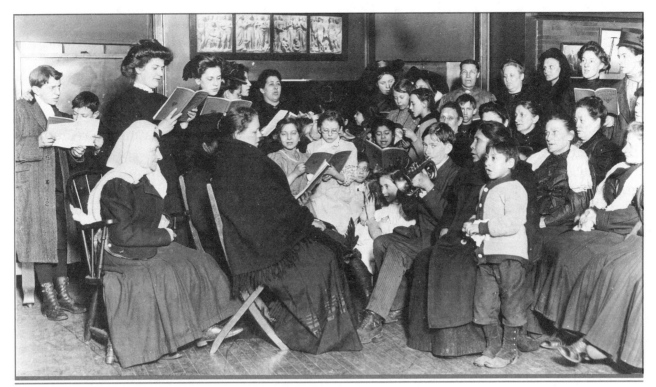

Una fotografía de 1896 muestra a mujeres y niños inmigrantes cantando canciones típicas americanas en la Hull House de Chicago.

Construyó un nuevo edificio judicial por valor de 4 millones de dólares. Los contribuyentes pagaron 12 millones de dólares. La diferencia de 8 millones se la quedaron Tweed y sus amigos.

Otros tipos de "jefes" políticos aparecieron en otras ciudades. John Fitzgerald de Boston fue uno de ellos. Su apodo era "Honey Fitz" o "Fitz de miel" porque tenía una buena voz para cantar. Fitzgerald se ganó apoyo en los barrios más pobres, habitados en su mayoría en esos días por americanos irlandeses. Construyó una fuerte "máquina" de trabajadores de su partido. Estos se encargaban de que aquellos que lo apoyaban, tuvieran todos los servicios públicos que necesitaran.

3 La Gente Trabaja Para Mejorar sus Vidas.
¿Cómo lucharon los inmigrantes y otros para vivir mejor?

Jacob Riis era un periodista en la ciudad de Nueva York. Escribió conmovedores reportajes acerca la vida en los barrios pobres. Su libro, *How the Other Half Lives* (*Cómo vive la otra mitad*), apareció en 1890. Sus descripciones de niños que crecían en viviendas sucias impresionaron a muchos lectores de la clase media.

1. ¿Cuáles fueron las causas de las condiciones insalubres en las ciudades?
2. ¿Qué es malversación?

Hull House   En Chicago, una joven llamada Jane Addams dió un paso audaz. Con una amiga, se apoderó de una casa vieja en uno de los barrios más pobres de la ciudad. En 1889, la abrieron con el nombre de Hull House (Casa Hull). La llamaron **casa de beneficencia**. Era un lugar donde se daban servicios a la gente del barrio.

Hull House tenía jardín de infantes y una guardería para padres trabajadores. También había veladas sociales para distintos grupos de inmigrantes en el barrio. Esas veladas sociales hicieron posible que los recién llegados a la ciudad se conocieran mutuamente.

A la larga, las actividades de la Hull House incluyeron clases de todo tipo de temas. También había salones de conferencias para las organizaciones del barrio y un teatro de la comunidad. La mayoría del apoyo venía de mujeres inspiradas por Jane Addams. Ellas le dedicaban su tiempo y su dinero.

Otras organizaciones Mientras las casas de beneficencia aparecían a través de la nación, los recién llegados a la ciu-dad estaban formando sus propias organizaciones. Los católicos italianos e irlandeses establecieron grupos sociales y escuelas apoyadas por la iglesia. La Sociedad para la ayuda a los inmigrantes hebreos (Hebrew Immigrant Aid Society) ayudaba a los judíos recién llegados a encontrar casa y trabajo.

Muchos periódicos se publicaban especialmente para ciertos grupos. Algunos estaban escritos en los idiomas de los lectores. Por ejemplo, el *Jewish Daily Forward* de la ciudad de Nueva York se publicaba en yidish. Otros periódicos como el *Chicago Defender* estaban escritos para la comunidad americana africana de la ciudad.

1. ¿Cómo ayudó a la gente de su barrio a la Hull House?
2. ¿Qué otras organizaciones ayudaban a los recién llegados a las ciudades?

CAPÍTULO 33
IDEAS CLAVE

- A fines de los años 1800, las ciudades en EE.UU. crecían rápidamente. La razón principal era el crecimiento industrial.
- Los recién llegados provenían tanto de pequeños pueblos de EE.UU. como de otros países.
- El crecimiento de las ciudades causó una superpoblación en las partes más pobres de las ciudades.
- Hull House y otras casas de beneficencia ayudaron a los recién llegados a ajustarse a la vida urbana. Los inmigrantes formaron sus propias organizaciones.

I. Repasar el Vocabulario

Une cada palabra de la izquierda con la definición correcta de la derecha.

1. casa de beneficencia   **a.** usar una posición gubernamental para obtener una ganancia ilegítima

2. malversación   **b.** un edificio de departamentos sin ascensor

3. epidemia   **c.** la rápida propagación de una enfermedad

4. vivienda   **d.** organización que da servicios en un barrio de la ciudad

II. Entender el Capítulo

1. ¿Cómo contribuyó el crecimiento de la industria pesada al crecimiento de las ciudades?

2. ¿Cómo mejoraron los medios de transporte en las ciudades a principios de 1900?

3. ¿Qué tipos de problemas tenían frecuentemente los recién llegados a la ciudad?

4. ¿Quiénes fueron Jacob Riis y Jane Addams? ¿Cómo trataron de mejorar la vida urbana para los pobres?

III. Desarrollo de Habilidades

Utiliza los datos mencionados abajo para hacer una gráfica de barras que muestre el crecimiento de la población de EE.UU. en los años 1800. Después, responde la pregunta.

1800	5,308,483	**1830**	12,860,692	**1860**	31,443,321	**1890**	62,947,714
1810	7,239,881	**1840**	17,063,353	**1870**	38,558,371	**1900**	75,994,575
1820	9,638,453	**1850**	23,191,876	**1880**	50,155,783		

1. ¿Cuánto creció la población de 1800 a 1850? ¿Cuánto creció de 1850 a 1900?

2. ¿Qué década muestra el mayor incremento de población?

IV. Escribir Acerca de la Historia

1. Imagina que eres Alfredo Maggia. Has estado viviendo en la ciudad de Nueva York durante un año. Escríbele una carta a Malvina en Italia, contándole tus experiencias y tus esperanzas para el futuro.

2. **¿Qué hubieras hecho?** Si hubieras sido un votante en Boston a principios de 1900, ¿hubieras votado por Honey Fitz o por uno de sus oponentes? ¿Por qué?

V. Trabajar Juntos

Del Pasado al Presente Con un grupo, analiza cómo trabajaron los reformadores para mejorar la forma de vida a fines de los años 1800. Después habla acerca de los grupos que ahora trabajan para mejorar la sociedad. Escoge uno y escribe una frase o dos explicando sus metas.

LAS MUJERES LOGRAN NUEVAS OPORTUNIDADES. (1865-1900)

¿Qué avances hicieron las mujeres a fines de los años 1800 y a principios de 1900?

Estudiantes en clase en el Instituto Tuskeegee en 1902. Tuskeegee se convirtió en una de las universidades más importantes para americanos africanos.

Buscando los Términos Clave

- sufragista • trabajos de servicio

Buscando las Palabras Clave

- **doméstica:** alguien que trabaja como sirviente, cocinera o lavandera

SUGERENCIA DE

Después de que leas cada sección, tómate un minuto o dos y escribe los puntos que creas que son importantes. Asegúrate de que tus apuntes respondan la pregunta de la sección.

ESTUDIO

En los años 1800, las mujeres tenían muy pocos derechos. No podían votar. No podían tener puestos gubernamentales. Si se casaban, sus esposos se convertían en dueños de sus propiedades. Si las mujeres tenían trabajo, el dinero que ganaban pertenecía a sus padres o a sus esposos. Por ley, los esposos podían golpear a sus esposas, siempre y cuando no las lastimaran gravemente.

Una vez terminada la Guerra Civil, las mujeres empezaron a exigir sus derechos. Los ex esclavos ahora podían votar. Las mujeres querían el mismo derecho. El derecho a votar se llama sufragio. Las mujeres que querían el derecho al voto se llamaban **sufragistas**.

1 Las Mujeres Conquistan Nuevos Derechos.
¿Cómo obtuvieron nuevos derechos las mujeres?

Una sufragista tenía que tener mucho valor. Muchos hombres estaban en desacuerdo con las sufragistas. Las primeras sufragistas eran a menudo maltratadas. Los periódicos las atacaban. Los caricaturistas políticos se burlaban de ellas. Aun así, las sufragistas siguieron luchando.

En 1869, las mujeres lograron su primera victoria política. La vida en la frontera había hecho a las mujeres de Wyoming independientes y decididas. Demandaron el derecho a votar. Los hombres estuvieron de acuerdo, pero no porque creyeran en el sufragio de la mujer. Sólo querían equilibrar la población del estado. Wyoming tenía 8,000 hombres y apenas 2,000 mujeres. Permitiendo votar a las mujeres, los legisladores pensaban que podían atraer a más mujeres para que vivieran en Wyoming.

Líderes americanas africanas
Las mujeres americanas africanas tuvieron un papel importante en la lucha por el voto. Las hermanas Rollins de Charleston, Caroline Remond Putnam y Mary Church Terrell lucharon por el sufragio de las mujeres.

Una conocida sufragista americana africana fue Mary Ann Shadd Cary. Cary fue la primera mujer americana africana que se graduó de abogada. En 1870, afirmó ante la justicia que el sufragio de las mujeres era un derecho legal. Este fue su argumento: (1) Las enmiendas décimocuarta y décimoquinta otorgan a todos los ciudadanos americanos africanos el derecho a votar. (2) Ella había cumplido con todas las obligaciones de un ciudadano. (3) Por lo tanto, tenía los mismos derechos que los demás ciudadanos. Un año después Cary logró inscribirse para votar.

Un pequeño progreso
Para los años 1880, las mujeres habían logrado algún progreso. Algunos estados ya permitían a las mujeres casadas ser dueñas de su propiedad. Las mujeres podían votar en cuatro estados del oeste: Wyoming, Colorado, Idaho, Utah. Sin embargo, todavía no podían votar en las elecciones nacionales. El sufragio de las mujeres no se convirtió en ley en EE.UU. hasta principios de 1900.

Durante los últimos años de 1800, las mujeres progresaron en la educación. Cada vez más mujeres iban a la universidad. Sin embargo, las mujeres educadas no eran bien recibidas en muchas profesiones. En la mayoría de los estados, era ilegal que una mujer fuera médica o abogada. En 1881 sólo había 56 mujeres abogadas en los Estados Unidos.

Mejoras en el Trabajo   En 1888, Leonora Barry recibió una carta de un hombre enfadado en Pennsylvania. El autor de la carta la llamaba "vagabunda" porque estaba tratando de afiliar a las mujeres trabajadoras a los sindicatos. Barry pensaba que los sindicatos eran la mejor manera de alentar reformas.

Barry y otras mujeres valientes hicieron mucho para ayudar a las mujeres trabajadoras. Las organizaron para luchar por un mayor salario, menos horas y condiciones más seguras de trabajo en las fábricas. Sin embargo, las mujeres no fueron aceptadas del todo en los sindicatos hasta los años 1900.

1. ¿Dónde obtuvieron las mujeres por primera vez, el derecho al voto?
2. ¿Por qué luchaba Leonora Barry?

Un dibujo de 1888 muestra mujeres formadas para votar en Wyoming. Los estados del oeste dieron a las mujeres el derecho a votar porque querían que vinieran más mujeres a habitarlos.

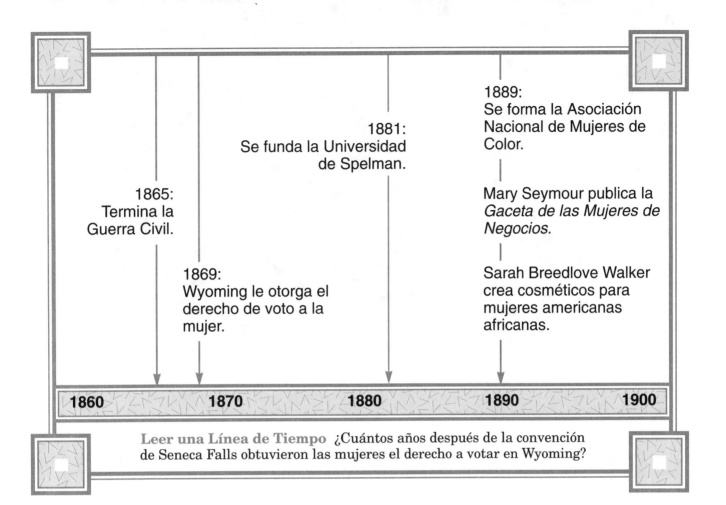

1865:
Termina la
Guerra Civil.

1869:
Wyoming le otorga el
derecho de voto a la
mujer.

1881:
Se funda la Universidad
de Spelman.

1889:
Se forma la Asociación
Nacional de Mujeres de
Color.

Mary Seymour publica la
*Gaceta de las Mujeres de
Negocios.*

Sarah Breedlove Walker
crea cosméticos para
mujeres americanas
africanas.

| 1860 | 1870 | 1880 | 1890 | 1900 |

Leer una Línea de Tiempo ¿Cuántos años después de la convención de Seneca Falls obtuvieron las mujeres el derecho a votar en Wyoming?

2 Las Mujeres Entran al Mundo de los Negocios.

¿Qué trabajo hacían las mujeres en los negocios?

Después de la guerra civil, se abrieron nuevas oportunidades de trabajo para las mujeres. Muchas eran en **trabajos de servicio**. Estos eran trabajos en cuales servían o ayudaban a otros. Las mujeres se convirtieron en trabajadoras de oficinas, empleadas de ventas y enfermeras.

El trabajo en la oficina era una experiencia nueva para las mujeres. Hasta los años 1870, solamente los hombres tenían trabajo en las oficinas. Dos inventos cambiaron eso.

Uno de ellos fue la máquina de escribir. Muchos gerentes pensaban que las mujeres escribían más rápido que los hombres porque sus dedos eran más pequeños. Esto hizo que las mujeres que escribían a máquina se convirtieran en una ganga para los patrones.

El segundo invento que hizo ingresar mujeres a las oficinas fue el teléfono. El teléfono fue inventado en 1876. Los primeros operadores de teléfonos eran hombres. Las mujeres rápidamente aprendieron a manejar los teléfonos. Tal como para escribir a máquina, la mujer podía hacer el mismo trabajo que el hombre. Sin embargo, los patrones les podían pagar menos dinero.

En 1890, 75,000 mujeres tenían trabajos en oficinas. Para 1900, el número superaba los 500,000. Las mujeres se volvieron comunes en las oficinas.

Las mujeres en las profesiones

El trabajo de Clara Barton en hospitales durante la guerra civil demostró que las mujeres podían ser enfermeras.

Para protestar por las malas condiciones en la industria del vestido, los trabajadores de Chicago, en su mayoría mujeres, hicieron una huelga en 1914. Ganaron la huelga y formaron un sindicato que les ayudó a obtener otros beneficios.

Después de la guerra civil, el ser enfermera se volvió "trabajo para mujeres" en parte porque pagaba muy poco para los hombres. Después de dos años de capacitación, la mayoría de las enfermeras ganaban aproximadamente cuatro dólares a la semana.

La mayoría de las mujeres que estaban interesadas en la medicina se hicieron enfermeras. Sin embargo, no todas siguieron ese camino. Elizabeth Blackwell fue la primera mujer médica en EE.UU. en 1849. Fundó un hospital para mujeres en Nueva York. Abrió las puertas a otras mujeres para que entraran al campo de la medicina. Aun así, algunas personas decían que la medicina no era una carrera para mujeres.

En la enseñanza   Muchas mujeres educadas se hicieron maestras. Para 1900, las maestras sobrepasaban tres a uno en número a los maestros. Los directores y superintendentes eran en su mayoría hombres.

Los bajos salarios no eran el único problema que tenían las maestras. Docenas de reglamentaciones regulaban sus acciones. Las maestras no podían estar fuera de sus casas a la noche. A la mayoría no se les permitía seguir enseñando si estaban casadas.

Negocios Propios   Algunas mujeres empezaron su propio negocio. Mary Seymour fundó la primer escuela de negocios para mujeres en 1879. En 1884, manejaba cuatro escuelas. Comenzó a publicar el Business Woman's Journal (Gaceta de las mujeres de negocios) en 1889. Seymour utilizó su talento para los negocios y para la redacción para ayudar a muchos grupos femeninos.

En los años 1800, nuevas máquinas hicieron más fácil el cultivo de grandes parcelas de tierra. Muchas mujeres aceptaron el desafio de encargarse de este nuevo negocio. Una de las más exitosas fue Henrietta King, de Texas. Su esposo murió en 1885. Le dejó a su esposa 500,000 acres (202,4000 hectáreas) de tierras. También le dejó una deuda de 500,000 dólares. En poco menos de 10 años, ella pagó la deuda. Después empezó a comprar más tierras. Cuando murió, dejó millones de dólares a sus herederos.

Los negocios de las americanas africanas Mujeres americanas africanas también tuvieron negocios exitosos. Maggie L. Walker fue presidenta del banco de St. Luke en Richmond, Virginia. En 1889, C.J. Walker creó una línea de cosméticos para mujeres americanas africanas. Walker fue la primera mujer americana africana que se hizo millonaria.

1. ¿Qué eran los trabajos de servicios?
2. Nombra dos mujeres exitosas en los negocios.

3 La Discriminación Limita las Oportunidades para las Mujeres de Color.

¿Qué tipo de trabajos había disponible para las mujeres americanas africanas?

Mujeres americanas africanas eran contratadas sólo para ciertos tipos de trabajo. Por ejemplo, la mayoría de los trabajadores en las granjas y los trabajadores **domésticas** eran americanos africanos. Las domésticas trabajaban como sirvientas, cocineras y lavanderas. Aun en estos trabajos, las mujeres americanas africanas sufrían discriminación.

Exitos de las americanas africanas Algunas mujeres americanas africanas pudieron superar la discriminación y el prejuicio. Varias de

ellas administraban plantaciones en el sur. La doctora Susan McKinney fue la mejor de las graduadas de la Universidad de Medicina de Long Island. Luego se convirtió en una de las principales médicas de la comunidad americana africana. Sarah Garnet fue la primera directora americana africana de una escuela integrada en Nueva York.

Muchas mujeres americanas africanas fueron a escuelas americanas africanas como la Universidad de Spelman en Atlanta. Spelman se fundó en 1881. Su objetivo era educar a mujeres americanas africanas. Las graduadas de Spelman y otras universidades para americanos africanos

Maggie Walker fue una exitosa empresaria americana africana. Dirigió un gran banco en Virginia durante muchos años.

generalmente se convertían en profesoras de esas mismas escuelas.

Clubes de mujeres   Muchas de estas mujeres educadas fueron miembros de los clubes de mujeres americanas africanas. Querían cambiar las cosas. Los clubes podían servir a ese fin.

Josephine St. Pierre Ruffin organizó la primera conferencia nacional de mujeres americanas africanas de clubes en 1895. El año siguiente, se formó la Asociación Nacional de Mujeres de Color (National Association of Colored Women, o NACW).

El lema de esta Asociación era "Elevarnos Mientras Escalamos". Sus afiliadas querían educar a otras mujeres americanas africanas para que pudieran conseguir mejores trabajos. La Asociación fundó escuelas secundarias y universidades.

A fines de los años 1800, las mujeres se involucraron en importantes movimientos de reforma. Las reformas y los servicios públicos se estaban convirtiendo en trabajo de mujeres.

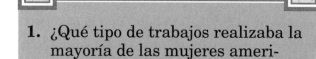

1. ¿Qué tipo de trabajos realizaba la mayoría de las mujeres americanas africanas?
2. ¿Cuál era la propuesta de la Asociación Nacional de Mujeres de Color?

CAPÍTULO 34
IDEAS CLAVE

- A fines de los años 1800, las mujeres lograron nuevos derechos. En unos cuantos estados obtuvieron el derecho voto en las elecciones estatales.

- Las mujeres entraron en el mundo de los negocios. Tenían trabajo en oficinas y como profesionales.

- Estas oportunidades no existían para la mayoría de las mujeres de color. Ellas estaban casi siempre limitadas a trabajos con bajos salarios.

- Algunas mujeres americanas africanas lograron atravesar esas barreras y obtener carreras exitosas.

I. Repasar el Vocabulario

Une cada palabra de la izquierda con la definición correcta de la derecha.

1. sufragio
2. sufragista
3. doméstica
4. trabajos de servicio

a. empleos en los cuales unos trabajadores dan servicio a otras personas

b. el derecho a votar

c. trabajo como sirvienta, cocinera o lavandera

d. mujeres que pedían el derecho a votar

II. Entender el Capítulo

1. Menciona tres ocupaciones disponibles para mujeres en los años 1880.
2. ¿Cuáles fueron los dos inventos que dieron oportunidades a las mujeres en trabajos de oficina?
3. ¿Qué profesiones había disponibles para las mujeres educadas en los años 1880?
4. ¿Qué hizo la Asociación Nacional de Mujeres de Color para ayudar a las mujeres americanas africanas?

III. Desarrollo de Habilidades: Leer una Línea de Tiempo

Utiliza la línea del tiempo de la página 289 para responder estas preguntas.

1. ¿En qué año fue inventado el teléfono?
2. ¿Cuándo se dio a las mujeres de Wyoming el derecho a votar, antes o después de que empezara la Gaceta de las mujeres de negocios?
3. ¿Cuántos años pasaron entre el fin de la guerra civil y la formación de la Asociación Nacional de Mujeres de Color?

IV. Escribir Acerca de la Historia

1. **¿Qué hubieras hecho?** Si hubieras vivido en Wyoming en los años de 1860, ¿hubieras estado a favor del sufragio de la mujer? Explica.
2. Suponte que una mujer de 1890 es repentinamente transportada a través del tiempo al presente. Redacta una lista de preguntas que ella haría acerca de los años 1990 y qué respuestas le darías.

V. Trabajar Juntos

Del Pasado al Presente En los últimos años de 1800 aparecieron nuevas oportunidades de trabajo para las mujeres. ¿En qué son diferentes los trabajos de la mujer actual? Escribe dos o tres frases que expliquen algunas de las diferencias.

ESTADOS UNIDOS SE CONVIERTE EN UNA POTENCIA MUNDIAL. (1865-1900)

¿Por qué se expandió Estados Unidos a otros continentes a fines de los años 1800?

La reina Liliuokalani de Hawaii poco antes de su muerte. Veinticuatro años antes, había luchado por la independencia de Hawaii.

Buscando los Términos Clave

- esfera de influencia • política de puertas abiertas
- rebelión de los boxer • la enmienda de Platt

Buscando las Palabras Clave

- **imperialismo:** la formación de imperios coloniales

SUGERENCIA DE ESTUDIO

Cuando encuentres un lugar específico mencionado en el capítulo, búscalo en un mapa. Fíjate no solamente dónde está el lugar, sino también qué tierras lo rodean.

El 1° de mayo de 1898, barcos de la marina de EE.UU. llegaron a la bahía de Manila en las Filipinas. Las Filipinas eran una colonia española. Una flota española estaba anclada en la bahía. Cuando los americanos se acercaban, el almirante George Dewey dio la orden de fuego.

Cuando el humo se disipó, los americanos vieron que habían destruido toda la flota española. Y ni un solo americano hábia sido herido.

EE.UU. estaba en condiciones de apoderarse de las Filipinas. Hacerlo o no era la cuestión.

1 Estados Unidos se Expande al Pacífico.

¿Qué llevó a Estados Unidos a extender su influencia al Pacífico?

A fines de los años 1800, el **imperialismo** se convirtió en una poderosa fuerza entre las naciones europeas. Imperialismo quiere decir formar imperios. Para los años 1890, algunos países europeos habían dominado gran parte de Asia y casi toda Africa.

Existían varias razones para explicar el interés en los imperios. Las más fuertes eran las económicas. Las colonias eran fuente de materia prima. También eran lugares que compraban productos manufacturados.

La construcción del Imperio de EE.UU. EE.UU. empezó su expansión poco después de la guerra civil. En 1867, el secretario de Estado William H. Seward arregló con Rusia la compra de Alaska. El precio fue de $7.2 millones de dólares. Muchos americanos pensaban que Alaska era una tierra grande,

fría y casi desierta. Llamaron a esta compra la "tontería de Seward" (Seward's Folly). Estaban equivocados. Alaska se fue convirtiendo gradualmente en parte importante de la economía de EE.UU. Además, la compra dio a EE.UU. una larga costa en la parte norte del océano pacífico.

EE.UU. también se interesó en Hawaii. A lo largo de los años 1800, Hawaii fue un reino independiente en el Pacífico. Aproximadamente en 1820, un grupo de misioneros americanos llegó a Hawaii. Desde entonces, aumentó el interés de los americanos por Hawaii. Empezaron a crear grandes y plantaciones de azúcar, muy rentables.

En 1891, Liliuokalani se convirtió en reina de Hawaii. A Liliuokalani no le gustaba la forma en que su país se estaba americanizando. Empezó un programa para disminuir la influencia americana. Estas política alarmó a los americanos, quienes derrocaron a

Leer un Mapa ¿Qué tierras estaban bajo el control de EE.UU. después de la Guerra cubano-hispano-americana?

Liliuokalani en 1893. Implantaron un gobierno republicano a su cargo.

Territorio de EE.UU. El nuevo gobierno quería que Hawaii se convirtiera en posesión de EE.UU. El presidente Grover Cleveland se rehusó a aceptarlo. Creía, con razón, que el nuevo gobierno no representaba a los hawaianos, sino a los americanos. Sin embargo, en 1897, Cleveland fue sucedido por William McKinley. Al año siguiente EE.UU. estaba en guerra con España. Repentinamente, tener una base fuerte en el Pacífico parecía una buena idea. El 7 de julio de 1898, Hawaiii se convirtió en parte de EE.UU.

1. ¿Cuál fue la "tontería de Seward" (Seward's Folly)?
2. ¿Por qué se se rehusó EE.UU. a apoderarse de Hawaii al principio?

2 EE.UU. "Abre la Puerta" a China.

¿Cómo evitó EE.UU. que otras naciones se apoderaran de China?

A fines de los años 1800, China era una enorme nación con un gobierno débil. A pesar de su debilidad, era un importante aliado económico de EE.UU., Europa y Japón.

Las tropas de EE.UU. atacan a los Boxer en Beijing en 1900. Las tropas de EE.UU fueron llamadas para ayudar en la lucha contra la rebelión de los Boxer. Los Boxers eran chinos que se oponían al control extranjero de su país.

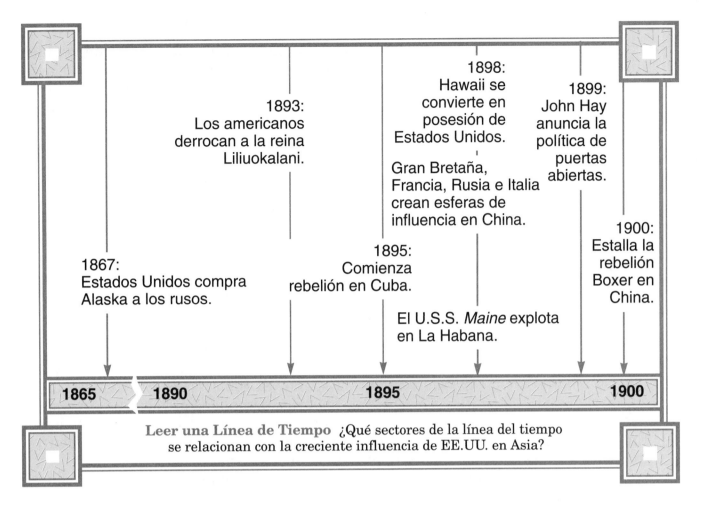

1893:
Los americanos derrocan a la reina Liliuokalani.

1898:
Hawaii se convierte en posesión de Estados Unidos.

Gran Bretaña, Francia, Rusia e Italia crean esferas de influencia en China.

1899:
John Hay anuncia la política de puertas abiertas.

1867:
Estados Unidos compra Alaska a los rusos.

1895:
Comienza rebelión en Cuba.

1900:
Estalla la rebelión Boxer en China.

El U.S.S. *Maine* explota en La Habana.

| 1865 | 1890 | 1895 | 1900 |

Leer una Línea de Tiempo ¿Qué sectores de la línea del tiempo se relacionan con la creciente influencia de EE.UU. en Asia?

En 1894-1895 Japón se lanzó a la guerra contra China. Japón ganó fácilmente. Las naciones europeas temían que Japón tratara de acaparar todo el comercio con China y se apresuraron a crear **esferas de influencia** en China. Una esfera de influencia es una área dentro del país controlada por otro país. Para 1898, Gran Bretaña, Francia, Alemania, Rusia e Italia tenían esferas de influencia en China.

La política de puertas abiertas
Estas nuevas esferas de influencia parecían afectar los derechos comerciales americanos. En 1899, el secretario de Estado John Hay anunció una nueva política estadounidense. Esta política fue llamada de **puertas abiertas**, y reconocía las esferas de influencia de las potencias europeas en China. Al mismo tiempo, decía que todas las naciones tenían igualdad de derechos de comercio en China. Esto significaba que ninguna nación tendría ventajas injustas.

La rebelión de los Boxers
Muchos chinos estaban enojados porque su país era controlado por otros países. En 1900, se formó una sociedad secreta china. El propósito de ésta era sacar a los "demonios extranjeros" de China. Los Boxers entraron en Beijing, la capital de China. Allí se apoderaron de un grupo de edificios del gobierno británico. Los Boxers capturaron algunos rehenes. Un ejército internacional se formó rápidamente para retomar los edificios y liberar a los rehenes. EE.UU. contribuyó con 5,000 soldados.

La rebelión de los Boxers fue aplastada pronto. Sin embargo, algunos países europeos querían usar la rebelión para lograr un mayor control sobre China débil. EE.UU. se opuso a esto. Dijo que no permitiría la división de China. Por algún tiempo, con ello pudo mantener abierta a China.

1. ¿Cuál fue el objetivo de la política de la puertas abiertas?
2. ¿Cuál fue el papel que tuvo EE.UU. en la rebelión de los Boxers?

3 EE.UU. Lucha Contra España.

¿Qué causó la Guerra cubano-hispano-americana?

En 1895, se produjo una rebelión en Cuba. Este levantamiento tenía un líder inspirador, José Martí, quien murió al principio de la guerra. Se convirtió en héroe nacional de Cuba. España luchó duramente contra Martí y los rebeldes. A menudo, los cubanos fueron cruelmente tratados.

La Guerra cubano-hispano-americana El interés de EE.UU. en la rebelión era muy fuerte. Una de las razones era que los americanos eran dueños de las plantaciones cubanas de azúcar y tabaco. Además, el intercambio económico de EE.UU. con Cuba había crecido.

Los periódicos en EE.UU. prestaban mucha atención a lo que sucedía en Cuba. Para vender más periódicos, hacían ver las políticas españolas como mucho más crueles de lo que en realidad eran. Algunas veces, cuando no había noticias horribles que informar, los periódicos las inventaban. No fue raro, por eso, que los americanos desarrollaran un gran odio hacia España. Por supuesto querían ayudar a los cubanos.

Recuerden el Maine A principios de 1898, el barco de guerra americano Maine explotó en el puerto de la Habana, la capital de Cuba. Doscientos sesenta marineros americanos murieron. Los periódicos en EE.UU. dieron por sentado que el gobierno español era el causante de la explosión. Pidieron que se declarara la guerra a España. El gobierno de EE.UU. presentó varias demandas al gobierno español. El gobierno español las aceptó a todas. Estados Unidos, de todos modos, declaró la guerra a España.

La guerra cubano-hispano-americana no duró mucho. Las tropas de EE.UU. invadieron Cuba y derrotaron al ejército español. Poco después, otra fuerza de EE.UU. tomó Puerto Rico. Mientras tanto, en Asia, el almirante Dewey se apoderó de la bahía de Manila.

En las negociaciones de paz a fines de ese año, España acordó que daría la libertad a Cuba. Sin embargo, el ejército de EE.UU. se quedó en Cuba cuatro años más, hasta 1902. Durante este tiempo, las topas mejoraron la vida de los cubanos al erradicar los mosquitos que transmiten con mortal enfermedad conocida como la fiebre amarilla. Sin embargo, los cubanos se sintieron complacidos cuando el ejército regresó a EE.UU.

La enmienda de Platt   EE.UU. no abandonó totalmente a Cuba. Insistía en que Cuba incluyera en su constitución la **enmienda de Platt**. La enmienda daba derecho a Estados Unidos a mandar tropas a Cuba para "conservar el orden". Era una forma de proteger los intereses de EE.UU.

EE.UU. también se apoderó de Puerto Rico, las Filipinas y Guam. Guam es una isla en el Pacífico. EE.UU. mantuvo el control de Puerto Rico y Guam. Existían dos razones básicas. Cada una de esas islas servía de base naval. Además, Estados Unidos creía que ambas islas no estaban en condiciones de autogobernarse. Los habitantes de Puerto Rico y Guam no tenían otra posibilidad que aceptar el control de EE.UU.

La cuestión de las Filipinas   La situación de las Filipinas era más complicada. Los filipinos luchaban por independizarse de España antes de que llegara la marina EE.UU. Muchos americanos creían fuertemente que EE.UU. debía devolver las Filipinas a los filipinos. Quedarse con las Filipinas, decían, iba en contra de los principios de Estados Unidos.

Otros decían que el gobierno filipino sería tan débil que el país iba a caer en

Leer un Mapa El ataque de EE.UU., ¿estaba concentrado en la parte oeste o en la parte este de Cuba? Da la latitud y longitud aproximada de Guantánamo.

LA GUERRA CUBANO-HISPANO-AMERICANA, 1895–1898

Gobernada por España hasta 1898
Ataques americanos
Ataques cubanos
Ruta de José Martí

Tampa
FLORIDA
Islas Bahamas
25°N
OCÉANO ATLÁNTICO
Ejército de EE.UU. (General Shafter y los Rough Riders)
Havana
CUBA
Infantes de Marina de EE.UU. capturan Guantánamo
20°N
General Miles
Cubanos rebeldes, liderados por Calixto García, sitian Santiago
Playitas
Santiago
HAITÍ
REPÚBLICA DOMINICANA
San Juan
PUERTO RICO
Marina de EE.UU. bloquea la bahía de Santiago
Daiquirí Guantánamo
Ponce Guayama
85°O
JAMAICA
Tropas de EE.UU. desembarcan y avanzan por tierra a Santiago
15°N
Mar del Caribe
65°O
0   200   400 millas
0   200   400 kilómetros
80°O   75°O   70°O

otras manos en poco tiempo. EE.UU. debería quedarse para evitar eso. También afirmaban que el gobierno de los Estados Unidos beneficiaría a los filipinos. Al final, EE.UU. decidió quedarse con las Filipinas. Muchos filipinos continuaron demandando su independencia.

1. ¿Cuál fue el papel de los periódicos en la Guerra cubano-hispano-americana?
2. ¿Por qué se apoderó Estados Unidos de las Filipinas?

CAPÍTULO 35
IDEAS CLAVE

- El imperialismo es construir imperios coloniales. Era una poderosa fuerza en el mundo a fines de los años 1800.

- EE.UU. adquirió posesiones en el océano Pacífico en los años 1867-1900: entre ellos Alaska, Hawaii y las Filipinas.

- EE.UU. insistió en la política de puertas abiertas para que todas las naciones tuvieran los mismos derechos de comercio en China.

- La guerra cubano-hispano-americana se produjo por la simpatía que sentían los americanos por Cuba.

- Como resultado de la guerra cubano-hispano-americana, Estados Unidos ocupó Cuba, Puerto Rico, las Filipinas y Guam. Cuba se independizó rápidamente, pero los demás quedaron bajo el control de EE.UU.

I. Repasar el Vocabulario

Une cada palabra de la izquierda con la definición correcta de la derecha

1. imperialismo

2. política de la puertas abiertas

3. rebelión de los Boxer

4. enmienda de Platt

a. plan de EE.UU. para asegurarse que ningún país tuviera una ventaja injusta en China

b. política de construir un imperio con colonias

c. ataques a extranjeros hechos por una sociedad secreta de China

d. parte de la Constitución Cubana que daba el derecho a EE.UU. a intervenir en Cuba

II. Entender el Capítulo

1. ¿Por qué libró EE.UU. la guerra cubano-hispano-americana?

2. ¿Por qué decidió EE.UU. apoderarse de Hawaii?

3. ¿Cómo utilizó EE.UU. la política de la puertas abiertas para prevenir que China se dividiera?

4. ¿Cuáles eran los puntos a favor y en contra de que EE.UU. tomara a las Filipinas?

III. Desarrollo de Habilidades: Leer un Mapa

Estudia los mapas de las páginas 295 y 299. Después contesta las siguientes preguntas:

1. Después de 1898, ¿qué posesión de EE.UU. estaba situada entre California y las Filipinas?

2. ¿Qué estado de EE.UU. es el más cercano a Cuba?

3. A fines de los años 1800, Estados Unidos quería construir un canal que atravesara América Central. ¿Por qué era importante tener gobiernos amistosos en Cuba y Puerto Rico?

IV. Escribir Acerca de la Historia

1. **¿Qué hubieras hecho?** Si hubieras estado viviendo en Hawaii en 1893, ¿hubieras estado a favor de la reina Liliuokalani o con el grupo que la derrocó? Explica tus razones.

2. Acabas de leer un reportaje en el periódico acerca de la explosión del U.S.S. Maine. Escribe una carta al director con tu punto de vista sobre lo que se debería hacer al respecto.

V. Trabajar Juntos

Del Pasado al Presente En 1900, un ejército internacional rescató a rehenes en China. ¿Qué organización moderna ha mandado ejércitos internacionales a otros países para ayudar a la gente? Con un grupo decide cuándo un ejército internacional tiene derecho a entrar a un país.

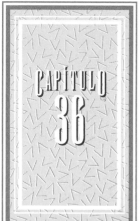

EL PUEBLO AMERICANO ENFRENTA EL SIGLO XX. (1890-1900)

¿Cómo era la nación al entrar al siglo XX?

La Feria Mundial de Chicago, en 1893, mostró comó EE.UU había cambiado y crecido desde sus comienzos.

Buscando los Términos Clave

- La Feria Mundial de Chicago

Buscando las Palabras Clave

- **calculadora:** máquina que resuelve problemas matemáticos
- **red:** sistema de caminos que se conectan entre sí
- **tecnología:** ciencia usada en forma práctica
- **mural:** pintura hecha sobre una pared

En 1893, EE.UU celebró una gran fiesta. Cuatrocientos años antes, Colón había llegado a América. Para conmemorar el hecho, la nación organizó una feria mundial. La feria mostroria los cambios ocurridos en la nación había desde sus inicios.

1 La Feria Mundial de Chicago dio Indicios de Promesas y Problemas.

¿Qué anticipos del futuro mostró la Feria Mundial de 1893?

En mayo de 1893, un grupo de 200,000 personas se reunió en las cercanías del lago Michigan. El presidente Grover Cleveland pronunció un breve discurso. Llamó a la feria, "el cronómetro del progreso". Luego presionó un "botón eléctrico". Poderosos motores eléctricos zumbaron. Las fuentes arrojaron agua al aire. Las banderas ondearon en todos los edificios. La multitud lo aclamó. La feria había quedado inaugurada.

Ese verano, realmente hubo dos Chicagos. Ambas mostraron los sueños y los problemas de la nación. Una Chicago era la de los 200 edificios construidos para la feria. La otra, la Chicago de todos los días.

La Ciudad Blanca   La gente llamó Ciudad Blanca a los terrenos donde estaba la feria. Los edificios parecían grandes palacios o templos. Todos estaban pintados de blanco. Miles de focos eléctricos los alumbraban. Aún de noche la zona resplandecía.

La Ciudad Blanca mostraba lo que los organizadores y los empresarios esperaban de la nación. Los visitantes de la feria podían apreciar las maravillas del mundo moderno. En la **Feria Mundial de Chicago**, los americanos vieron el primer cierre de cremallera. Pudieron hacer sus primeras llamadas de larga distancia de Chicago a Nueva York. En los edificios de la feria la gente utilizó cocinas eléctricas y **calculadoras**. Las calculadoras son máquinas que resuelven problemas matemáticos.

La otra ciudad   La Chicago real era un lugar muy diferente de la Ciudad Blanca. Sólo 20 años antes, un gran incendio había quemado la ciudad por completo. La gente la reconstruyó. Cuando se efectuó la feria, Chicago tenía más de un millón de habitantes. Las conexiones de ferrocarril y su industria habían hecho de ella la segunda ciudad de la nación.

Estados Unidos, en los años 1890, se volvía una nación de ciudades. Mucho de lo que los turistas vieron en la Chicago de cada día se volvería común en otras ciudades. Como escribió un turista de Europa: "Esta ciudad americana, con sus problemas y promesas, es el futuro".

La ciudad tenía un pujante centro comercial, alumbrado por focos eléctricos. Tenía una **red**, o sistema de trenes y tranvías. Tenía barrios residenciales y limpios, con calles amplias, árboles y parques.

Chicago mostró cómo la ciencia y **tecnología** podían cambiar las ciudades.

La tecnología es la ciencia usada en forma práctica. En Chicago, los constructores usaron vigas de acero para construir los primeros rascacielos de la nación. Los ingenieros cambiaron el cauce de un río para resolver un problema de drenaje.

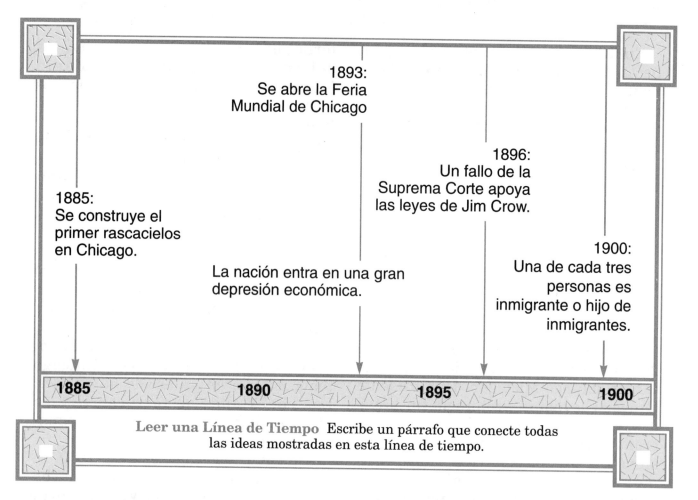

1885:
Se construye el primer rascacielos en Chicago.

1893:
Se abre la Feria Mundial de Chicago

La nación entra en una gran depresión económica.

1896:
Un fallo de la Suprema Corte apoya las leyes de Jim Crow.

1900:
Una de cada tres personas es inmigrante o hijo de inmigrantes.

| 1885 | 1890 | 1895 | 1900 |

Leer una Línea de Tiempo Escribe un párrafo que conecte todas las ideas mostradas en esta línea de tiempo.

La ciudad mostró también que la ciencia y los negocios no podían resolver todos los problemas. La chimeneas arrojaban hollín y ceniza sobre la ciudad. Las fábricas y corrales arrojaban aguas servidas a los desagües. Los barrios pobres no tenían parques ni árboles. La gente vivía amontonada en inquilinatos sucios, con las calles llenas de basura. La mayoría ganaba apenas lo suficiente para vivir en esos edificios.

El fin de un sueño La feria cerró a fines de octubre. Para entonces, una gran depresión afectaba la economía en toda la nación. Se cerraron negocios. La fábricas disminuyeron la producción. Miles de trabajadores perdieron sus empleos.

Los edificios de la feria se vaciaron. La gente que había perdido sus casas empezó a mudarse allí. En el invierno, los fuegos de las cocinas de los desamparados oscurecieron las paredes blancas. Los problemas del presente habían borrado por un tiempo la visión del futuro.

1. ¿Cuáles fueron algunos de los productos que los americanos vieron por primera vez en la Feria Mundial?
2. ¿Qué logros de la ingeniería había en ciudad de Chicago?

2 Estados Unidos, en 1890, era una Nación de Muchas Culturas.

¿Cómo reflejaron Chicago y su Feria Mundial las muchas culturas que formaban la nación?

La Feria Mundial era una "Ciudad Blanca" en muchos sentidos. Los americanos africanos no pudieron trabajar en la construcción de la feria. Cuando se abrió, no pudieron conseguir ni el peor pagado de los empleos.

Los americanos africanos tampoco eran bienvenidos como turistas. Chicago era una ciudad del norte. Pero la feria aplicaba las leyes de Jim Crow. Los americanos africanos no podían comer en la mayoría de los restaurantes. No podían usar la mayoría de los baños.

Muchos americanos africanos protestaron. Ida B. Wells, quien luchó contra linchamiento, escribió un folleto para los turistas extranjeros, que protestaba en contra las leyes de Jim Crow.

Mucha gente llamó a la feria de Chicago modelo del futuro. El trato que dio los americanos africanos, de hecho, mostró cómo se les trataría en el futuro. Las protestas de Wells fueron también indicios del futuro. Demostraron que los americanos africanos no aceptarían calladamente tal trato.

Americanos nativos La feria dio poca atención a la gente que Colón encontró cuando llegó a las Américas. Mientras la feria se llevaba a cabo, los americanos nativos perdían más de sus tierras. En 1893, más de 100,000 millas cuadradas (259,000 kilómetros cuadrados) de planicies prometidas a los americanos nativos se abrieron para la colonización en EE.UU

Los turistas de la feria no podrían imaginar los cambios que ocurrirían a los americanos nativos en el nuevo siglo. Tal vez no creían posible que los americanos nativos continuaran luchando por preservar su cultura.

Un lugar para mujeres Los hombres planificadores de la feria habían dado poca importancia al papel de las mujeres. Sin embargo, las mujeres sabían la parte importante que habían tenido en la construcción de la nación. Incluso, había un edificio de mujeres separado en la Ciudad Blanca. Sophie G. Hayden, una mujer de 21 años de Boston, lo diseñó. Mary Cassat, una de las artistas más famosas de la nación, pintó sus **murales**. Un mural es una pintura pintada en la pared. El edificio mostró algunos de los papeles de la mujer en el nuevo siglo.

Ida B. Wells, directora del periódico Memphis, protestó contra las leyes de Jim Crow de la Feria Mundial de 1893.

Durante 1893, casi todos los americanos nativos de la planicies habían sido obligados a mudarse a las reservaciones. Esta foto muestra a líderes lakota llegando a una reservación.

Muchos orígenes En los años 1890, la gente de los Estados Unidos provenía de muchas más culturas distintas que cualquier otro pueblo en el mundo. Solamente el parque de diversiones llamado Midway, fuera del centro de la feria, proyectaba estas culturas. Allí, la gente podía ver modelos de ciudades alemanas e irlandesas. Se podía visitar un "pueblo africano".

Muchos visitantes se sentían más cómodos en el parque de diversiones que en la Ciudad Blanca, ya que cuatro de cada diez personas de la ciudad habían nacido en otras tierras. La ciudad tenía barrios polacos, irlandeses y alemanes. Grupos de hogares italianos estaban cerca de viviendas suecas.

Las muchas culturas de Chicago la hacían un modelo para el futuro. En 1893, avanzaba una nueva ola de inmigración hacia EE.UU. En 1900, una de cada tres personas en la nación sería inmigrante o hijo de inmigrante. En los próximos 14 años, más de 14 millones de inmigrantes vendrían a EE.UU.

Esta oleada de inmigrantes causaría un gran debate en los Estados Unidos. Muchos ciudadanos temían a los "nuevos" inmigrantes que venían del sur y este de Europa. Pensaban que sus antecedentes y costumbres eran muy diferentes. También temían que estas personas les quitaran trabajos a los ciudadanos de EE.UU y que por lo tanto bajaran los salarios.

Otros ciudadanos no estaban de acuerdo. Pensaban que los inmigrantes habían construido la nación. Los nuevos inmigrantes la harían más fuerte y rica.

Este debate se produjo durante los primeros años del siglo XX. A fines de siglo, el debate se reavivaría, pero ahora, acerca de los inmigrantes de Asia y América Latina.

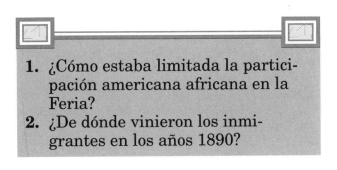

1. ¿Cómo estaba limitada la participación americana africana en la Feria?
2. ¿De dónde vinieron los inmigrantes en los años 1890?

3 Los Americanos Tenían Ideas y Valores en Común.

¿Qué factores ayudaron a convertir a EE.UU en una nación?

EE.UU a fines de los años 1800 era un lugar muy variado. Su población venía de diferentes lugares y tenía diferentes intereses. ¿Qué contribuyó a que gente tan diferente formara una nación?

Todos compartían una creencia en los ideales y sueños de los antepasados americanos. Los americanos africanos compartían la creencia de la declaración de que "todos los hombres han sido creados iguales". Creían en la promesa de la Constitución de la "igual protección ante

Leer un Mapa. Nombra los seis territorios de EE.UU en 1900. ¿Cuáles fueron los dos estados que entraron a EE.UU en los años 1890? ¿Qué territorios se volvieron un estado?

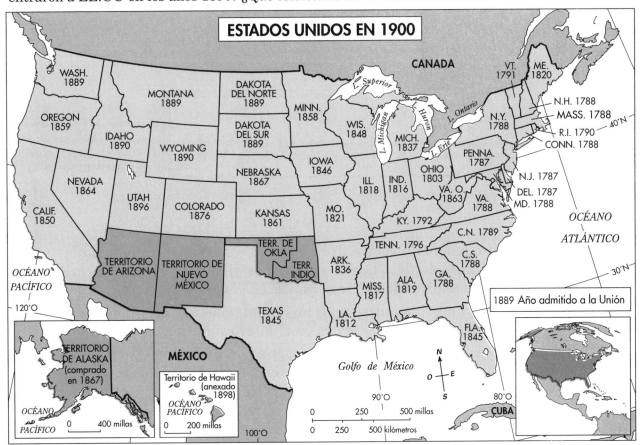

ESTADOS UNIDOS EN 1900

la ley". En el siglo siguiente , usarían las leyes y los tribunales de justica de la nación para lograr esa protección.

Los inmigrantes de EE.UU habían venido de diferentes culturas. Muchos mantendrían sus culturas vivas a través de los periódicos en idiomas extranjeros y de clubes. Sin embargo, formarían parte del sistema político de EE.UU.

Muchos otros ciudadanos de EE.UU. advertían los problemas que la nación enfrentaba cuando entraba al nuevo siglo. Había leyes de Jim Crow, pobreza, condiciones peligrosas en las fábricas y mucho más. Pero también leían las palabras del preámbulo de la Constitución. Decían estos ciudadanos que el gobierno debería "establecer la justicia, promover el bienestar general y asegurar los beneficios de la libertad". Cuando comenzó el siglo XX, muchos americanos procuraron asegurarse de que esas promesas se llevaran a cabo.

1. ¿Por qué derecho continuarían luchando las mujeres en el siglo XX?
2. ¿Cómo mantuvieron los inmigrantes las culturas de sus países en EE.UU?

CAPÍTULO 36
IDEAS CLAVE

- La Feria Mundial de Chicago en 1893 mostró cómo pensaban muchos que sería el futuro de EE.UU. Sin embargo, la ciudad de Chicago dio una visión más realista de lo que sería EE.UU en el nuevo siglo.

- A fines de siglo, muchos americanos no tenían todos sus derechos civiles. Lucharían por esos derechos en el nuevo siglo.

- La mayoría del pueblo americano compartía la creencia en los ideales que expresan la Declaración de Independencia y la Constitución.

REPASO DEL CAPÍTULO 36

I. Repasar el Vocabulario

Une cada palabra de la izquierda con la definición correcta.

1. calculadora
2. red de comunicaciones
3. mural
4. tecnología

a. ciencia usada en forma práctica

b. máquina que resuelve problemas de matemáticas

c. sistema de caminos que se conectan entre sí

d. una pintura hecha sobre una pared

II. Entender el Capítulo

1. ¿Qué problemas de Chicago anticipaban lo que sería el futuro de EE.UU.?
2. ¿Por qué protestó Ida Wells en contra la Feria Mundial?
3. ¿Cómo reflejaba Chicago los diferentes grupos culturales de EE.UU. a fines de siglo?
4. ¿Qué contribuyó a unir la gente de diferentes orígenes e intereses para hacer de EE.UU. una nación?

III. Desarrollo de Habilidades: Predicciones

Haz una predicción acerca del hecho mencionado más abajo.

Hecho: La inmigración en EE.UU. aumentó bruscamente en los años 1890.

Predicción: ¿Cómo reaccionarán los ciudadanos de EE.UU.?

IV. Escribir Acerca de la Historia

1. **¿Qué hubieras hecho?** Imagínate que eres un americano africano que ha visitado la Feria Mundial de Chicago en 1893. Una amiga te escribe y te pregunta si debería hacer un viaje a la Feria. Contéstale en una carta.
2. Escribe un discurso que Susan B. Anthony pudo haber pronunciado ante los organizadores de la Feria Mundial para convencerlos de incluir un edificio de la mujer en la Ciudad Blanca.

V. Trabajar Juntos

Del Pasado al Presente En el Capítulo 36 leíste acerca de las promesas y problemas en EE.UU. al comenzar el siglo XX. Con un grupo, discute estas promesas y problemas de EE.UU. hoy en día. Elaboren una lista que muestre lo que su grupo espera que sea EE.UU.

Glosario

abolicionista: alguien que luchó para acabar con la esclavitud (p. 203)

acción: una porción de la propiedad de una compañía (p. 265)

adaptación: cambiar para ajustarse a nuevos ambientes (p. 9)

adobes: ladrillos hechos de barro secado al sol (p. 19)

aliado: una persona o grupo de personas que se unen a otras para un fin común (p. 80)

alianza: una asociación formal entre naciones (p. 120)

anexar: agregar un territorio a una nación (p. 178)

anticonstitucional: no permitido por la Constitución (p. 136)

arrendatario: granjero que paga una parte de su cosecha al dueño de la tierra como renta (p. 242)

arsenal: lugar donde se almacenan las armas (p. 217)

asamblea: un grupo que hace leyes (p. 68)

asesinato: matar a una persona de notoriedad pública (p. 233)

asimilar: absorber una cultura y costumbres de otro país (p. 272)

autogobierno: el poder de gobernarse a sí mismo (p. 52)

barrio bajo: una zona pobre de la ciudad (p.187)

bloqueo: cuando se cierran los puertos al comercio (p. 225)

boicotear: rehusarse a comprar bienes de una persona, compañía o país en particular (p. 89)

brújula: un instrumento utilizado para guiarse (p. 25)

buhonero: vendedor ambulante (p. 190)

cadete: soldado en entrenamiento (p. 179)

calculadora: máquina que resuelve problemas matemáticos (p. 303)

californianos: residentes de habla hispana de California (p. 180)

canal: vía de navegación excavada por personas para conectar dos cuerpos de agua (p. 170)

capataz: persona que supervisa el trabajo de los esclavos (p. 165)

carpetbagger: norteño que se mudó al sur después de la Guerra civil (p. 241)

casa de beneficencia: organización formada para ayudar a la gente en barrios bajos (p. 284)

clima: el promedio de características atmosféricas de un lugar a través de un periodo de años (p. 10-11)

colonia: un asentamiento permanente controlado por un país más poderoso (p. 27)

comadrona: alguien que ayuda en el parto (p. 67)

compromiso: un acuerdo que da a cada parte algo de lo que quiere (p. 128)

conquistador: un soldado-explorador español (p. 28)

conscripción: ley que obliga a los ciudadanos a cumplir el servicio militar (p. 226)

consentimiento: acceder a algo (p. 111)

constitución: la ley básica con la cual funciona un país (p. 127)

contrabandear: traer bienes a un país en forma ilegal (p. 87)

convención: reunión en la cual se toman decisiones importantes (p. 127)

convertir: persuadir a una persona a cambiarse a otra religión (p. 46)

corporación: compañía que obtiene fondos vendiendo acciones en el mercado (p. 265)

cosechas comerciales: cultivos para vender (p. 63)

cuatrero: ladrón de ganado (p. 257)

cultura: creencias y modos de vida de un pueblo (p. 8)

debate: una discusión en la cual se analizan aspectos opuestos de una cuestión (p. 106)

declaración: anuncio oficial (p. 98)

delegado: una persona que representa a otros (p. 104)

derechos civiles: derechos otorgados a todos los ciudadanos por la Constitución (p. 249)

derechos de los estados: el derecho de los estados a decidir ciertas situaciones sin la intervención del gobierno federal (p. 220)

derogar: cancelar (p. 90)

deuda: dinero que se debe a otra persona (p. 61)

discriminación: dar a otras personas un trato diferente debido a sus antecedentes culturales o religiosos, o porque son hombres o mujeres (p. 182)

diverso: diferente (p. 8)

doméstica: alguien que trabaja como sirviente, cocinera o lavandera (p. 291)

ejecutivo: la rama del gobierno, encabezada por el presidente, que se encarga de hacer cumplir las leyes (p. 136)

emancipar: liberar de la esclavitud (p. 229)

embargo: una orden del gobierno que suspende el comercio (p. 155)

encausar: acusar formalmente al presidente o a otro funcionario de infringir la ley (p. 239)

enganche: servicio forzoso, especialmente en la marina (p. 155)

enmendar: cambiar o corregir (p. 131)

epidemia: rápida propagación de una enfermedad (p. 282)

esclavitud: el sistema de mantener a otras personas como propriedad (p. 36)

espirituales: canciones religiosas desarrolladas por los americanos africanos esclavizados (p. 63)

estado fronterizo: estado de esclavos que permaneció leal la Unión (p. 229)

estereotipo: una idea acerca de un grupo que probablemente no es verdadera (p. 272)

exportacíon: envío de un recurso o producto de un país a otro (p. 43)

feminista: alguien que apoya el movimiento de los derechos de la mujer (p. 195)

folleto: un pequeño libro (p. 105)

frontera: límite de un país junto a tierras salvajes (p. 169)

fugitivo: alguien que huye para escaparse de la ley; un esclavo prófugo (p. 214)

glaciares: gigantescas sábanas de hielo (p. 16)

guerra total: guerra en la cual un ejército trata de destruir todo lo que pueda ser útil para el ejército enemigo (p. 231)

habitant: un pequeño granjero en Nueva Francia (p. 79)

hambruna: época en que no hay suficientes alimentos para comer (p. 48)

hilandería: fábrica donde se produce tela (p. 161)

huelga: cuando los trabajadores se rehúsan a trabajar hasta que sus demandas se tomen en cuenta (p. 267)

imperialismo: la formación de imperios coloniales (p. 295)

importar: traer bienes a un país (p. 87)

índigo: planta que produce una tintura azul (p. 63)

inmigración: mudarse de una tierra natal para vivir permanentemente en otro país (p. 9)

inmigrante: alguien que deja su tierra natal para radicarse en otro país (p. 187)

inquilinato: un edificio de barrios pobres con pequeños departamentos (p. 271)

intolerable: que no se puede aguantar (p. 97)

irrigación: sistema para llevar agua hasta los sembrados a través de pequeños canales (p. 183)

jesuita: un meimbro de una orden católica (p. 76)

judicial: la rama del gobierno encabezada por la Corte Suprema (p. 137)

legislatura: la rama del gobierno que hace las leyes (p. 135)

libertos: americanos africanos esclavizados que fueron liberados durante la Guerra civil (p. 237)

linchar: mantanza ejecutada por una turba (p. 243)

malversación: utilización deshonesta de una posición gubernamental para obtener ganancia (p. 282)

matanza: asesinato cruel de un gran número de personas (p. 96)

mayoría: más de la mitad (p. 135)

medio ambiente: condiciones que rodean a las personas (p. 19)

metro: tren que funciona en túneles subterráneos (p. 279)

migración: movimiento de personas de un lugar a otro (p. 16)

milicia: groupo de ciudadanos que actúan como soldados en una emergencia (p. 98)

misión: una comunidad dirigida por la Iglesia Católica (p. 46)

monopolio: una compañía con el control casi completo de una industria (p. 265)

movimiento de abolición: campaña para abolir la esclavitud (p. 203)

multicultural: muchas culturas (p. 8)

mural: pintura hecha sobre una pared (p. 305)

nacionalismo: lealtad a, u orgullo por, el país de uno (p. 71)

navegante: una persona que puede conducir un barco a través del mar (p. 25)

neutral: que no toma partido en una discusión (p. 147)

nómadas: personas que se mueven de lugar en lugar en busca de comida (p. 17)

pacto: un convenio (p. 53)

pensión: una casa donde se paga por el alojamiento y la comida (p. 162)

peregrinaje: un viaje a un lugar venerado (p. 34)

pirámide: un edificio con una base cuadrada y lados que se unen en un punto (p. 21)

plantaciones: grandes fincas donde hay cultivos (p. 33)

pogrom: una matanza organizada contra un grupo étnico, especialmente los judíos (p. 271)

preámbulo: una introducción (p. 110)

precedente: un acto o decisión que establece un ejemplo para acciones futuras (p. 144)

prejuicio: rechazo a las personas que son diferentes (p. 181)

producción en masa: forma de producir rápido y barato grandes cantidades de un producto (p. 265)

proyecto de ley: una propuesta de ley (p. 135)

racismo: creencia de que un grupo es superior a los otros (p. 69)

ratificar: aprobar (p. 127)

rebelión: resistencia armada contra un gobierno (p. 101)

red: sistema de caminos que se conectan entre sí (p. 303)

reforma: cambio, mejora (p. 195)

representante: funcionario elegido para actuar en nombre de otros (p. 88)

república: un país donde el pueblo escoge a sus propios líderes (p. 128)

reservación: terreno reservado para americanos nativos (p. 258)

segregar: separar a la gente por razas (p. 248)

separarse: apartarse de algo (p. 220)

sequía: una larga temporada de climo seco (p. 19)

sinagogas: templos judíos (p. 59)

sistema federal: sistema de gobierno en el cual el gobierno nacional comparte el poder con estados o regiones (p. 128)

sufragio: derecho a votar (p. 195)

tarifa: un impuesto sobre productos (p. 145)

tecnología: ciencia usada en forma práctica (p. 303)

tejanos: residentes de habla hispana de Texas (p. 177)

tepetate: capa superior de tierra dura endurecida por raíces de pasto (p. 256)

terrateniente: persona que obtuvo tierra del gobierno gratis para construir una granja (p. 255)

territorio: una región que todavía no es un estado (p. 152)

tolerancia: permitir a otras personas practicar sus propias creencias (p. 59)

tradiciones: costumbres y maneras de hacer las cosas transmitidas de una generación a otra (p. 10)

traición: el acto de traicionar al propio país (p. 109)

transcontinental: algo que cruza el continente (p. 255)

tren elevado: tren que circula por vías sobre el nivel de las calles (p. 279)

tributo: pagos que hacen las personas conquistadas a una nación poderosa (p. 22)

vaquero: palabra española para denominar a la persona que arrea el ganado (p.256)

vasallo: una persona protegida por otra más fuerte a cambio de sus servicios (p. 38)

Índice